［ビジュアル図解］

物流センターのしくみ

臼井秀彰
田中彰夫

同文舘出版

はじめに

２０１１年3月、東日本大震災が発生しました。私たちは震災を経験し、物流の重要性を再認識しました。

物流のインフラがなくては、商品を安定的に供給することは不可能です。その物流の中核を担うのが「物流センター」です。物流センターは私たちの生活、経済・流通活動にとって欠かせない生命線といえるのです。

本書は「物流センター」にフォーカスを当てたものです。物流について記述されている本は数多く出版されていますが、物流センターに関するものはほとんどありません。では、なぜ物流センターに関する本は少ないのか。

物流センターの開設となれば、様々なプレイヤーが登場します。ゼネコン、設計会社、３ＰＬ（物流会社）、マテハン業者、システムベンダー、取引業者、荷主等々です。また、物流センター建設には多額の資金を要するため、銀行や不動産投資信託会社も関係してきます。つまり、それぞれのプレイヤーの立場ごとに、物流センターに対しての価値観が存在するのです。

物流センターで扱う商品に関しても同じことがいえます。食品、日用品、衣料、医薬品、半導体、電気製品……。各々の商品ごとに保管形態や管理、作業方法が細かく違っています。

それぞれの物流センターについて必要な知識も、物流以外に財務、システム、労務管理、ハンドリング技術など多岐にわたっています。

そうした広範な知識を、一冊の本にまとめるのは非常に困難です。私も、本書をまとめるのに大変苦労しました。

これまで私は、業態ではメーカー、卸売業、小売業、外食産業。商品では食品、雑貨、アパレルなどの物流センターのコンサルティング経験を重ねてきました。そうした実務経験をベースに、物流コスト、在庫といった学問的見地を加え、物流センターの全体像を体系立てたのが本書です。

物流センターは、私たちの生活を支える重要なインフラです。ですから、物流に関係する職業に就いている方以外の、一般の方々にも本書を手にとって一読していただければ幸いです。

本書は10章立てで、10の視点から物流センターのしくみにアプローチしています。

物流センターと聞いて、イメージが湧かない読者の方もいらっしゃると思います。そこで本書では、1章で「社会」「経済」「流通」といったマクロ的観点から、誰にでも物流センターのことが理解できるように記述しています。

以下、物流センターとは何か、物流センターの特徴、物流センターが取り扱う商品やメーカー、卸、小売業などの業態にスポットを当てています。読者の方に物流センターのイメージを視覚的につかんでいただくために、写真も挿入しています。

さらに、物流センターの「業務内容」「物流管理」「物流指標」「物流改善活動」「在庫管理」「コスト管理」「情報システム」「マテハン機器」といった実務的な内容を盛り込みました。

本書の出版に当たっては、数多くの企業の方々にご協力をいただき、感謝しております。また同文舘出版の関係者の方々には、執筆の機会をいただいたことを深く感謝いたします。この場を借りてお礼を申し上げます。

２０１１年8月

株式会社　流通マーケティング研究所

代表取締役　臼井秀彰

目次

1章 経済・流通活動における物流センターの役割

1 経済活動における物流センターの役割 ……… 12
2 消費生活における物流センターの役割 ……… 14
3 流通における物流センターの役割 ……… 16
4 SCMと物流センターの役割 ……… 18
5 物流センターの機能とは ……… 20
6 物流センターと倉庫の違い ……… 22
7 物流ネットワークの考え方 ……… 24
8 物流センターの立地条件 ……… 26
9 商流と物流を分離するメリット ……… 28
10 環境時代における物流センターのあり方 ……… 30

2章 物流センターの全体像

11 物流センターの種類と特徴 ……… 34
12 物流センターの基本レイアウト ……… 36
13 商品を守る物流センターの温度管理 ……… 38

3章 取扱商品別に見た物流センターの特徴

14 物流センターを支えるしくみ ………40
15 環境にやさしい物流センターとは ………42
16 物流センターと法規制 ………44
17 物流センターと倉庫業法 ………46
18 注目される物流センターのJ-REIT ………48
19 物流センターへの投資の考え方 ………50
20 よい物流センターとは ………52

21 常温食品の物流センター ………56
22 冷蔵食品の物流センター ………58
23 冷凍食品の物流センター ………60
24 アパレルの物流センター ………62
25 日用品・化粧品の物流センター ………64
26 医薬品の物流センター ………66
27 花きの物流センター ………68
28 出版物の物流センター ………70
29 リサイクル資源の物流センター ………72
30 住宅資材の物流センター ………74

4章 業態別に見た物流センターの特徴

- 31 メーカーの物流センター ……… 78
- 32 卸売業の物流センター ……… 80
- 33 小売業の物流センター ……… 82
- 34 食品スーパーの物流センター ……… 84
- 35 コンビニエンスストアの物流センター ……… 86
- 36 ドラッグストアの物流センター ……… 88
- 37 外食産業の物流センター ……… 90
- 38 輸出貨物の物流センター ……… 92
- 39 宅配便の物流センター ……… 94
- 40 通信販売業の物流センター ……… 96

5章 物流センターの業務

- 41 物流センターの業務の全体像 ……… 100
- 42 入荷業務の流れ ……… 102
- 43 保管業務の流れ ……… 104
- 44 ピッキング業務の流れ ……… 106
- 45 流通加工・検品・梱包業務の内容 ……… 108

46 仕分業務の内容……110
47 出荷業務の内容と流れ……112
48 物流情報管理業務の内容……114
49 在庫管理業務の内容……116
50 配車・配送管理業務の内容……118

6章 物流センター管理と物流改善

51 物流センターの管理と体系……122
52 物流センター管理と情報……124
53 物流サービス水準の考え方……126
54 物流改善とは何か……128
55 物流改善のステップ……130
56 物流改善と「ムダ」の排除……132
57 物流管理指標の使い方……134
58 物流ＫＰＩで問題点を明らかにする……136
59 物流センターの「みえる化」……138
60 物流改善の実際例……140

7章 物流センターと在庫管理

61 実在庫・理論在庫とは …… 144
62 在庫視点の経営とは …… 146
63 在庫関連指標の求め方 …… 148
64 サプライチェーンと在庫管理 …… 150
65 「適正在庫」の考え方とは …… 152
66 物流センターの在庫管理 …… 154
67 需要予測と自動発注の活用 …… 156
68 物流センターの在庫削減とＡＢＣ分析の活用 …… 158
69 物流センターの在庫管理システム …… 160
70 賞味期限管理の重要性とは …… 162

8章 物流センターとコスト管理

71 物流コストへのアプローチ …… 166
72 物流センターのコスト体系 …… 168
73 物流センターコストの構成と配送コスト …… 170
74 物流ＡＢＣによるコスト分析 …… 172
75 物流センター料金の決め方とセンターのコスト …… 174

9章 物流センターのシステム化と情報技術

- 76 物流センター投資のコスト計算例 ……… 176
- 77 物流コスト削減の切り口 ……… 178
- 78 物流センターの作業人時とコスト削減策 ……… 180
- 79 物流サービス水準とピッキングコストの関係 ……… 182
- 80 新たな物流利益「センターフィー」 ……… 184
- 81 物流センターシステムの体系 ……… 188
- 82 WMS（倉庫管理システム）の機能と役割 ……… 190
- 83 WMSの導入と選定 ……… 192
- 84 TMS（輸配送管理システム）の機能と役割 ……… 194
- 85 在庫型物流センター（DC）のシステム ……… 196
- 86 通過型物流センター（TC）のシステム ……… 198
- 87 物流センター業務で使われるバーコード ……… 200
- 88 物流システムを支える各種物流ラベル ……… 202
- 89 流通BMSによる物流センターのメリット ……… 204
- 90 RFIDの物流センターでの活用 ……… 206

10章 物流センターのマテハン機器

- 91 マテハン機器の種類と役割 ………………………………………………… 210
- 92 物流マテハン機器の選定ポイント ………………………………………… 212
- 93 集約を担うマテハン機器「パレット」 …………………………………… 214
- 94 「運ぶ」を担うマテハン機器「フォークリフト」 ……………………… 216
- 95 自動搬送設備と物流センターシステム …………………………………… 218
- 96 自動仕分機器と物流センターシステム …………………………………… 220
- 97 保管機器の種類と選定方法 ………………………………………………… 222
- 98 ピッキング機器の種類と選定方法 ………………………………………… 224
- 99 人間系と機械系のマテハン設備比較 ……………………………………… 226
- 100 物流センター計画とマテハン設備導入のステップ ……………………… 228

カバーデザイン／新田由起子
DTP／一企画

1章

経済・流通活動における物流センターの役割

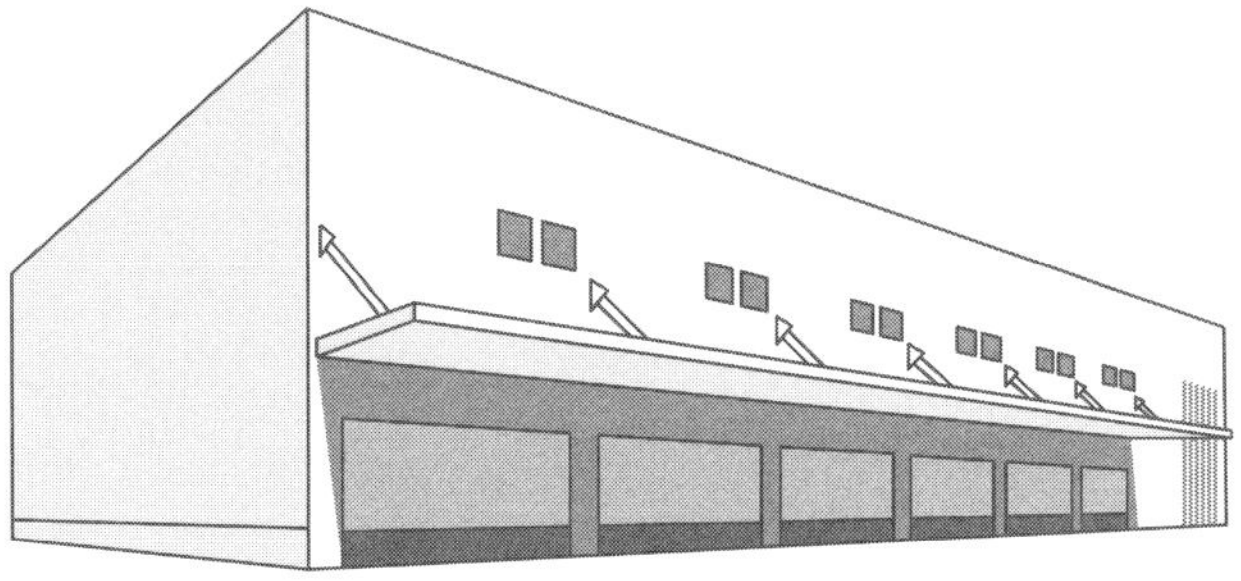

① 経済活動における物流センターの役割

❖経済活動における流通の役割

経済とは、私たちが社会生活を営むための、財やサービスを交換するしくみのことです。私たちは、生活に必要なすべてのものを、自分だけで生産して消費することは不可能です。そこで大昔は、モノとモノの交換（物々交換）が行なわれました。そして、お金が発明されてからは、お金を媒介にしたモノの交換（売買）がなされるようになりました。

ところで、商品が生産された場所でしか販売されないとどうなるでしょうか。商品を購入したい消費者は工場の前に群がり、商品を手に入れるのにひと苦労しなければなりません。工場から遠く離れた場所に住んでいる人は、商品を買いに行くことすらできません。

こうした問題を解決するのが、卸売業者や小売業者です。この卸売業や小売業が担う活動、つまり経済活動における生産と消費の橋渡しが流通なのです。そして、流通の段階を川の流れになぞらえて、生産に近い段階を「川上」、消費者に近い段階を「川下」と表現します。

❖物流センターは経済活動の基盤

商品が生産されてから、消費者の手に渡るまでの流れを見てみましょう。一般的には、工場で商品が生産されると、卸売業者や小売業者をへて消費者に届きます。

なお、商物分離（28ページ参照）といった制度により、基本的には、メーカーや卸売業や小売業の本社や営業所に商品はありません。商品は、それぞれの物流センターと呼ばれる施設に運ばれます。この物流センターでは、商品を一時的に保管しています。そして、川下からの要求に基づき、必要な量を必要なタイミングで川下の企業に出荷します。

ところで、インターネットを利用した買物は、実際の店に行かなくてもパソコンの画面を見ながら注文できるので、大変便利です。ネットワーク社会が進展すると、様々な行為がインターネットで代替できるようになります。しかし、モノの保管や輸送といった業務はなくなりません。つまり物流センターは、今後も経済活動を支える大切な基盤と位置づけられるのです。

経済活動と物流センターの関係

◉経済活動における流通の役割

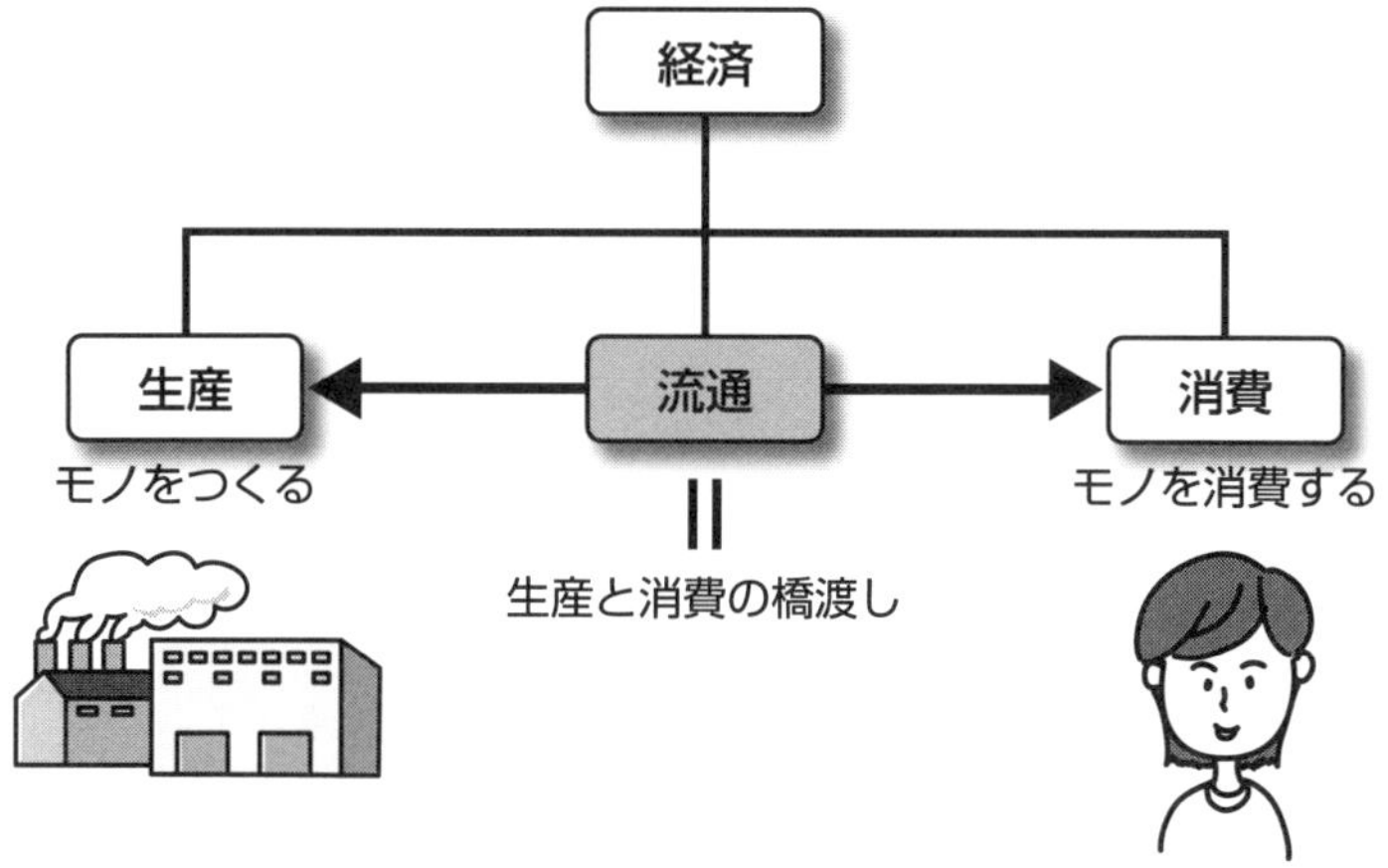
経済
生産
流通
消費
モノをつくる
||
生産と消費の橋渡し
モノを消費する

◉物流センターは経済活動の基盤

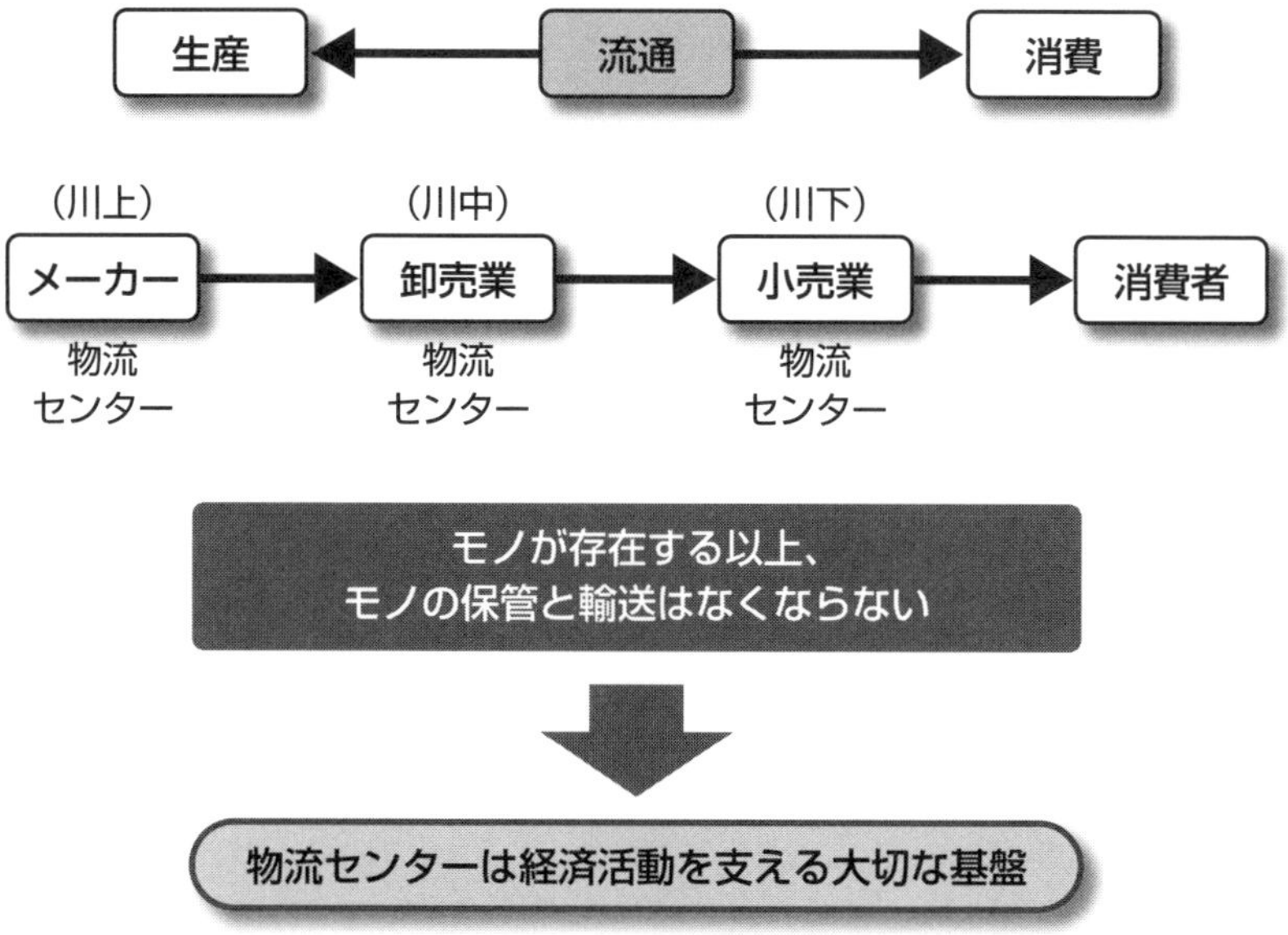
生産
流通
消費
（川上）
（川中）
（川下）
メーカー
卸売業
小売業
消費者
物流センター
物流センター
物流センター
モノが存在する以上、
モノの保管と輸送はなくならない
物流センターは経済活動を支える大切な基盤

② 消費生活における物流センターの役割

❖消費生活に欠かせない物流センター

身の回りの多くの商品は、物流センターを経由して私たちの手許に届きます。

ここでは、私たちの消費生活に欠かせない物流センターが、消費者の嗜好の変化によってどのような影響を受けるかについてお話しします。

❖消費者の嗜好の変化と「多頻度小口納品」

消費者の嗜好は、従来に比べて多様化しています。その結果、商品のアイテム数が増えています。たとえば歯みがき粉は、昔は歯の汚れを落とすという基本的機能が満たされていれば、家族みんなで同じものを使っていました。しかし現在は、父親は歯槽膿漏予防用のもの、母親は歯を白くする効果があるもの、娘は口臭予防、息子は虫歯予防と、各人の要望に合った機能を持つ商品が使用されています。

そのため、小売店には歯みがき粉だけでも様々な商品を置く必要が出てきます。しかし店舗面積には限界があるので、同一種類のものをそれほど多く在庫できません。一方で品切れを起こすわけにはいかないため、売行きに合わせて小口の数量を頻繁に発注することになります。これに対応した納入を「多頻度小口納品」といいます。

現在の物流センターには、多頻度小口納品に耐えられる設計・運営が求められているのです。多頻度小口納品は、新鮮なものを品揃えしたいという要求でも起こります。

❖消費者の嗜好の変化と「リードタイムの短縮化」

消費者の嗜好は移り気で、近年は商品のライフサイクルが短くなっています。そこで小売店は、売行きを見ながらぎりぎりまで発注を待ち、商品が売れ残らないようにします。リードタイム（商品の受発注から納入までの時間）が短ければ、小売店では発注のタイミングをぎりぎりまで待てます。また通信販売のような業態では、注文後すぐに商品が届くようであれば、消費者にとっての価値は高くなります。

そこで、リードタイムの短縮化が重要になりますが、メーカー、卸売業、小売業が独自に努力するのではなく、各業態が力を合わせて取り組むことが大切になります。

消費者の嗜好に合わせた体制づくり

◉多頻度小口納品とは？

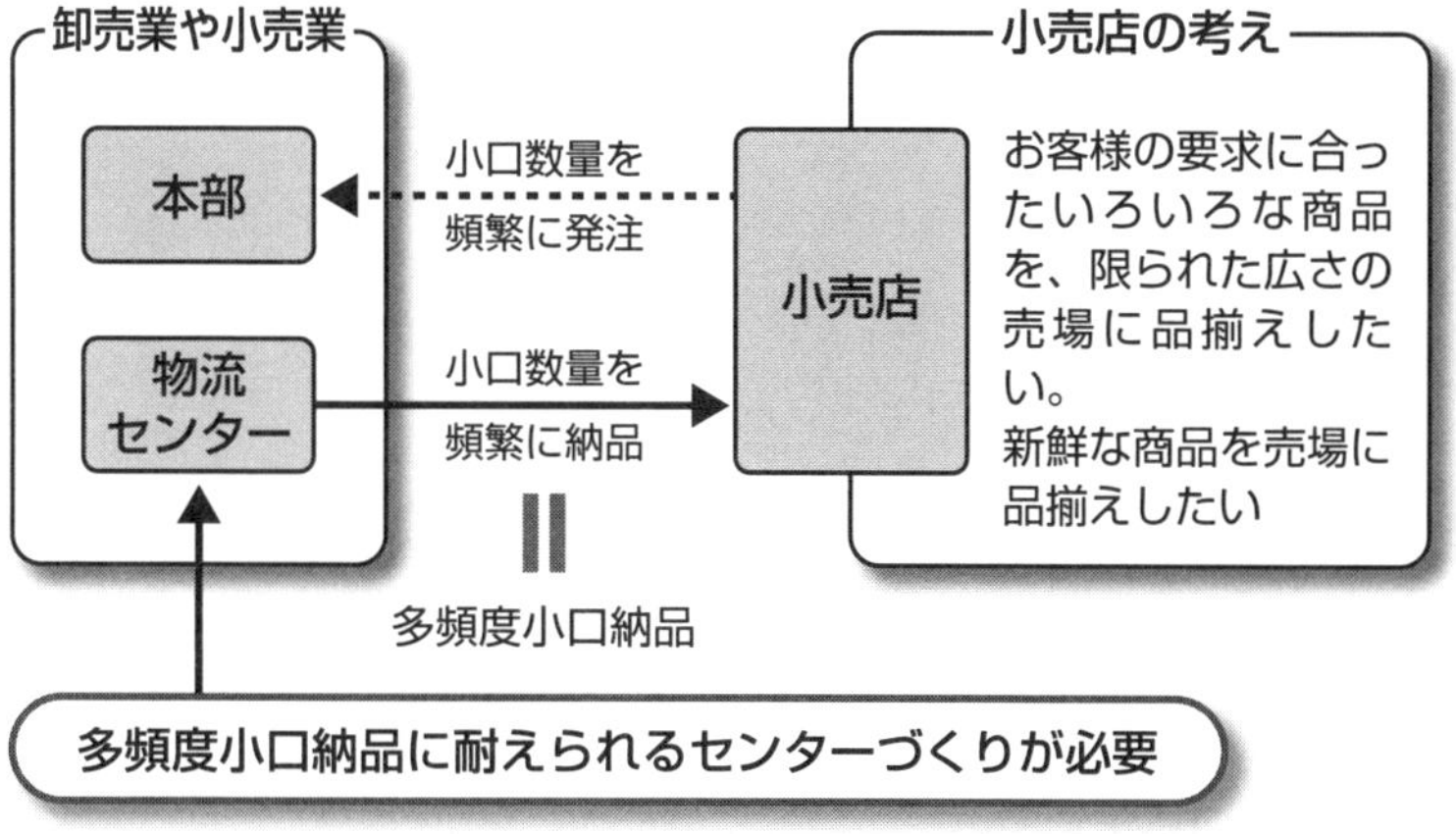
卸売業や小売業
本部
物流センター
小口数量を
頻繁に発注
小口数量を
頻繁に納品
＝
多頻度小口納品
小売店
小売店の考え
お客様の要求に合ったいろいろな商品を、限られた広さの売場に品揃えしたい。
新鮮な商品を売場に品揃えしたい
多頻度小口納品に耐えられるセンターづくりが必要

◉リードタイムの短縮化とは？

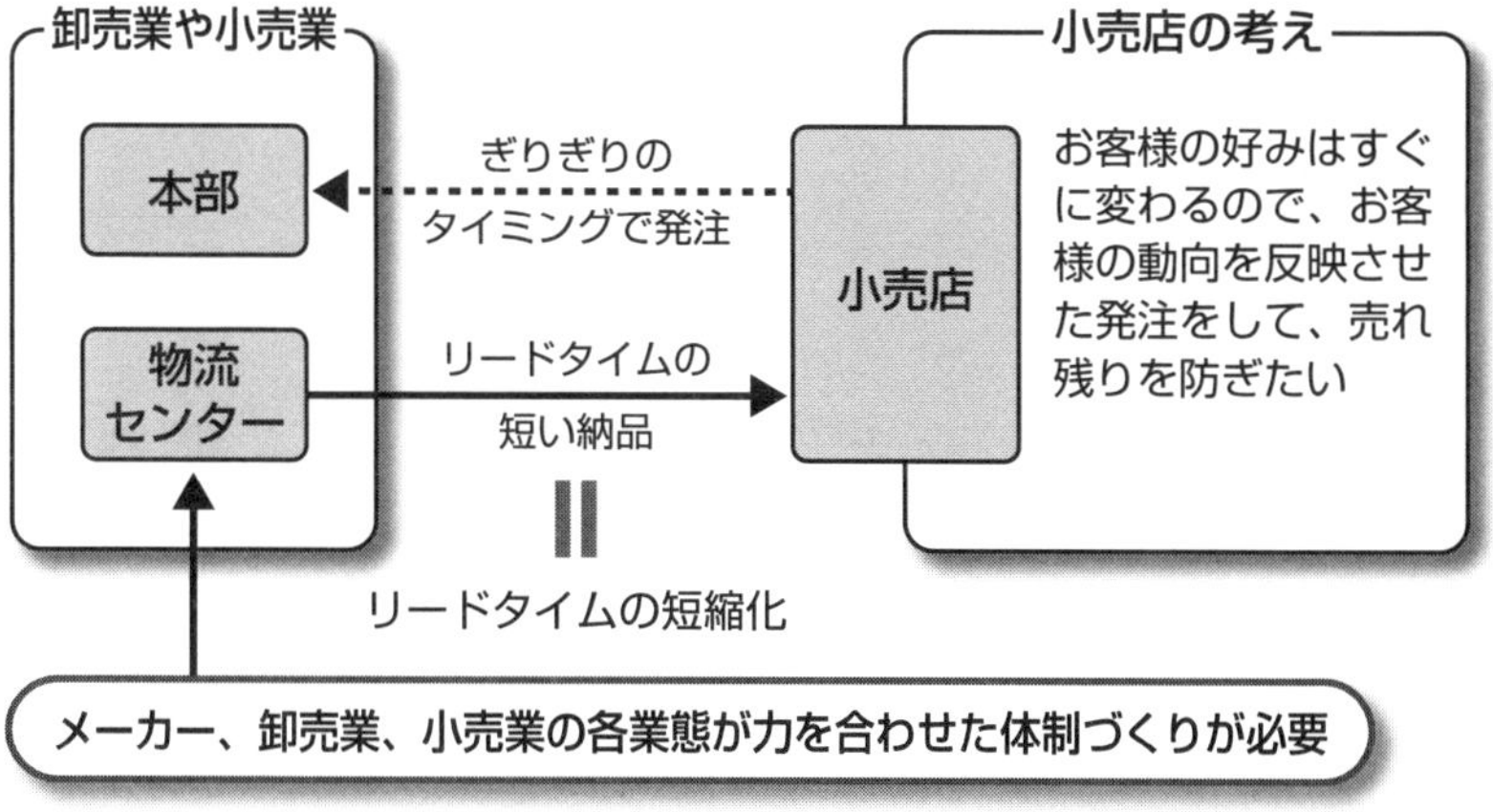
卸売業や小売業
本部
物流センター
ぎりぎりの
タイミングで発注
リードタイムの
短い納品
＝
リードタイムの短縮化
小売店
小売店の考え
お客様の好みはすぐに変わるので、お客様の動向を反映させた発注をして、売れ残りを防ぎたい
メーカー、卸売業、小売業の各業態が力を合わせた体制づくりが必要

3 流通における物流センターの役割

❖流通経路と物流経路

商品が、生産者から消費者に届くまでの過程をもう少しくわしく見てみましょう。

加工食品を例にすると、メーカー→卸売業→小売業の順に商品が売買されて、消費者の手許に届きます。この間、商品の所有権が移転していきます。卸売業については、一次卸、二次卸というように、複数の業者を経由することもあります。こうした商品の売買の経路（所有権の移転経路）を「流通経路」といいます。

他方、商品が生産者から消費者に届くまでの物理的な流れを「物流経路」といいます。メーカーの工場で生産された商品は、まずメーカーの物流センターに運ばれます。次に卸の物流センターに運ばれ、そして小売店に届きます。全国展開をする大規模な小売業の中には、自社で物流センターを保有し、そこを経由して各店舗に商品を納品している企業もあります。

❖流通の各段階における物流センターの位置づけ

メーカーにとっての物流センターは、「顧客へ商品をすばやく届けるための拠点」としての位置づけです。工場と顧客の物理的な距離が長いと、短時間で商品を届けることができません。工場で生産された商品を保管する拠点を工場と顧客の間に設ければ、そこから商品を比較的短時間で顧客の手許に届けられます。

卸売業の物流センターには、「メーカーと小売業の調整弁」としての意味合いがあります。メーカーは大ロットで取引したいと考えています。他方、小売店は店舗スペースに限りがあるため、様々な商品を少しずつ並べる小ロットでの取引を望んでいます。そこで卸の物流センターには、メーカーとパレットやケース単位で取引した商品を、小売店にはピース（1個、2個というバラ）単位に小分けして取引することが求められます。

一方、小売業の物流センターは、「店舗での作業負担の軽減」がポイントです。店舗へいろいろな卸売業者が商品を納入すると、トラックが列をなし、店舗側の受け入れ作業が大変になります。そこで商品を一括して納入するようにすれば、店舗側の作業負担は軽減されます。

商品の流れと物流センターとの関わり

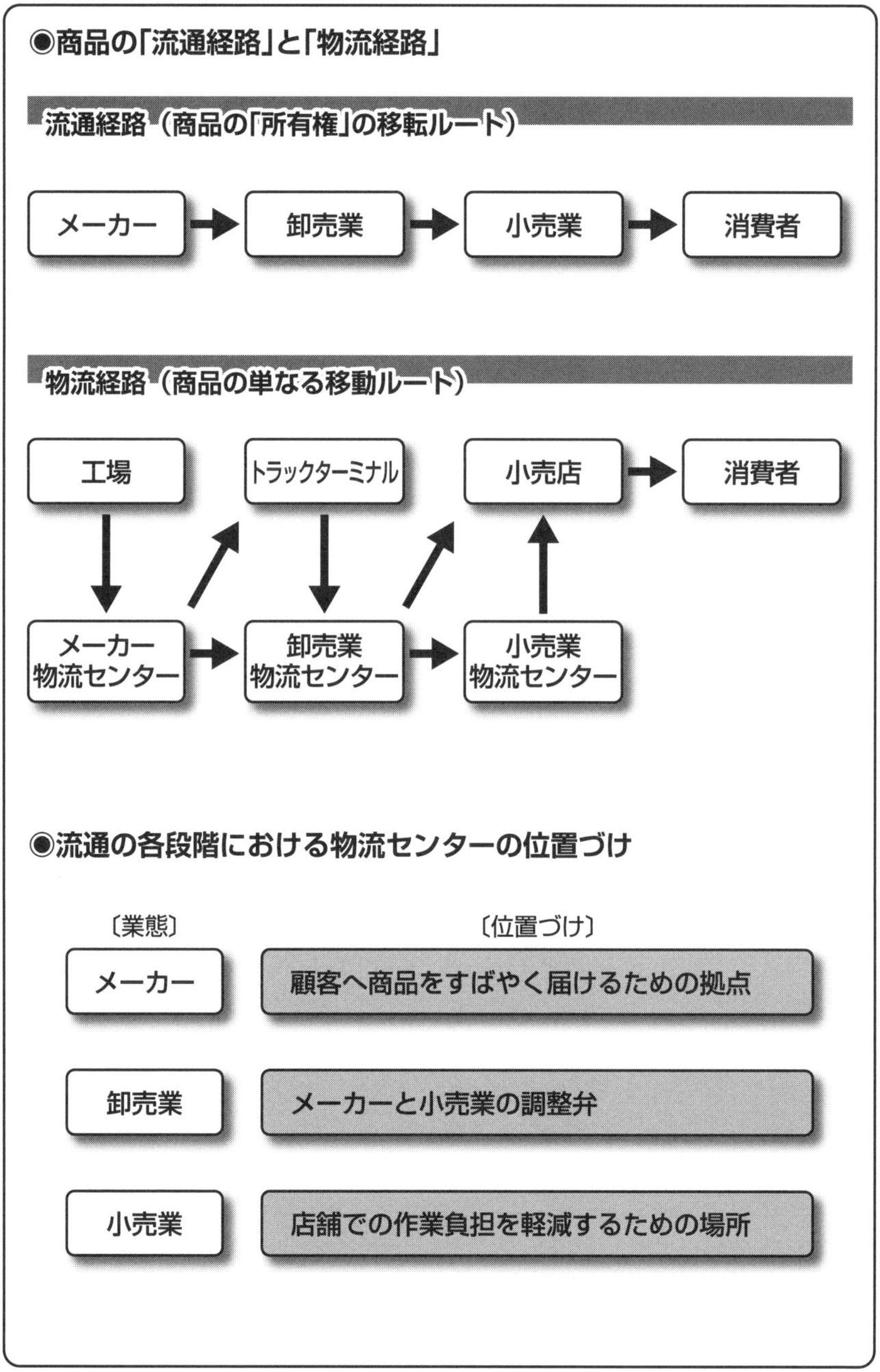
◉商品の「流通経路」と「物流経路」
流通経路（商品の「所有権」の移転ルート）
メーカー
卸売業
小売業
消費者
物流経路（商品の単なる移動ルート）
工場
トラックターミナル
小売店
消費者
メーカー
物流センター
卸売業
物流センター
小売業
物流センター
◉流通の各段階における物流センターの位置づけ
〔業態〕
〔位置づけ〕
メーカー
顧客へ商品をすばやく届けるための拠点
卸売業
メーカーと小売業の調整弁
小売業
店舗での作業負担を軽減するための場所

4 ＳＣＭと物流センターの役割

❖ＳＣＭとは

　商品の生産から、消費者への販売までの流れを一本の鎖と捉えて、サプライチェーン（supply chain：供給連鎖）と表現することがあります。このサプライチェーン全体を統合的に管理して取引の効率化を図る経営手法を、ＳＣＭ（supply chain management：サプライチェーン・マネジメント）といいます。

　別のいい方をすれば、ＳＣＭとはサプライチェーンに登場する企業同士が商品の売行きなどの情報を共有し、サプライチェーン全体でのメリットを図る経営手法です。

　なお、サプライチェーン全体で効率化を図ることを「全体最適」といいます。これに対し、流通の各段階で企業が自社に直接関係する範囲内で効率化を図ることを「部分最適」といいます。部分最適は一時的には自社の効率を上げますが、サプライチェーンの他社にしわ寄せをもたらし、めぐりめぐって自社にもひずみが生じます。

　では、ＳＣＭを具体的に考えてみましょう。一般的にメーカーには、自社商品が消費者に、いつどの程度売れているか、などの正確な情報はわかりません。もし商品の売行き情報がつかめれば、生産段階での売れ残りや品切れを防ぐことができます。他方、小売業には在庫削減とともに品切れを防ぎたいというニーズがあります。

　メーカー、卸、小売りのそれぞれの情報が共有されていない状況では、流通段階のあるところでは在庫が必要以上に存在し、別のところでは在庫がまったくなく、品切れ状態になっていることがあります。

　ＳＣＭの実践により、メーカー、卸売業、小売業があたかも一つの企業体として、サプライチェーンにおける在庫や仕掛品が削減でき、併せて納期短縮や品切れ防止により、顧客満足度の向上を図ることができます。

❖ＳＣＭと物流センター

　ＳＣＭを成功させるためには、サプライチェーン上の企業がお互いにきちんと情報を共有し、それに基づいた作業をする必要があります。そうした観点から、物流センターにおける在庫管理の徹底やシステム面での連携が大切になります。

メーカー・卸・小売りの連携

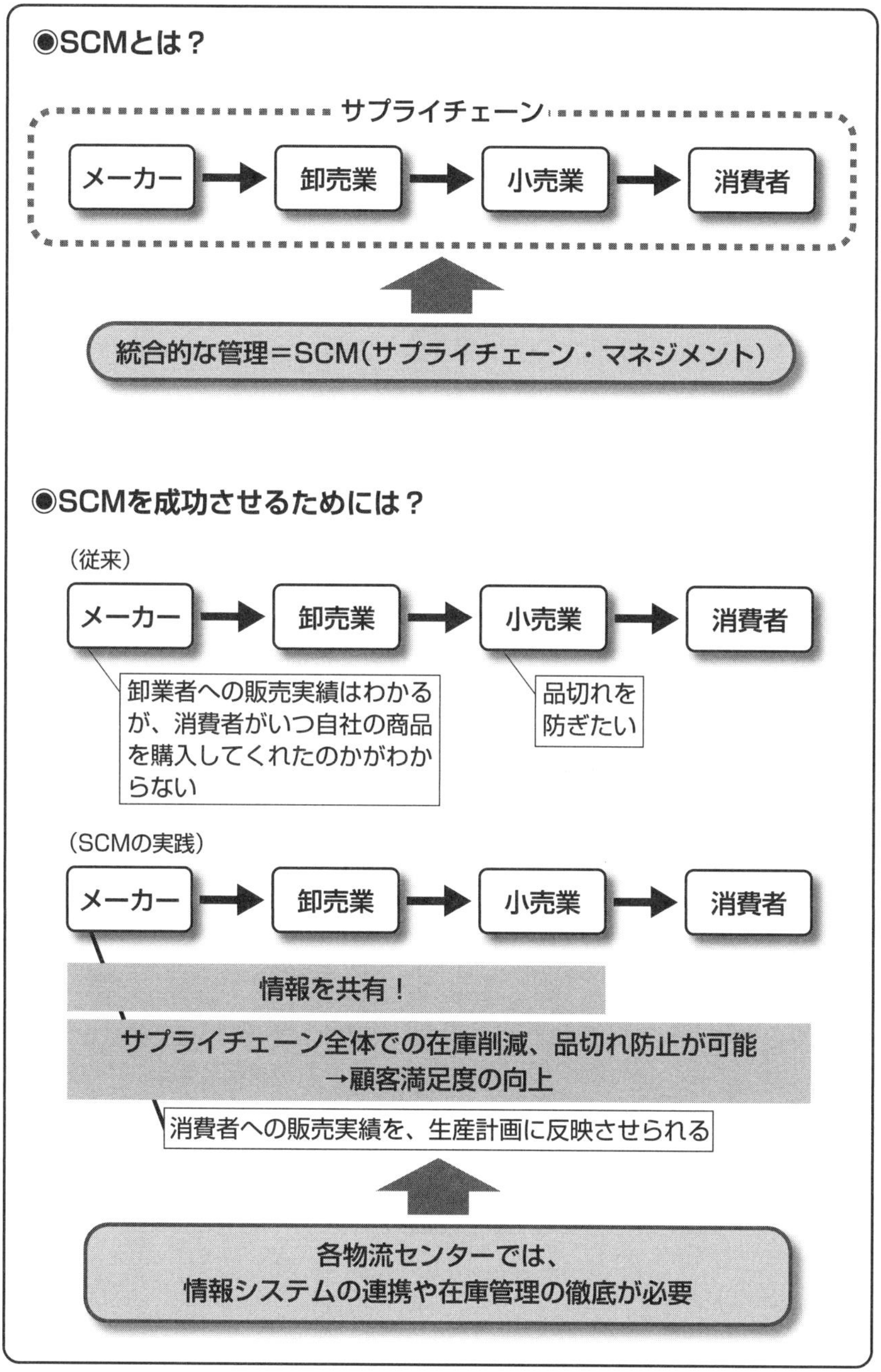
◉SCMとは？
サプライチェーン
メーカー
卸売業
小売業
消費者
統合的な管理＝SCM(サプライチェーン・マネジメント)
◉SCMを成功させるためには？
(従来)
メーカー
卸売業
小売業
消費者
卸業者への販売実績はわかるが、消費者がいつ自社の商品を購入してくれたのかがわからない
品切れを防ぎたい
(SCMの実践)
メーカー
卸売業
小売業
消費者
情報を共有！
サプライチェーン全体での在庫削減、品切れ防止が可能
→顧客満足度の向上
消費者への販売実績を、生産計画に反映させられる
各物流センターでは、
情報システムの連携や在庫管理の徹底が必要

5 物流センターの機能とは

❖保管

アパレルのような季節性のある商品では、あらかじめ商品を生産して、売行きに合わせて出荷しています。このような商品では、生産と消費の間に時間の隔たりができます。それを解決するための手段が保管です。

保管にあたっては、スペースを有効活用し、余分な商品を持たないこと、作業しやすいように見てすぐにわかるように配置すること、商品が安全かつ品質劣化しないように適正な状態を保つこと、そして必要に応じてすばやく出荷できる態勢を整えること、などが求められます。

❖荷役

輸送や保管にあたって発生する商品の出し入れや積み降ろし業務を荷役（「にやく」あるいは「にえき」）といいます。業務には商品の入出庫、積み付け・積み降ろし、ピッキング、配送別の仕分けなどがあります。季節や曜日で作業量に変動が多いため、柔軟な対応が望まれます。

❖流通加工

流通加工とは、流通過程において顧客の要望に応じて商品に付加価値をつける加工をすることです。値札やラベル付け、袋詰め、販売サイズへの小分け、ギフト商品にするためのセット組みなどがあります。

❖包装

輸送、保管、荷役中に商品が汚れたり傷んだりしないように商品を包んで保護したり、輸送、保管、荷役をしやすいように箱などに入れることを包装といいます。

なお包装を流通加工に含めて、物流センターの四つの機能と表現することもあります

❖輸送

輸送とは、生産地と消費地の距離の隔たりを解決する手段です。輸送では、必要な量を決められた時刻に届けることが求められます。代表的な輸送手段としてトラックがあります。トラックは他の輸送手段に比べて輸送スケジュールについての柔軟性に優れていますが、排気ガスや交通渋滞など、環境への負荷が大きいことから、最近では鉄道とトラックの組み合わせ（モーダルシフト）など、環境にやさしい輸送も増えています。

物流センターの5つの機能

保管

生産と消費の
「時間」の隔たりを
解決する手段

荷役

商品の出し入れや
積み降ろし業務
〔入出庫、ピッキング、
仕分け…〕

ピッキング…出荷指示に応じて
商品を在庫から選び出すこと

流通加工

顧客の要望に応じて
付加価値をつける
加工をする
〔値札やラベル付け、
袋詰め、小分け…〕

輸送

生産地と消費地の
「距離」の隔たりを
解決する手段

包装

輸送、保管、荷役中に
商品が汚れたり
傷まないように保護する

※包装を流通加工に含め、４つの機能と表現することもある

6 物流センターと倉庫の違い

❖物流センターと倉庫の機能の違い

一口に倉庫といっても、港のそばにある大きな建物もあれば、工場や営業所の脇にある小さなものもあります。いずれにしても、倉庫は荷主の商品を一定期間「保管」することに重点を置いており、商品の特性を捉えた保管技術にノウハウがあります。なお、日本は地価が高いために、海外の原材料や部品を扱うメーカーなどでは、海外に部品倉庫を保有し、必要に応じてそこから日本の工場に輸送する形態をとる企業も増えています。

一方、物流センターは「出荷」に重点を置いています。それは、物流センターの顧客が、商品の保管もさることながら「必要な量を必要なタイミングで出荷すること」を、より重視しているからです。そこで物流センターではそうした要望に対し、豊富な品揃え、品切れの防止、大口から小口への出荷単位の調整、リードタイムの短縮などの実現により、顧客の満足度を高めています。

したがって物流センターには、適正な在庫量を維持しつつ、多頻度小口納品に耐えられる設計・運営が求められているのです。なお、物流センターにおける出荷能力を高めるためには、ピッキング能力や仕分スピードの向上が重要になります。

❖倉庫との形状面の違い

倉庫は「保管」機能を重視しているので、保管スペースの占める割合が高くなっています。

物流センターは、センターの特性により多少の違いはありますが、「出荷」に重点を置いているので、総じて仕分スペースを広くとっています。とくに大規模なセンターでは、巨大なソーター（仕分機）などを導入しているので、センター全体に占める仕分スペースの割合が高くなっています。製品を入出荷するトラックバース（トラックの発着場所）については、多すぎず少なすぎない状況が理想です。物流センターの入出荷バース数は、メーカーなどからの直送が多い倉庫に比べると、一般的に多いといえます。しかしバース数が多すぎると、積み付け・積み降ろしに過剰スペースが生じ、入出荷の作業において動線が長くなり、効率が悪くなります。

物流センターと倉庫の違い

	倉庫	物流センター
顧客のニーズ	商品を適切に保管してほしい	必要な量を必要なタイミングで出荷してほしい
機能面の違い（重視する機能）	保管機能	荷役、流通加工
形状面の違い（広くとるスペース）	保管スペース	仕分スペース

7 物流ネットワークの考え方

❖物流ネットワークとは

工場などで生産された商品が最終消費者の手に渡るまでには、鉄道やトラックなどの輸送手段で運ばれますが、その間に、いくつかの物流拠点を経由します。

物流業界では従来から、駅や港湾を「ノード（結節点）」、その間を結ぶ輸送経路を「リンク（連鎖線）」と呼んでいました。それになぞらえて、物流拠点を「ノード」、拠点間を結ぶ物流経路を「リンク」といい、この二つの組み合わせが、「物流ネットワーク」です。

そして、企業にとって物流ネットワークの構築は、経営層レベルで戦略的に考えることが必要なほど、大切な問題です。とくに全国展開している企業であれば、この巧拙が企業の収益性に大きな影響を与えます。

❖物流ネットワークを考える視点

物流拠点の配置は、自社の営業範囲、商品の特性、そして顧客との取引条件などの影響を受けます。

顧客との取引条件の一つであるリードタイム（顧客からの受注から納入までの時間）を例にすると、顧客から当日受注したものを当日中に出荷するような場合には、拠点を分散し、輸送エリアを狭くします。他方、受注から納入までに時間的に余裕がある場合（リードタイムが長い場合）には、拠点を全国に一つ置くだけですませることもできます。

輸送エリアが短距離であれば、輸送手段としてトラックが利用されます。その際には、自社便か業者に委託するかを選択します。長距離輸送でも高速道路網の発達もあり、ドアツードアが可能なトラック輸送が中心です。

しかし最近では、排気ガスや交通渋滞などの環境面の負荷を軽減するため、鉄道の利用も見直されています。

ところで、物流経路（輸送網）は、物流拠点数が多くなるほど増加し、かつ複雑化します。さらに一幹線当たりの輸送量が減るなど、輸送に関するコスト増の要因にもなります。

そのため物流ネットワークを考える上では、顧客の取引条件を満たす範囲内で、拠点数をできるかぎり少なくすることも、大切な視点になります。

物流ネットワークの構築

◉物流ネットワークとは？

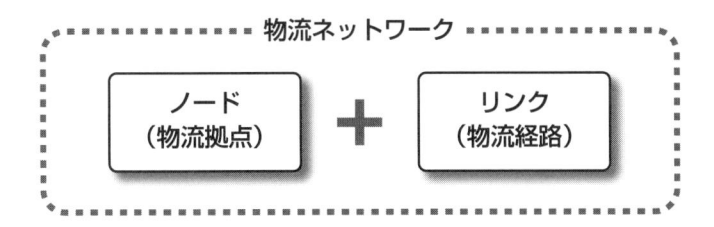

物流ネットワーク

ノード（物流拠点）＋ リンク（物流経路）

◉物流ネットワークを考える視点

※物流拠点を、いくつどこに配置するか？

以下の要件を、総合的に考慮

営業範囲　商品の特性　顧客との関係　…

（例）顧客との関係

・リードタイム（受注から納品までの時間）

短時間での納品を要求される

1 拠点当たりの輸送距離を短くする

→物流拠点を分散させる

※物流拠点の集約化

物流拠点が多くなると…

物流経路が複雑化する
1 幹線当たりの輸送量が減る
} コスト増加の原因

8 物流センターの立地条件

❖法律による規制

物流センターの建設には、近隣地域に対する環境面の配慮などが必要になります。そのため、センターの建設や運営にあたっては、都市計画法や建築基準法など、さまざまな法律の規制を受けます。

❖顧客との関係

物流センターを中心とした場合、川上側と川下側の両方に顧客がいます。

まず川上側は、原材料や商品が海外から送られてくる場合には、港湾地域に物流センターが建てられるケースが多く見受けられます。また国内のメーカーの販売会社などは、商品が早く納入できるように、メーカーの近くに物流センターを構えることもあります。

次に川下側を考えてみましょう。小売業の店舗（とくにチェーンストア）では、店舗同士の出店が集中していることがあります。こうした出店方法を、「ドミナント展開」といいます。コンビニエンスストアなどでは、とくにこうした傾向が顕著に見受けられます。このような場合には、物流センターを配送地域の中心部に配置すると、全体の配送距離が短くなり効率的です。

❖道路づけとの関係

道路づけには二つの観点があります。一つ目は、インターチェンジ近くへの立地です。物流センターがインターチェンジの近くにあれば、遠隔地の顧客にも比較的短時間で納品することができます。二つ目は、トラックが物流センターに入ることができる、広い道路に面した立地です。とくに入荷用のトラックは10トン車のような大型車であることが多いので、物流センターの出入口に接する道路が広いことが必要です。

❖パート・アルバイトの採用との関係

物流センターでは、繁忙期と閑散期で取り扱う商品の量（物量）が大きく異なってきます。そこで、パート・アルバイトを現場作業員として採用して、物量に応じた柔軟な運営をしています。そうした観点からは、近くに住宅地があり、モラルの高い良質なパート・アルバイトを確保できる地域が望ましいといえます。

物流センターの4つの立地条件

法律による規制

都市計画法や建築基準法の規制を受ける
建設可能な地域でなければならない

顧客との関係

配送地域の中心部への立地
→配送効率がよくなる

道路づけとの関係

インターチェンジ付近への立地
→遠距離の顧客にも短時間納品が可能
広い道路に面した立地
→大型車の入出庫のため

作業員の採用との関係

パート・アルバイトを雇用しやすい地域への立地
→季節によって取扱量に大きな変動があるため

9 商流と物流を分離するメリット

❖商物分離とは

商品が生産者から消費者に渡るまでの流れ（橋渡し）を流通といいます。これをもう少しくわしく述べると、「所有権がどのように変わっていくか」という流れと、「商品自体がどのような経路を通っていくか」に分けて考えることができます。前者を「商流」といい、後者を「物流」といいます。「商物分離」とは、この「商流」と「物流」が別々ということです。

商流と物流が一体だった時代には、営業担当者は注文を受けると、営業所内の倉庫から商品を持ち出していました。しかしこの方法だと、営業所間で売れ筋商品の奪い合いが起こるし、どの営業所も在庫を多く持つために、企業全体で在庫が必要以上に多くなってしまいます。

そこで、営業（商流）と配送（物流）を分ける「商物分離」の体制をとる会社が出てきました。営業所（受注場所）と物流拠点（営業所内倉庫）を物理的に分離し、複数の営業所の倉庫をまとめて一つの物流拠点にして、ここで商品を一括管理します。

営業と配送を分けることで、営業担当者はそれまで配送に要した時間を営業活動にあてることができます。営業活動を量的に増やすこともできるし、提案型営業といった質的な向上も図れるようになります。

❖商物分離と物流センター

ここでは自社の物流センターを持つ大手小売チェーンを事例に、商物分離がもたらす影響について考えます。

卸には「メーカーと小売業の調整弁」としての機能があります。メーカーが大ロットで出荷した商品を小ロットにすること（出荷単位の調整）が卸の役割の一つです。

しかし、小売業も自社で物流センターを持って大ロットで商品を受け入れられるのであれば、卸の物流センターを経由せずに、メーカーから自社の物流センターへの直送が可能です。つまり、商流ではメーカー→卸売業→小売業ですが、物流ではメーカー→小売業と、卸をとばすことができます。

こうなると、卸の存在意義が問われかねない状況になってしまいます。

「商流」と「物流」の分離と物流センター

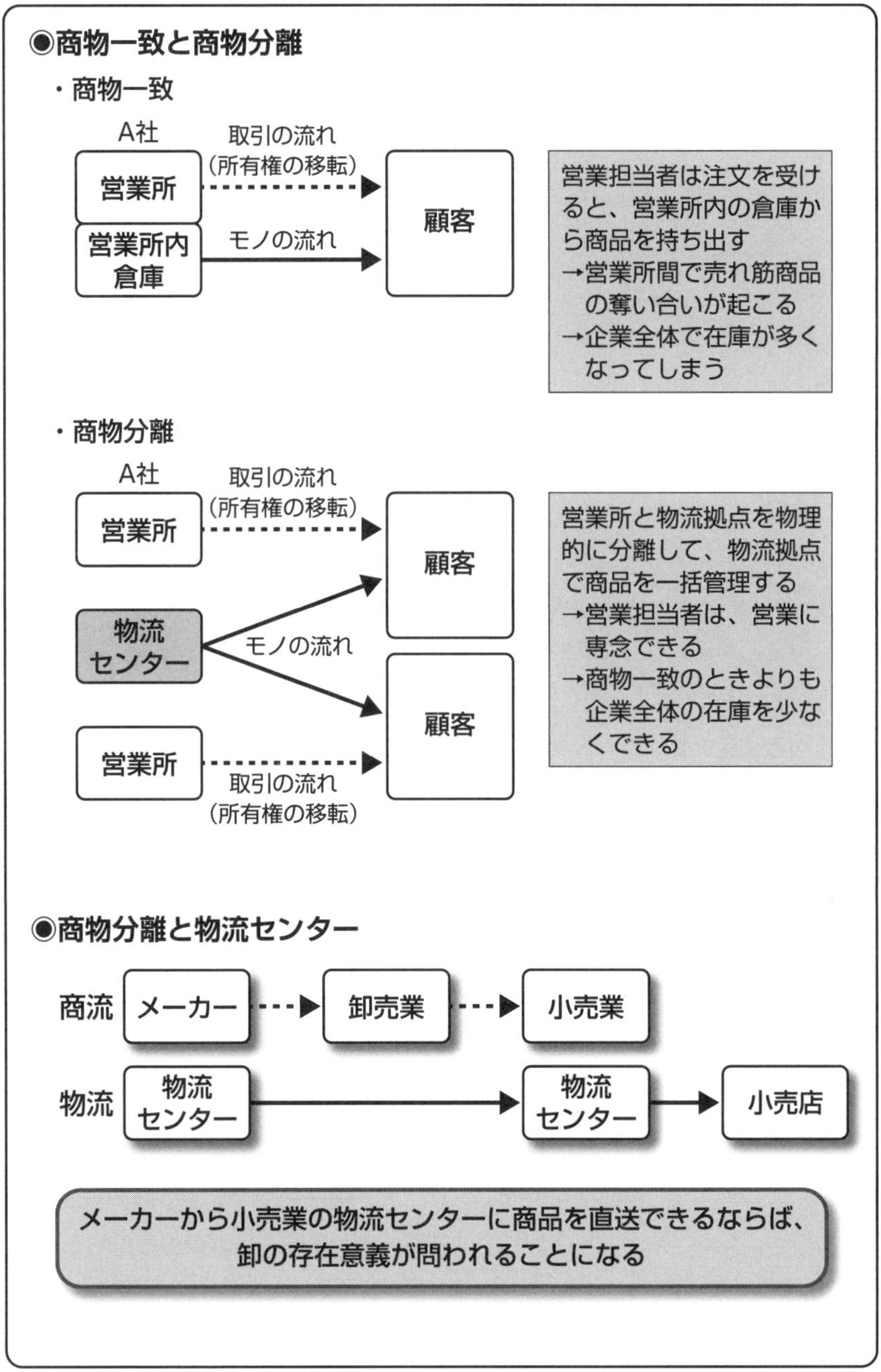
◉商物一致と商物分離
・商物一致
A社
営業所
営業所内倉庫
取引の流れ（所有権の移転）
モノの流れ
顧客
営業担当者は注文を受けると、営業所内の倉庫から商品を持ち出す
→営業所間で売れ筋商品の奪い合いが起こる
→企業全体で在庫が多くなってしまう
・商物分離
A社
営業所
取引の流れ（所有権の移転）
顧客
物流センター
モノの流れ
顧客
営業所
取引の流れ（所有権の移転）
営業所と物流拠点を物理的に分離して、物流拠点で商品を一括管理する
→営業担当者は、営業に専念できる
→商物一致のときよりも企業全体の在庫を少なくできる
◉商物分離と物流センター
商流
メーカー
卸売業
小売業
物流
物流センター
物流センター
小売店
メーカーから小売業の物流センターに商品を直送できるならば、卸の存在意義が問われることになる

10 環境時代における物流センターのあり方

❖物流企業と環境対策

物流は環境面と様々な点で関わりがあります。ここでは、温室効果ガスの削減と循環型社会の構築の観点から、環境時代における物流センターのあり方を見ていきます。

温室効果ガスの多量排出は地球温暖化を引き起こし、異常気象の発生や生態系の破壊につながります。物流センターからの出荷には主にトラックが利用されています。企業は低公害車の導入、共同物流によるトラック利用の減少などにより、温室効果ガスの削減に努めています。

また、エコドライブやアイドリングストップ、センター内の温度管理、電気不要時の消灯といった現場の環境対策によっても、環境にやさしい物流をめざしています。

ところで、天然資源には限りがあり、いずれ枯渇します。また廃棄物の処理能力にも限界があります。そこで、適正な廃棄物処理により天然資源の消費を抑制し、環境への負荷を低減する「循環型社会」の構築が求められています。物流センターでは、ごみの分別や3R（リデュース、リユース、リサイクル）、ごみ削減のための簡易包装や発泡スチロールの減容処理などを実践しています。

❖企業連携における環境対策

環境への負荷の低減には、こうした各企業の努力も大変有効ですが、より効果的にするには、サプライチェーンにおける企業間同士の連携が必要です。

たとえば顧客のニーズを満たすためには、どうしても多頻度小口輸送になります。そのためトラックの便数が増え、環境に負荷を与えます。また時間指定納品に伴い、物流センターや小売店の周辺でトラックが列をなして待機することもあります。そこで環境面に考慮して、「全体最適」の視点から他に対応方法がないかを考える必要があります。

ところで、循環型社会ではサプライチェーンを、調達→生産→流通→使用・消費→回収→再資源化（→調達…）という循環過程として捉えて、最小廃棄をめざしています。そこで荷役材（パレットやコンテナなど）などの再利用を実施しています。物流業界では今後、サプライチェーン全体での環境対策の体系づくりが必要です。

物流センターの環境問題への対応

◉物流企業と環境対策

温室効果ガスの削減

企業の環境対策

・低公害車の導入
・共同物流の利用…

現場の環境対策

・エコドライブ
・センター内の温度管理や電気不要時の消灯…

循環型社会の実現

企業の環境対策

・簡易包装
・発泡スチロールの減容処理…

現場の環境対策

・ごみの分別
・3R…

◉企業連携における環境対策

※循環型社会の実現とサプライチェーン

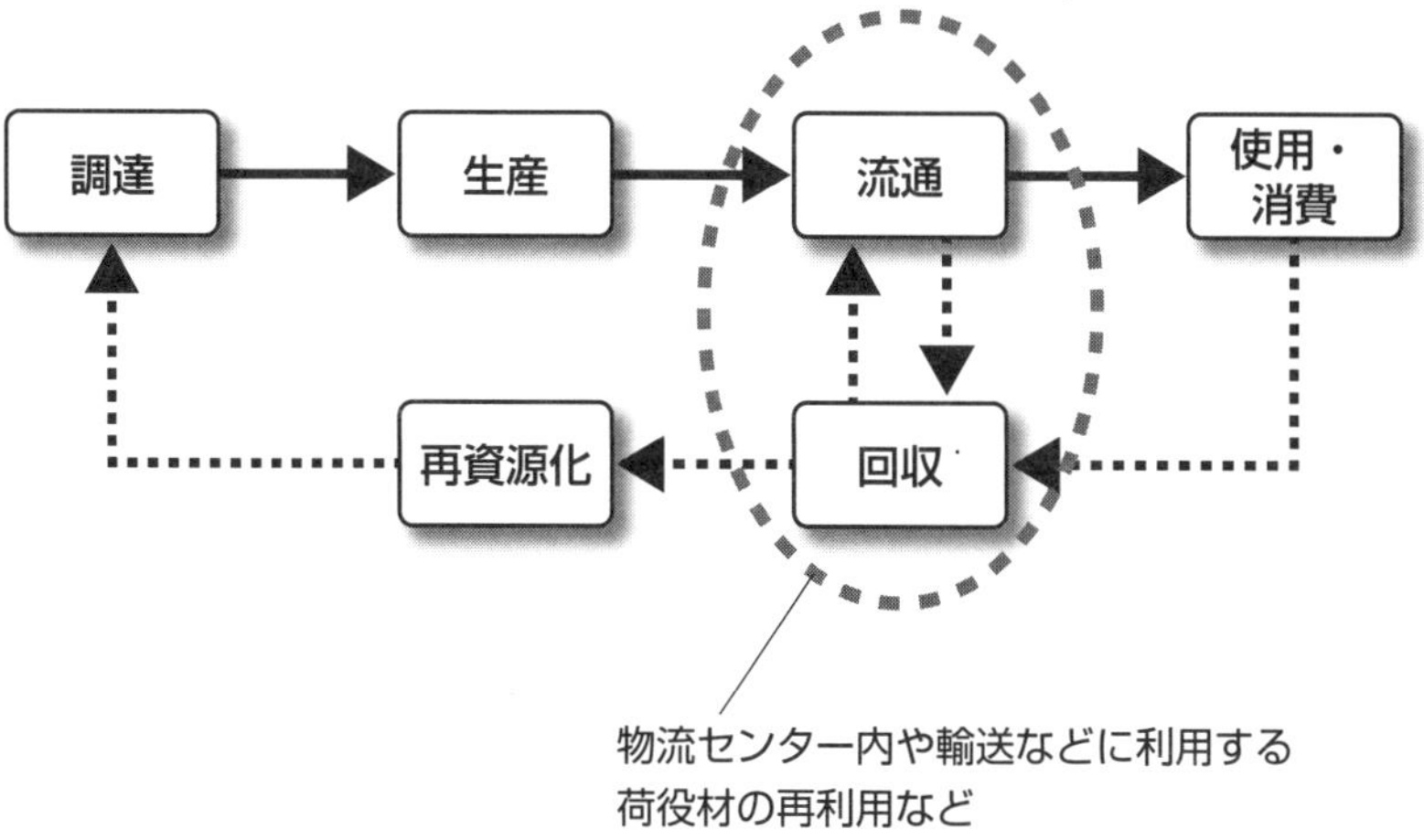
調達
生産
流通
使用・消費
回収
再資源化
物流センター内や輸送などに利用する荷役材の再利用など

2章

物流センターの全体像

11 物流センターの種類と特徴

❖物流センターの種類

物流センターには、商品を川上から川下に流すための一般的な物流センターの他、加工センター、返品センター、リサイクルセンター、保税蔵置場などがあります。

❖一般的な物流センター

一般的な物流センターは、機能面から大きくDC（ディストリビューション・センター：Distribution Center）、TC（トランスファー・センター：Transfer Center）の二つに分けられます。

DCは在庫を持つ物流センターで、「在庫型センター」ともいわれます。DCのメリットとして、品切れの防止やリードタイムの短縮化を図ることができる、などが挙げられます。一方、デメリットは在庫費用がかかること、物量の増大に柔軟に対応しにくいことなどです。

一方、TCは在庫を持たない物流センターで、「通過型センター」ともいわれます。各仕入先から納品される商品をいったんここに入荷し、その日のうちに仕分けして納品します。仕入先からの納品形態により、「店別納品」と「総量納品」に分けられます。TCのメリットには、センターの運営コストが低い、物量の増大に柔軟に対応できることなどがあります。デメリットとしては、システム構築に費用がかかることなどが挙げられます。

❖その他の物流センター

「加工センター」は商品の加工処理を行なう場所で、多くは工場に隣接しています。また小売業の加工センターでは、店舗での作業負担軽減のために生鮮食品（肉や魚、野菜など）の調理、盛りつけ、パック詰め、値札付け、仕分けなども行なっています。

「返品センター」は川下からの商品の返品場所で、通販や書籍などのような返品の多い業態に設けられており、商品の再包装などにより、再出荷の準備をします。

「リサイクルセンター」は、使用済みダンボールやプラスチック、食品廃棄物などを再資源化する場所です。

「保税蔵置場」は、輸出入において税関に対して申告を行なう際に、いったん商品を置いておく場所で、物理的には国内にあっても、国外として扱われます。

物流センターの種類と役割

◉物流センターの種類

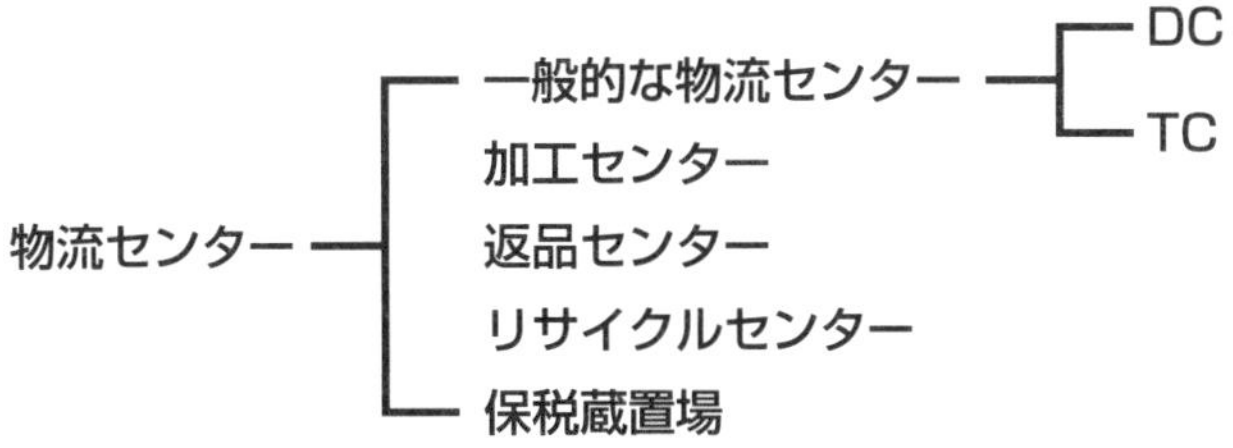

◉DCとTCの違い

DC（ディストリビューション・センター） →196ページ参照

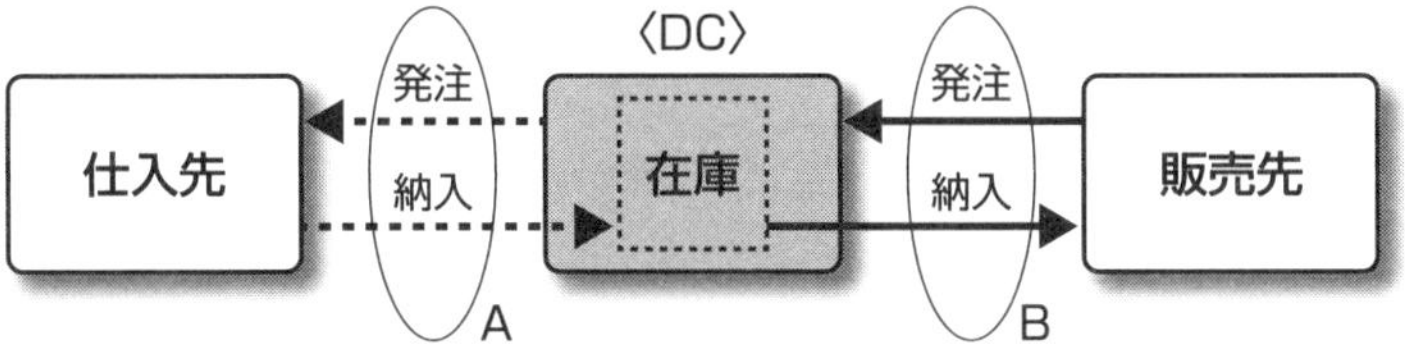

※DCで在庫を持ち、販売先からの発注に対応する。
発注・納入のAとBはリンクしていない

TC（トランスファー・センター） →198ページ参照

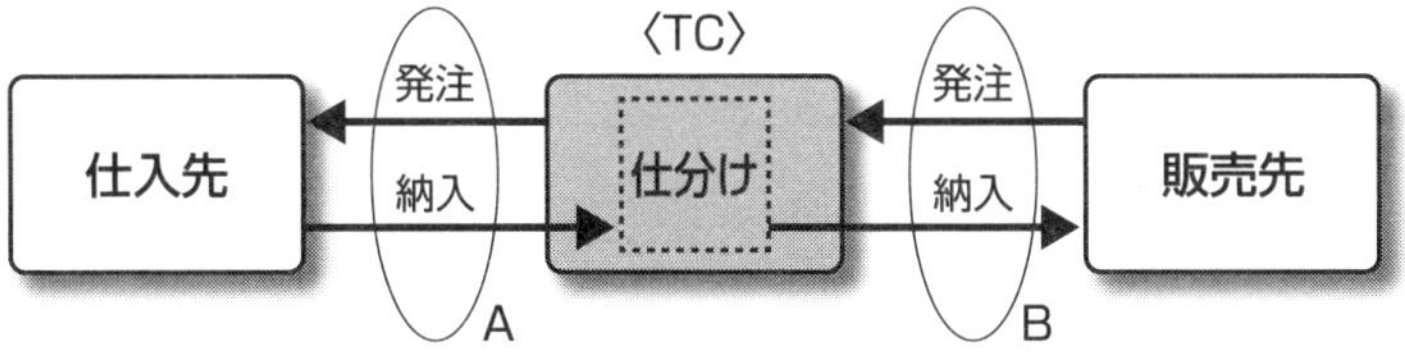

※TCでは在庫を持たず、販売先からの発注に対して仕入先からの納入で対応する。発注・納入のAとBはリンクしている

⑫ 物流センターの基本レイアウト

❖レイアウトの種類

モノの流れや人の動きを「動線」といいます。入荷から出荷までの商品の動線が交差・逆流すると、作業効率が落ちます。そこで物流センターでは原則、「I字型」「L字型」「U字型」のいずれかのレイアウトになっています。

I字型は、商品の入荷口と出荷口が反対にあり、入荷から出荷までの動線が一直線になっています。L字型も入荷口と出荷口が異なる側にあります。動線は最初一直線ですが、途中で直角に向きを変えます。U字型は入荷口と出荷口が同じ側にあります。一直線にセンターの奥まで行った後に、Uターンして戻ってきます。

入荷と出荷の時間帯が異なる場合には、入荷作業が終わった後に入荷場を出荷作業にも活用できるU字型がよいとされます。しかし実際には、敷地の形、広さ、道路づけなどを勘案して決められることになります。

❖物流センター内のエリア

物流センターは、構造が簡単で建築コストの安い平屋建てのものもあれば、敷地面積が狭いために複数階建てにしているものもあります。また、高い天井と低い保管棚の間の空間を活用して、そこに足場を組んでメザニン（中二階）にしているセンターもあります。

物流センターの中には、作業を行なう現場の他に、事務所、更衣室、食堂などの施設があります。現場は、入荷エリア、保管エリア、ピッキングエリア、流通加工エリア、仕分エリア、出荷エリアから構成されています。

入荷エリアと出荷エリアには、トラックが発着するトラックバースがあります。このバースの数が少ないと、入出荷時に駐車待ちのトラックが列をなし、スムーズな入出荷作業に支障をきたすことになります。

物流センターでは、仕分エリアや出荷エリアを広くとることが作業効率の上で大切です。机の上で作業をするときに、机が狭すぎると作業しにくいのと同じです。そのために、保管エリアをなるべく小さくすることが大切です。しかし、迅速な商品供給には在庫が欠かせません。そこで、どの商品をどのくらい在庫すべきかの判断が重要になります。

物流センターの配置図

◉レイアウトの種類

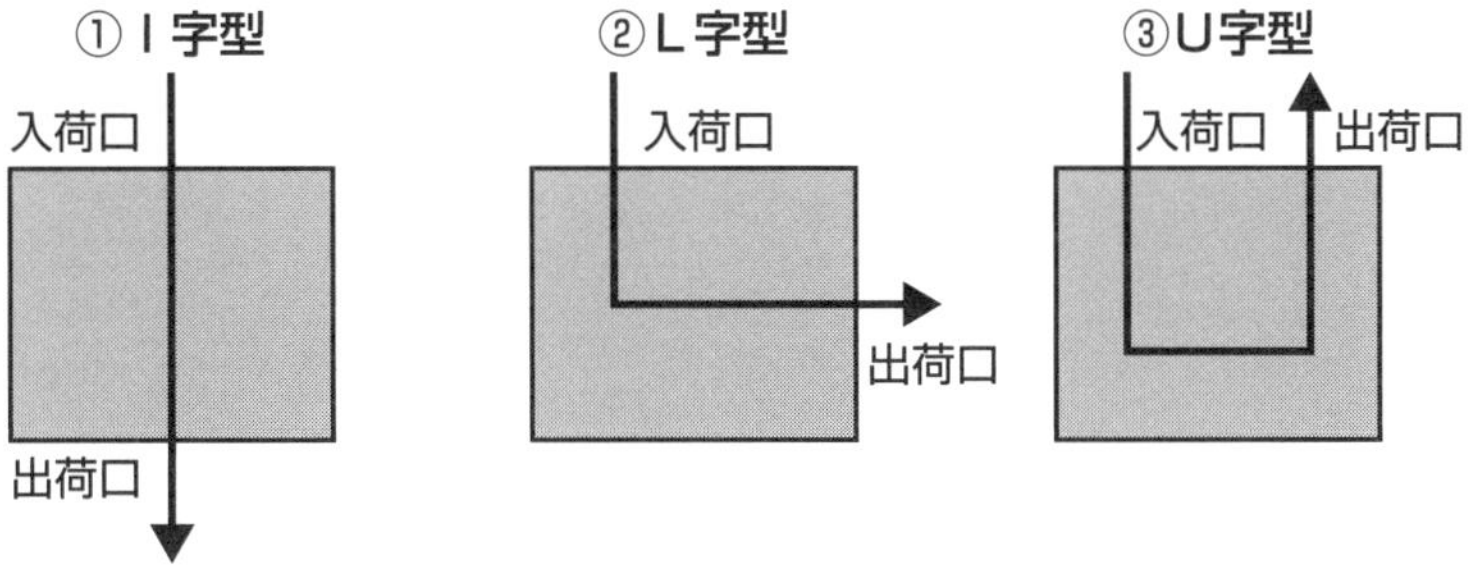
①I字型
入荷口
出荷口
②L字型
入荷口
出荷口
③U字型
入荷口
出荷口

◉物流センター内のエリア

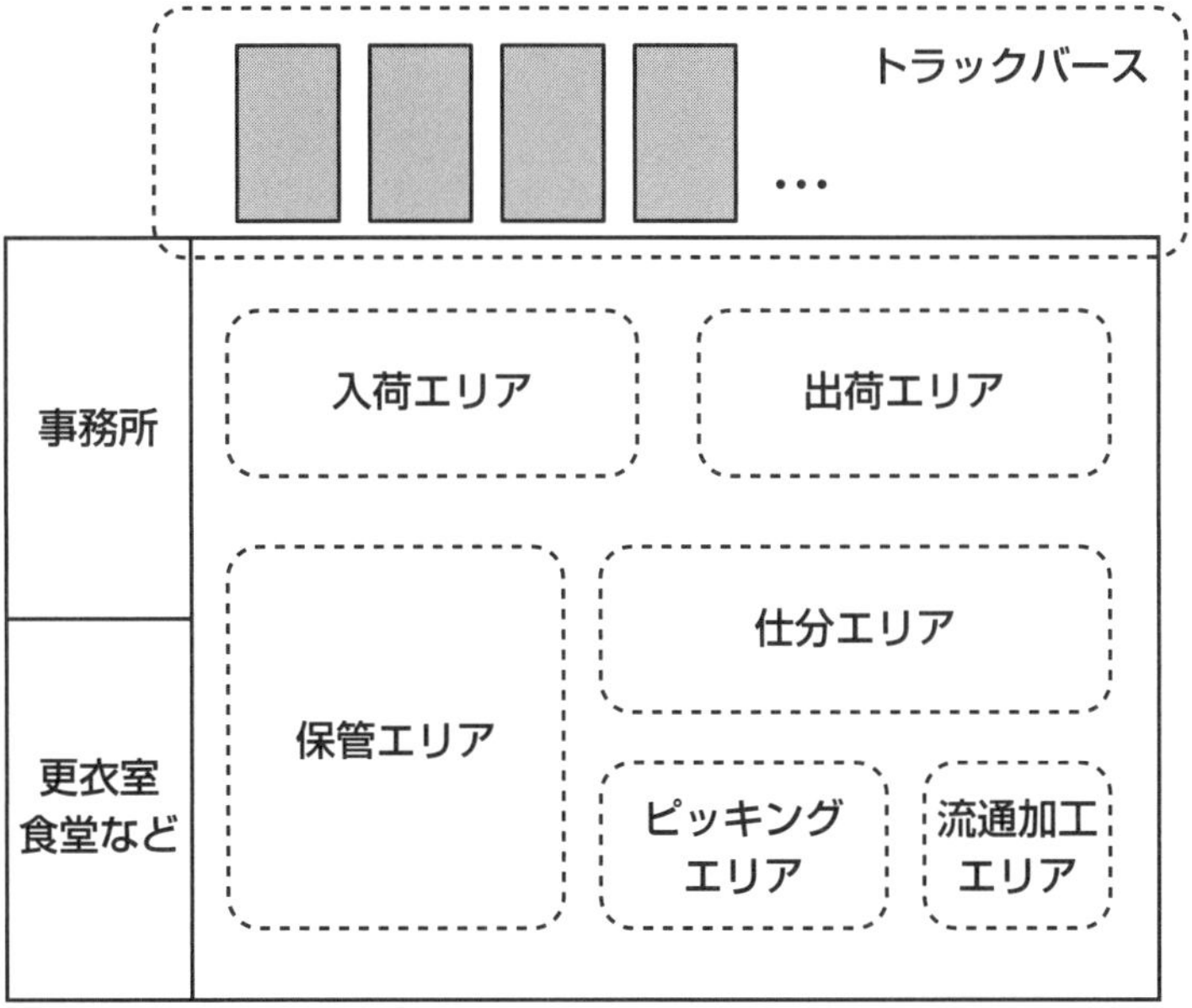
トラックバース
…
事務所
更衣室
食堂など
入荷エリア
出荷エリア
保管エリア
仕分エリア
ピッキング
エリア
流通加工
エリア

13 商品を守る物流センターの温度管理

❖三温度帯とは

商品には、それぞれ配送・保管時に適した温度があります。その温度帯は大まかに〝常温（ドライ）〟〝冷蔵（チルド）〟〝冷凍（フローズン）〟の「三温度帯」に区分されています。それぞれの温度の目安は、常温は25℃、冷蔵は10℃から0℃、冷凍はマイナス18℃以下です。

❖物流センターと三温度帯

加工食品、菓子、酒類などは常温で管理されます。常温品は温度管理をしなくてよい商品もありますが、中には高温や低温に弱いものもあり、温度を一定の範囲に留めることが必要な場合もあります。これを一般的に「定温」といいます。

乳製品や**日配品**（左ページ欄外参照）などは冷蔵で管理されています。肉や魚などは凍結しない程度に、できるだけ低い温度で管理することが望まれますが、野菜などは低温障害を受けやすいので、商品ごとの温度管理に留意が必要です。冷凍食品やアイスクリームなどは冷凍で管理され、マイナス18℃以下で保管されますが、荷捌きなどでは商品がそれ以上の温度にさらされることがあります。そこでこうした状態をできるだけ短時間に抑えることが必要になります。

❖温度管理の徹底

物流センターでは、適温を外れての保管が商品の価値を損なう場合もあるので、温度管理を徹底しています。たとえば、トラックバースと倉庫の間に前室（入出荷場）を設けた上で、両方の扉を同時に開けないようにして、さらにトラックと扉の隙間が空かないように空気で伸縮するカーテンを用いて、倉庫内に外気が直接入り込まないような工夫をしています。

最近では、温度上昇や結露の原因となる外気が物流センター内に入らないようにするために、「外気導入陽圧システム」を採用している物流センターもあります。これは、低温除湿した空気をセンター内に送り込み、センター内を冷やすとともに圧力を上昇させることにより、温度の高い外気や埃などがセンター内に入り込まないようにするものです。

三温度帯の事例

三温度帯	常温（25℃まで）	加工食品、菓子など（常温）
		おにぎり、チョコレートなど（15～20℃位）※中間温度帯（定温）
	冷蔵（0～10℃）	青果物（5～10℃）
		乳製品（0～5℃）
		チルド畜産物（0℃前後）
	冷凍（−18℃以下）	冷凍食材（−18～−25℃）
		冷凍食品（−18～−20℃）
		アイスクリーム（−25～−28℃）
		超冷凍品（−40℃）

（注）保管温度は、物流センターによって異なる
　　　中間温度帯を区別し、四温度帯と称することもある

日配品…豆腐・納豆・総菜のように日持ちがせず、毎日納品される食品

14 物流センターを支えるしくみ

❖ヒト

物流センターには、センター運営を担うセンター長の下に、事務処理をする若干名のスタッフと、現場作業をする多くのスタッフがいます。物流センターの運営には、物流品質（正しく早く納品すること）と物流生産性（効率的に作業すること）が欠かせないため、とくに現場で働く人たちの働きぶりが大切になります。

❖モノ

物流センターのモノは二つあります。一つは商品です。物流センターには、顧客の要求に応じて、品切れさせずにすばやく納品することが求められます。そのために在庫を持ちますが、在庫は保管したままでは利益を生まないし、保管費用もかかるため、売れない商品を長く置くことは非効率です。そのために、適正水準の在庫量を保管する在庫管理が大切になります。

もう一つはマテハン（マテリアル・ハンドリング）機器です。これは、物流センター内での作業の効率化を図るための機器です。

❖カネ

物流センターの建設には、多額の資金を必要とします。そこでお金は大切な要素になりますが、ここでは視点を変えて「コスト」と「投資」の両面から考えてみます。

不景気になると、企業ではコスト削減とかコスト管理の徹底などが声高に叫ばれます。物流センターも同様で、その成否は、投資効果が見合うものかどうかが一つのものさしになります。コストや投資は、キャッシュフロー（資金繰り）に直接影響を与えます。

❖情報

モノと情報は常に連動しています。昔はモノの移動に際し、情報の管理は紙で行なわれていました。たとえば、受発注業務は電話やＦＡＸでした。しかし現在は、電子データでのやり取りです。こうした情報のシステム化は、物流センター業務の効率化に大きく寄与しています。

また、このほかに物流センター全般にわたる物流システムがあり、センター運営を支えています。

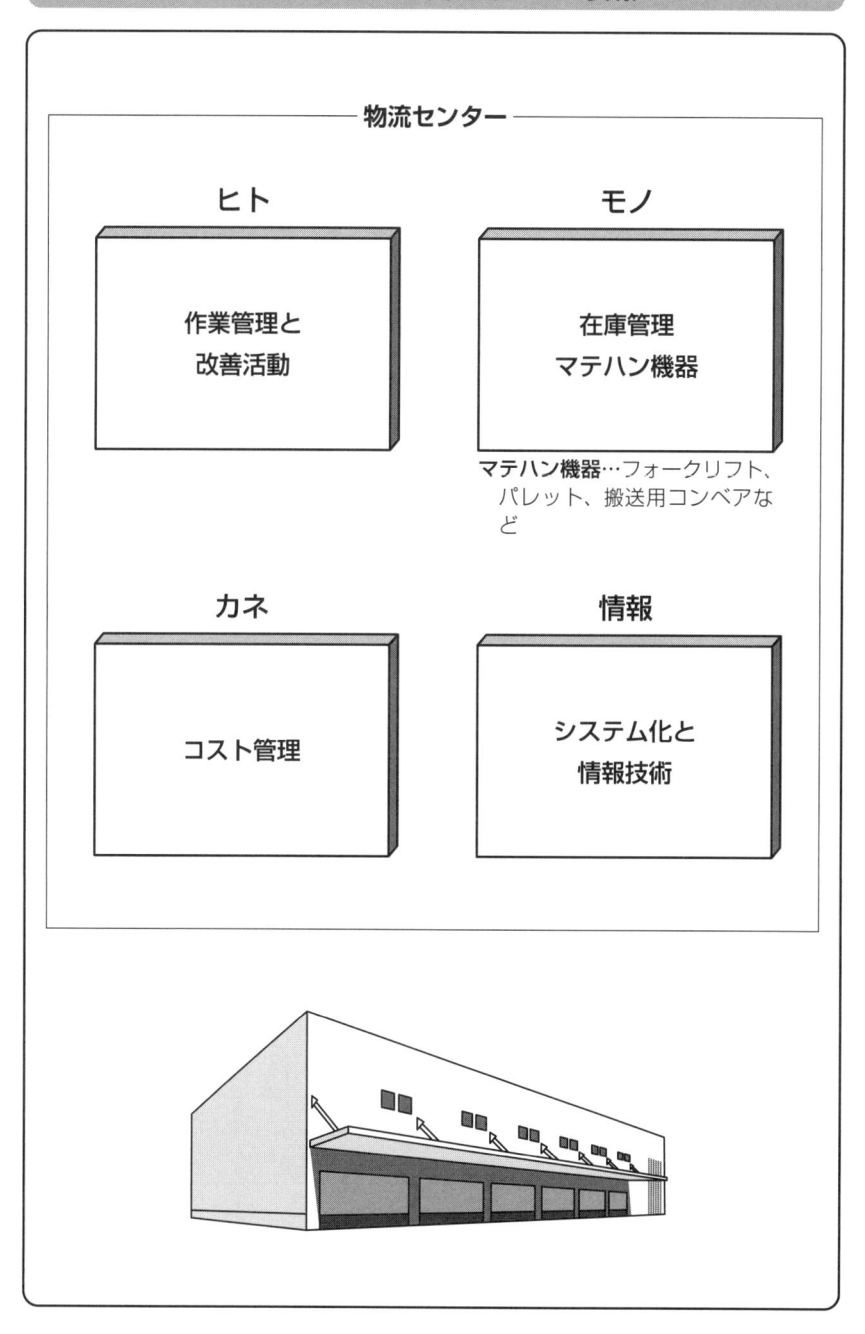

物流センターを支える4つの要素

物流センター

ヒト

作業管理と
改善活動

モノ

在庫管理
マテハン機器

マテハン機器…フォークリフト、パレット、搬送用コンベアなど

カネ

コスト管理

情報

システム化と
情報技術

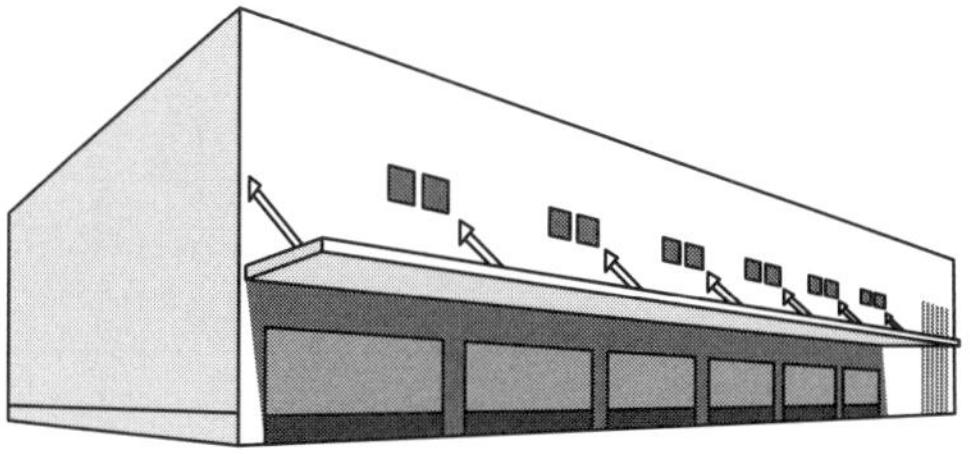

15 環境にやさしい物流センターとは

❖環境にやさしい物流センターとは

最近では物流センターにおいて、環境負荷低減設備を取り入れる動きが活発化しています。

これは、地球温暖化防止の観点から温室効果ガス（とくに二酸化炭素）の削減が、また資源の枯渇の観点からエネルギー消費量の削減が急務であることなどが相互に絡み合って、あらゆる業界において環境問題が極めて大きな課題となっているからです。

物流センターにおける省エネルギーの代表として、太陽光発電や屋上緑化が挙げられます。これらは二酸化炭素の排出量の削減の点でも大いに寄与します。このほかにも、ＬＥＤなどの高効率照明や人感センサー付調光などの照明設備、断熱材などの利用もあります。

省資源化の代表として、雨水利用が挙げられます。たとえば雨水をトイレの洗浄水や緑地への散水に活用することができます。

リサイクルの点では、ゼロエミッション（廃棄物をゼロにする）が挙げられます。ゼロエミッションは様々な状況で考えられます。たとえば物流センターの建設時においては、コンクリート塊や石膏ボードなどの分別・リサイクルにより廃棄物を排出しない、現場でのごみゼロ（建設廃棄物リサイクル）活動があります。

❖環境にやさしい物流センターの指標

建築総合環境性能評価システム（ＣＡＳＢＥＥ）という指標が、現在注目されています。これは今まで述べてきた省エネや省資源・リサイクルなどの環境負荷削減に加え、室内の快適性や景観への配慮などの環境品質・性能の向上といった側面も評価に含めたものです。

この指標は、環境品質・性能を環境負荷で割ったもので、その値によりＳ（素晴らしい）、Ａ（大変良い）、Ｂプラス（良い）、Ｂマイナス（やや劣る）、Ｃ（劣る）の五段階の格付けに分けられ、評価が高いほど環境に配慮した建築物であることを示しています。

最近は、Ａランク以上を取得した物流センターが新聞紙上で紹介されています。数値で評価されるので誰にでもわかりやすく、今後も注目される指標です。

これからの物流センターのあり方

◉環境にやさしい物流センター

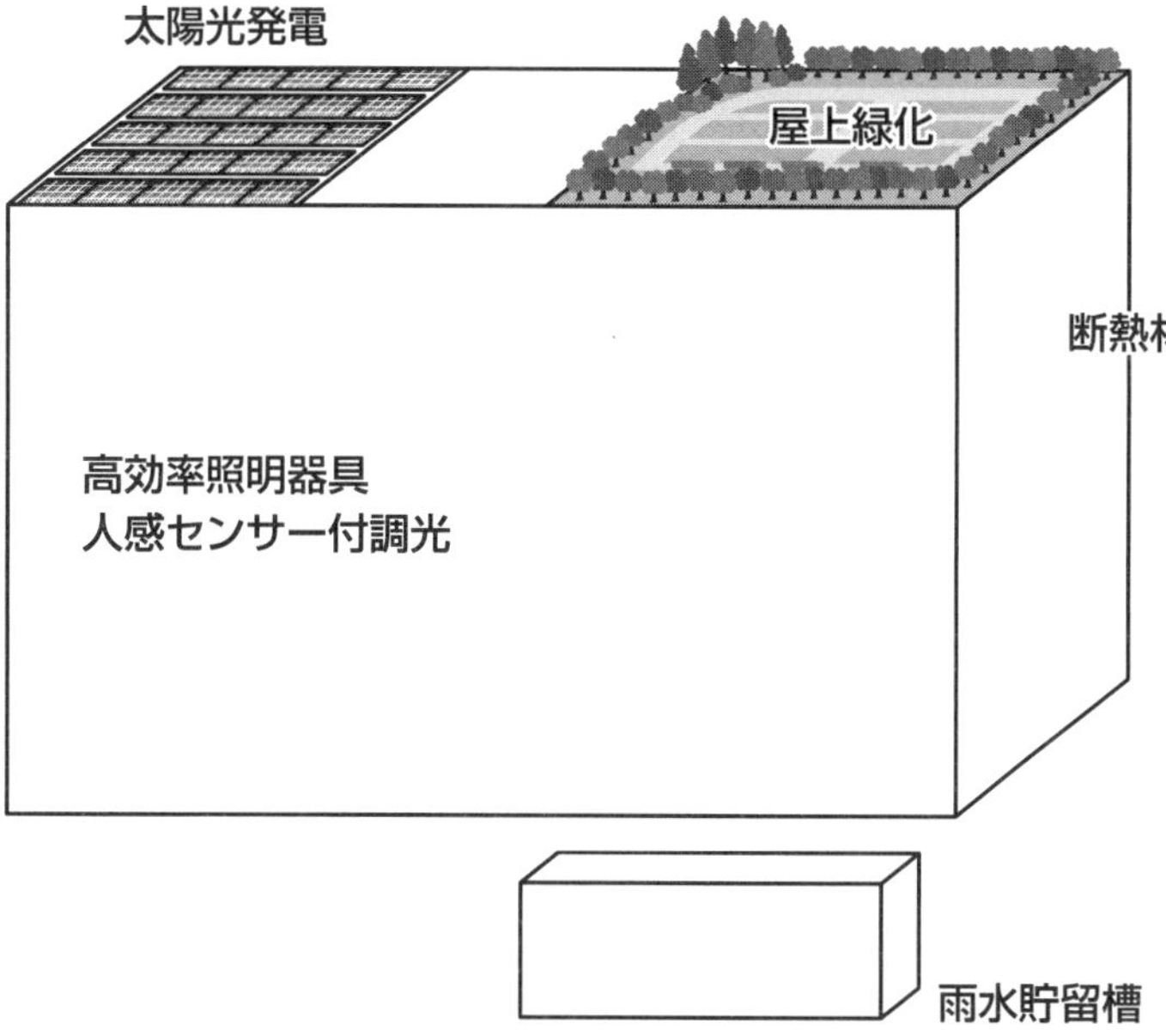
太陽光発電
屋上緑化
断熱材
高効率照明器具
人感センサー付調光
雨水貯留槽

◉建築総合環境性能評価システム(CASBEE)

建築環境性能効率(BEE) ＝ Q：環境品質・性能 ／ L：環境負荷

S	3.0≦BEE、50≦Q
A	1.5≦BEE＜3.0
B＋	1.0≦BEE＜1.5
B－	0.5≦BEE＜1.0
C	BEE＜0.5

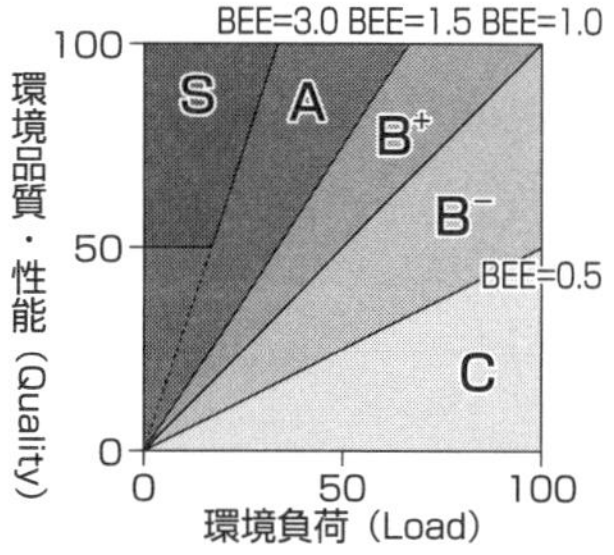
BEE=3.0 BEE=1.5 BEE=1.0
BEE=0.5
S
A
B+
B−
C
100
50
0
環境品質・性能（Quality）
0
50
100
環境負荷（Load）

（出所：財団法人建築環境・省エネルギー機構）

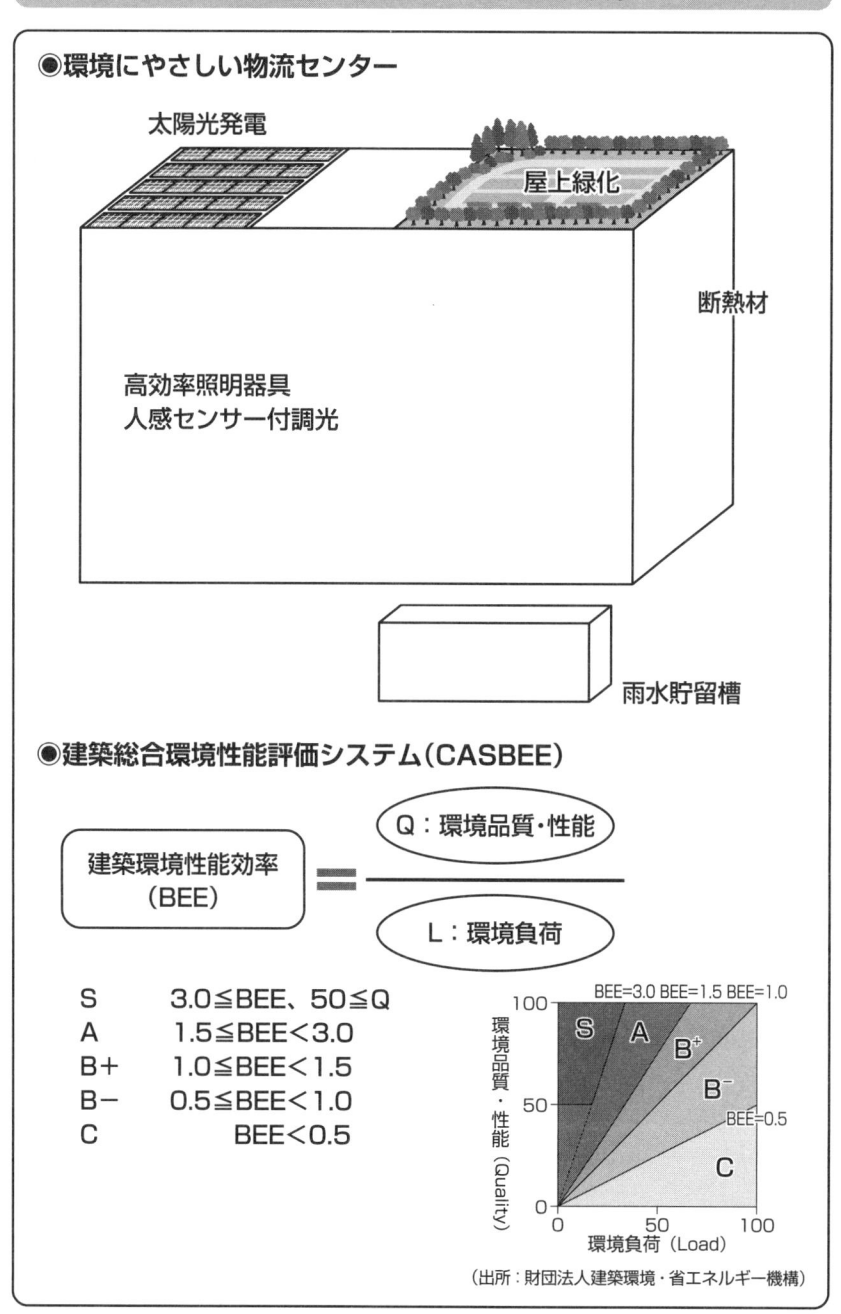

16 物流センターと法規制

❖様々な規制の下にある物流センター

物流センターは、ある程度のまとまった広さの土地が必要となりますし、わが国では地価が高いことから、土地を効率的に使用するために複数階の建物が多くなります。また、たくさんのトラックが輸配送のために物流センターに出入りすることから、近隣地域に対し、日照権や騒音問題などの環境面への配慮が必要です。そこで、立地と建設に関する法律を紹介しましょう。

❖都市計画法

都市計画法とは、都市の健全な発展と秩序ある整備を図り、国土の均衡ある発展と公共の福祉の増進に寄与することを目的に、昭和43年に制定された法律で、その後改正をへて現在のものになっています。都市計画法では地域地区を「用途地域」という区分で示しています。

❖建築基準法

建築基準法とは、建築物の敷地、構造、設備及び用途に関する最低の基準を定めて、国民の生命、健康及び財産の保護を図ることを目的に、昭和25年に制定された法律で、その後改正をへて現在のものになっており、都市計画法で区分されたそれぞれの用途地域について建築可能な建築物を定めています。建築基準法には物流センターの表記はなく、事例として倉庫が掲載されています。その他にも建築基準法では、建ぺい率・容積率の規制があり、用途地域ごとにその大きさが決まっています。

❖消防法

消防法は、火災から国民の生命を守るために昭和23年に制定された法律で、その後改正をへて現在のものになっています。消防法では消防用設備等として、火災報知機などの警報設備、避難はしごなどの避難設備、スプリンクラーなどの消火設備の設置が記載されています。なお、建築基準法にも防火に関する項目があり、両者の規制を受けることが多くあります。

❖騒音規制法

騒音規制法は、建設工事等に伴う騒音に関して、生活環境の保全を目的に、昭和43年に制定された法律で、その後改正をへて現在のものになっています。

物流センターに関する法律

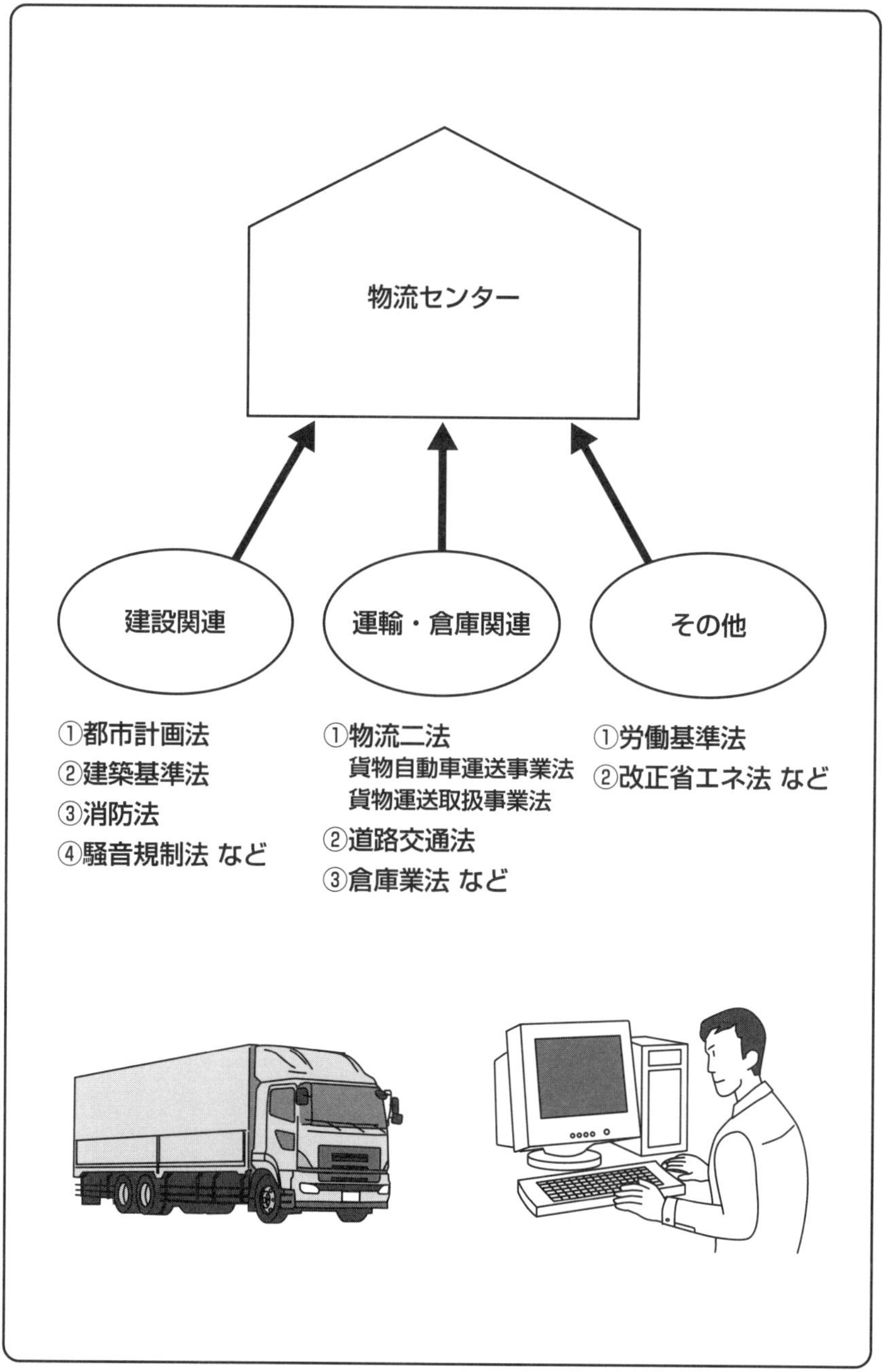
物流センター
建設関連
運輸・倉庫関連
その他
①都市計画法
②建築基準法
③消防法
④騒音規制法 など
①物流二法
貨物自動車運送事業法
貨物運送取扱事業法
②道路交通法
③倉庫業法 など
①労働基準法
②改正省エネ法 など

17 物流センターと倉庫業法

❖法律上の倉庫とは

物流センター自体を定めた法律はありません。しかし倉庫は「倉庫業法」という法律で定められています。

この法律では、倉庫を「物品の滅失もしくは損傷を防止するための工作物または物品の滅失もしくは損傷を防止するための工作を施した土地もしくは水面であって、物品の保管の用に供するものをいう」と規定しています。

簡単にいえば、商品や製品をきちんと保管するための建物が倉庫です。

また、この倉庫業法では、倉庫業を「寄託を受けた物品の倉庫における保管（中略）を行なう営業をいう」と定めています。つまり、他人の荷物を預かるということです。さらに、「倉庫業を営もうとする者は、国土交通大臣の行なう登録を受けなければならない」と定めています。

なお最近では、倉庫を建ててそれを他社に貸す会社もあります。その場合は、倉庫自体を貸す会社は不動産賃貸業、その倉庫を借りて他社の荷物を預かる会社が倉庫業にあたります。

❖倉庫の種類

倉庫の種類を大きく分けると、自社商品のための「自家倉庫」、協同組合が保有する「協同組合倉庫」、農協が保有する「農業倉庫」と、そして先ほど述べた倉庫業法によって定められている「営業倉庫」があります。

さらに倉庫業法施行規則では、営業倉庫を10種類に分け、それぞれを細かく定めています。このうち、「トランクルーム」と「その他」を除く8種類は、一般的な保管の「普通倉庫」、温度管理が必要な商品のための「冷蔵倉庫」、原木など水面で保管する「水面倉庫」に分けることができます。物流センターは主に、普通倉庫のうち①、②、③と、⑦冷蔵倉庫（F級、C1級、C2級、C3級）が該当します。

なお、もともと倉庫業法では企業の荷物を預かることを想定していましたが、最近では個人の荷物を預かることも増えてきています。そうした個人の荷物を預かる倉庫をトランクルームといいます。

倉庫の種類

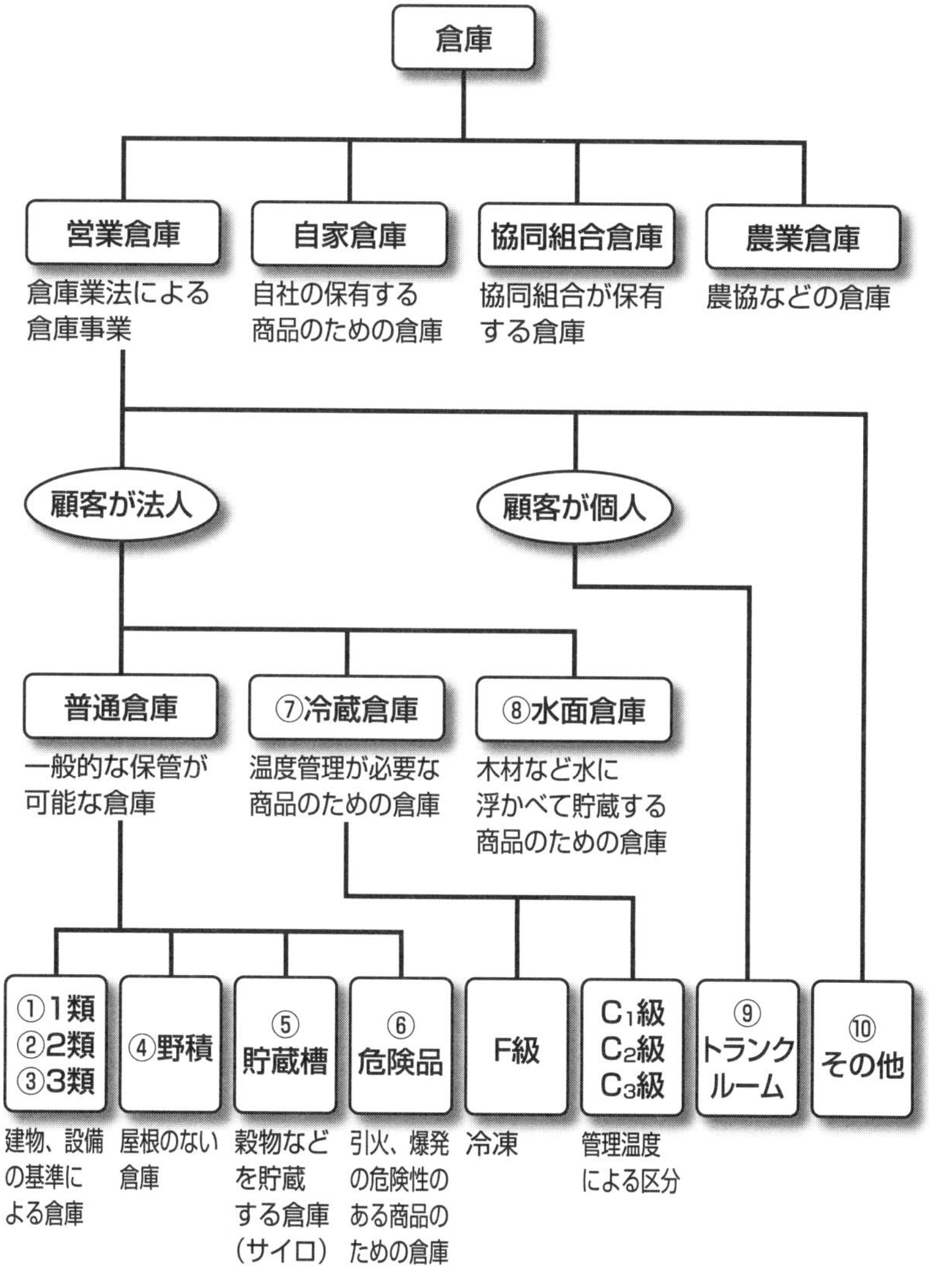
倉庫
営業倉庫
倉庫業法による
倉庫事業
自家倉庫
自社の保有する
商品のための倉庫
協同組合倉庫
協同組合が保有
する倉庫
農業倉庫
農協などの倉庫
顧客が法人
顧客が個人
普通倉庫
一般的な保管が
可能な倉庫
⑦冷蔵倉庫
温度管理が必要な
商品のための倉庫
⑧水面倉庫
木材など水に
浮かべて貯蔵する
商品のための倉庫
①1類
②2類
③3類
建物、設備
の基準に
よる倉庫
④野積
屋根のない
倉庫
⑤
貯蔵槽
穀物など
を貯蔵
する倉庫
（サイロ）
⑥
危険品
引火、爆発
の危険性の
ある商品の
ための倉庫
F級
冷凍
C_1級
C_2級
C_3級
管理温度
による区分
⑨
トランク
ルーム
⑩
その他

（注1）わかりやすくするために、倉庫業法施行規則に加筆している
（注2）10種類の番号は、倉庫業法施行規則の順番を変更して記載している

18 注目される物流センターのJ-REIT

❖物流センターのJ-REITが注目される背景

１９９０年頃のバブル経済時代までは地価は右肩上がりでしたが、バブルが崩壊してから２０００年前半までは、地価は下げ続けました。かつて土地は、価格が下がることのない安全な資産と考えられていましたが、現在はリスクのある資産として認識されるようになりました。

また、企業にとって物流センターは事業戦略上、重要な施設と位置づけられるようになってきましたが、物流拠点の統廃合や物流網の見直しにより、状況に応じて機動的に動くことが求められています。そうした中では、企業にとって物流センターを保有するよりも、機動的に対応できる賃借のほうが有利なこともあります。そこで自社保有の物流センターを投資法人に売却し、賃料を支払って引き続き使用する事例も出てきています。投資家にとっても物流センターは、安定した賃料と比較的長期間の利用が見込めることから、オフィスビルなどに比べて投資しやすいと考えられています。これらの理由から物流センターのＪ-ＲＥＩＴが注目されているのです。

❖J-REITとは

自社保有資産を証券に変換することを「証券化」といいます。証券化には「金銭債権の証券化」と「不動産の証券化」があり、ＲＥＩＴ（Real Estate Investment Trustの頭文字をとったもの：不動産投資信託）は「不動産の証券化」のひとつです。不動産の証券化は、特定の資産を証券と対応させる「流動化型」と、特定の資産と対応していない「ファンド証券型」からなります。日本で運用されているＪ-ＲＥＩＴは、ファンド証券型です。

では、Ｊ-ＲＥＩＴのしくみを見てみましょう。Real Estateの名前のとおり不動産が対象で、立場の違う三種類のプレイヤー（①不動産保有企業、②投資法人の組成企業、③投資家）が登場します。まず組成企業が投資法人を設立します。投資法人は投資家から資金を調達し、その資金で不動産を購入し、不動産から得られる賃料収入を投資家に配当として分配します。この投資法人は東京証券取引所などに上場しており、投資家はここを通じて投資法人に出資することができます。

J-REITのしくみ

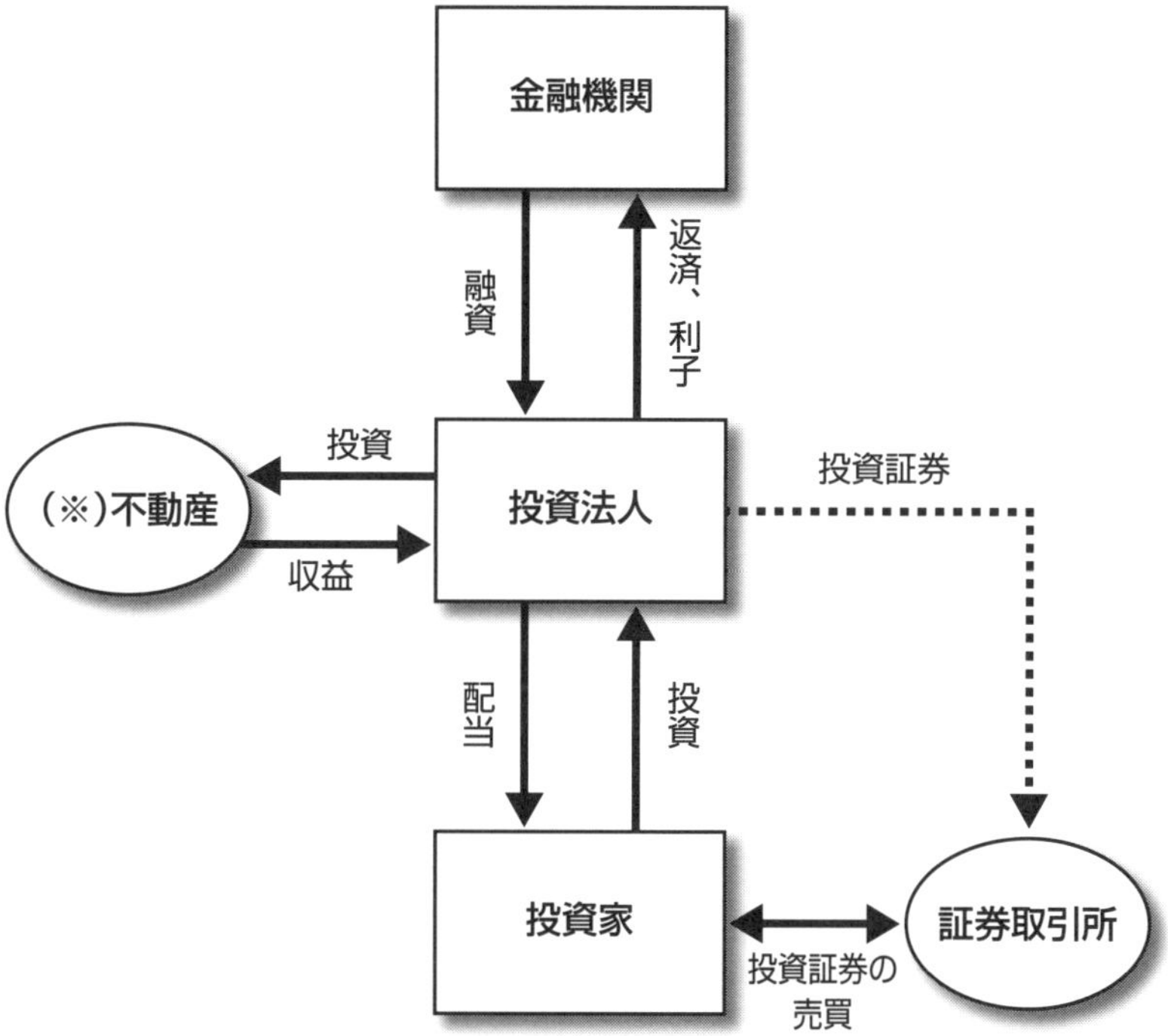
金融機関
融資
返済、利子
投資
(※)不動産
収益
投資法人
投資証券
配当
投資
投資家
証券取引所
投資証券の
売買

（※）不動産：オフィスビル、住宅、商業施設、ホテル、物流センターなど
（注）わかりやすく表現するために、一部内容を省いて記載している

投資家

19 物流センターへの投資の考え方

❖投資判断の基準

ビジネスシーンにおいては、様々な行動の中からどの行動を選択するかという意思決定を迫られることがあります。そこでは合理的な判断が重要になります。そのためには、対象を定量化（数字を活用）した共通の座標軸を基に、関係者と議論を行なう必要があります。

投資の可否を判断する場合も同様で、そのための手法として、主に①資金回収期間法、②ＮＰＶ（正味現在価値）法、③ＩＲＲ（内部収益率）法のいずれかを採用することが多いようです。

❖物流センター投資と採算計算

物流センターに投資する場合、初期投資、運営コスト、減価償却費、租税公課などのコストがかかります。

従来、企業の多くは物流センターをコストセンターと位置づけて、物流センターへの投資は、主にサービス向上を目的としたものと、合理化を目的としたものでした。前者はセンター開設により期待される売上増加から、様々なコストを差し引いたものが利益になりますが、そもそもサービス向上を目的としているので、投資判断は採算計算ではなく、別の基準になると考えられます。なお、その場合でも余分な投資や運営コストをかけないようにすることが大切です。後者は、合理化に伴って生じるコストの増減（コストダウンと投資コスト）を見積もり、差し引きの結果を①から③の手法のいずれかに当てはめて投資判断をします。

しかし最近では、物流センターをプロフィットセンターとして捉える企業も増えてきました。たとえば小売業が物流センターを構える場合には、メーカーや卸売業はそのセンターへの納入に際してセンターフィーとして、納入金額に対して一定割合の金額を支払っています。小売業にとっては、センターフィーから物流センターのコストを差し引いた額が利益になり、①から③の手法のいずれかに当てはめて投資判断をします。

また、物流センター投資を考える際には、自社保有だけでなく、賃貸やリースなどの方法も検討し、企業の経営方針に合わせて総合的に判断することが大切です。

物流センター投資判断の基準

①資金回収期間法

投資資金の回収期間が、企業が設定する基準年数よりも速いプロジェクトを採用する

（事例）投資額：1000百万円

収益：1年目200百万円、2年目210百万円、3年目220百万円、4年目230百万円、5年目240百万円

（百万円）

年度	0	1	2	3	4	5
キャッシュフロー	−1,000	200	210	220	230	240
累積キャッシュフロー	−1,000	−800	−590	−370	−140	100

資金回収期間：4.7年

②NPV法

将来にわたる投資の結果、得られる利益の大きさから初期投資額を差し引いた値（NPV）が、0よりも大きいプロジェクトを採用する

（注）利益の大きさには、キャッシュフローの現在価値（現在の1万円と将来の1万円の価値は異なると考え、将来にわたり毎年発生するキャッシュフローをプロジェクトのリスク度合いを加味した割引率により換算しなおした値）の合計額を用いる

（事例）投資額1000百万円　割引率5%　プロジェクト期間５年間

収益：1年目200百万円、2年目240百万円、3年目270百万円、4年目290百万円、5年目300百万円

（百万円）

年度	0	1	2	3	4	5
キャッシュフロー（CF）	−1,000	200	240	270	290	300
各年度のCFの現在価値	−1,000	190	218	233	239	235
NPV						115

5年目のNPV＝115>0　したがって投資できる

③IRR法

プロジェクトの内部収益率が、企業が必要としている利率（一般的にはその企業の資金調達コスト）を上回るプロジェクトを採用する

（注）内部収益率とは、NPVが0になる割引率のこと

なお、内部収益率の値は表計算ソフトで簡単に計算できる

20 よい物流センターとは

❖投資回収は可能か

前項で述べたように、物流センターを投資という視点で捉えるのであれば、「投資回収の可否」が物流センターのよし悪しを判断する重要な要因となります。そこで日々の運営における、入りと出（つまり収入と支出）に注目してみましょう。

収入面は「生産性」が大切です。生産性が高ければたくさんの物量を取り扱うことができるし、コストの引き下げにもつながります。そこで、作業改善を継続的に行ない、一人当たりの作業効率の向上を図ることが大切です。また、物流センターが将来の取扱量（出荷能力）の増加を見越した設計かどうかも大切な視点です。投資期間は長いので、時代とともに取扱量は変化していきます。物流センターの拡張余地がないために、取扱量の増加といったチャンスをみすみす失うようでは、計画的な設計とはいえません。取扱量をどの程度まで考えるか、すなわち会社の成長と物流センターの配置と、戦略の整合性がとれているかどうかも大切な視点です。

一方、物流センターでは様々なコストが発生します。たとえば物流センターでは曜日や季節により取扱量が異なるため、適正な人員コントロールにより、余分な人件費をかけないなどの現場サイドでの努力が大切です。

物流センター側の問題ばかりではありません。たとえば一括大量発注すれば在庫費用はかさみますが、仕入れコストは下がるかもしれません。そうした会社全体での戦略も理解しつつ、現場サイドでのコスト削減に注目することも大事なポイントです。

❖環境や人にやさしい施設か

企業は事業活動において利益を追求します。しかし、儲かれば何をしてもいいわけではありません。物流センターも同様です。投資回収に関する数値がすべてではなく、前述したように周辺環境への配慮も大切です。

また働く人への配慮も大事です。照明一つをとっても、経費削減で作業場も休憩室も暗いような職場では、従業員は疲弊してしまいます。従業員は中長期的に会社を支えていく、大切なパートナーという視点が大切です。

物流センターを見るポイント

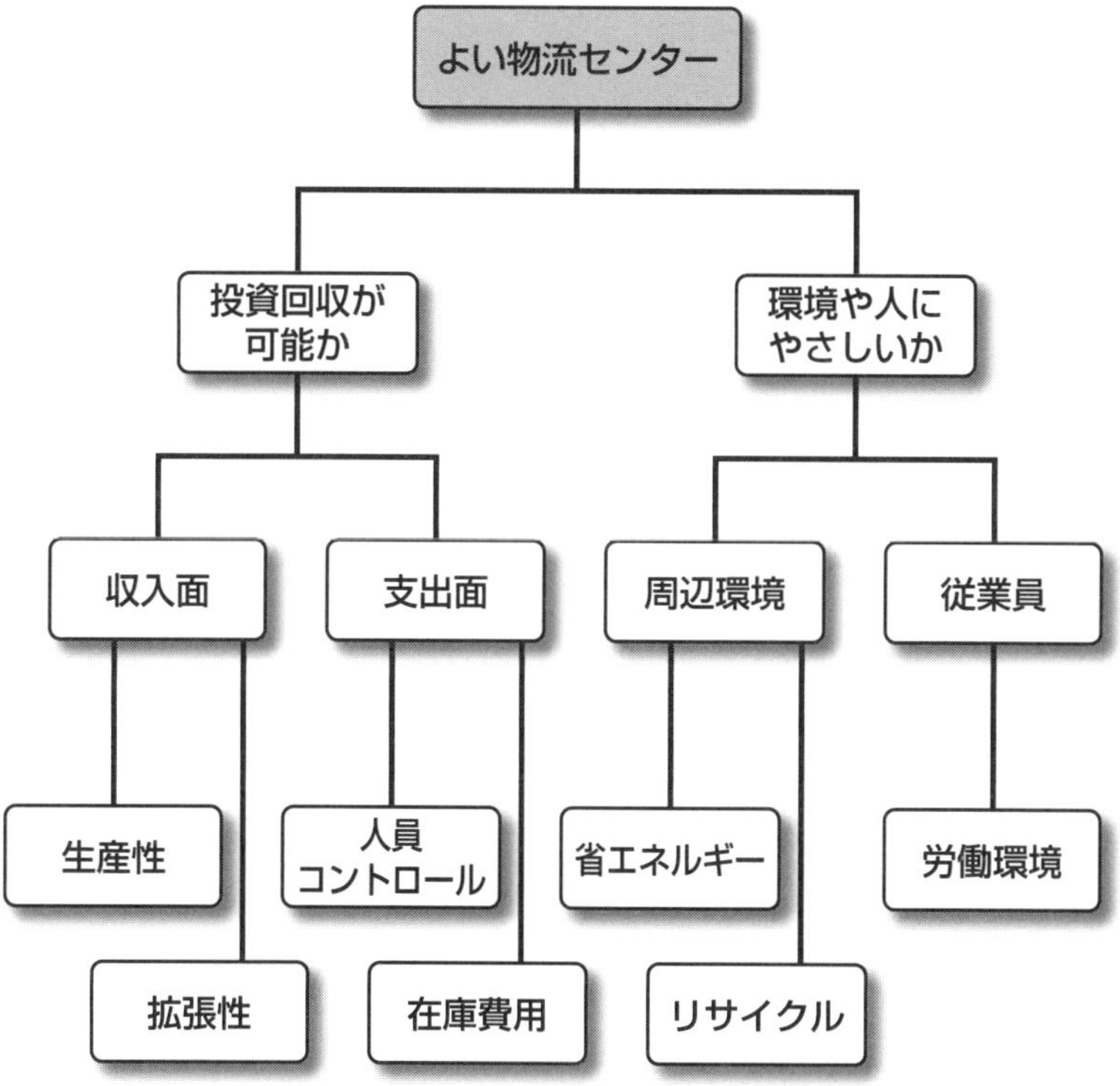
よい物流センター
投資回収が可能か
環境や人にやさしいか
収入面
支出面
周辺環境
従業員
生産性
拡張性
人員コントロール
在庫費用
省エネルギー
リサイクル
労働環境

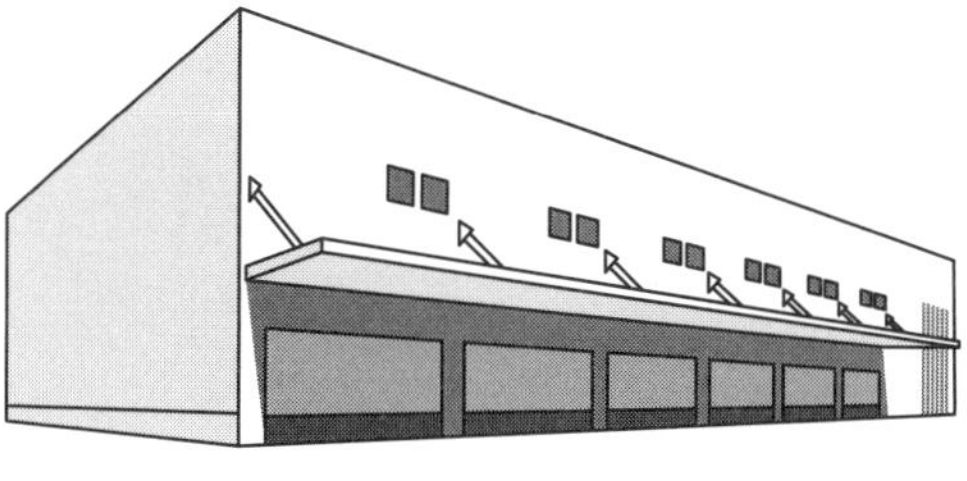

3章

取扱商品別に見た物流センターの特徴

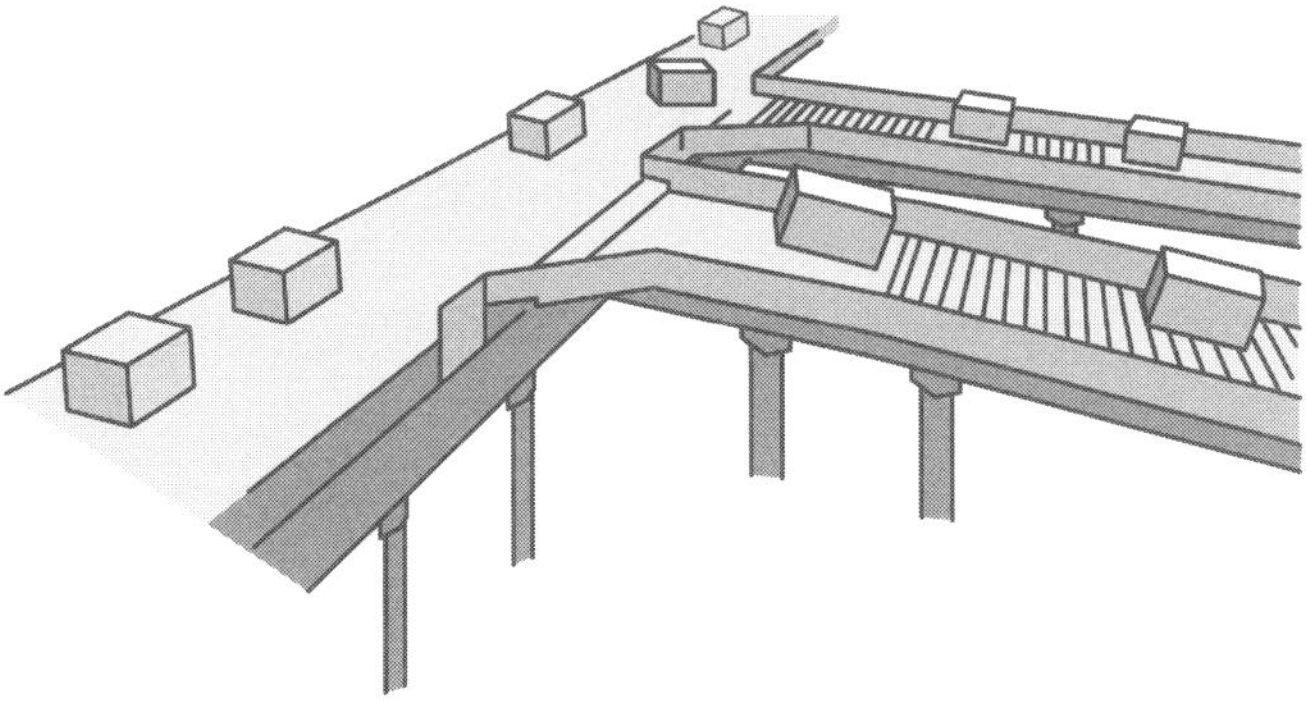

21 常温食品の物流センター

❖常温食品のサプライチェーン

常温食品には、缶詰や調味料などの加工食品、菓子、酒類、飲料などが含まれます。メーカーで商品が生産されると、メーカーの物流センターにいったん保管されます。その後、三菱食品、国分、加藤産業、伊藤忠食品といった大手食品卸売業などの物流センターをへて、食品スーパーやコンビニなどの小売業に納入されます。

最近では、卸売業の代わりに小売業自身が物流センターを構えることが増えてきています。大半は在庫型物流センター（ＤＣ）で常温食品は保管されています。ただし規模が小さい中小スーパーなどでは通過型（ＴＣ）での対応が見られます。

❖常温食品物流の特徴

物流センターには大量品はパレットで、少量品はケース単位で入荷し、数量や賞味期限などを確認後、自動倉庫やパレットラックに格納されます。店舗にケースで出荷される商品はフォークリフトやカゴ台車でピッキングを行ない、店別に仮置きします。バラで出荷される商品は、いったんバラ専用のピッキング棚に保管し、オーダー別にピッキングを行ない、オリコン（折りたたみコンテナ）などの**通い箱**に入れ、店別に仮置きします。

常温食品は、賞味期限が長いのが特徴です。しかし、賞味期限については一定の基準で入出荷制限が設けられている場合が多くあります。また温度管理についても、チョコレートやワインのように、一定の温度での保管が必要な商品もあります。たとえば、夏場にチョコレートを保管する際には、そのエリアを空調で温度調節するとともに、外気が入らないような間仕切りを設けて、温度を一定に保つ工夫をしています。

常温食品を扱う物流センターは冷蔵や冷凍のセンターに比べて建設コストが安く、大小、様々な物流センターが存在します。また常温食品は、大手メーカーのナショナルブランドが多く、包装がしっかりしており、ケースサイズも比較的均一です。そのため、自動倉庫やケースソーターなどの大型マテハン（マテリアル・ハンドリング）機器を導入している物流センターも多く見られます。

常温食品を扱う物流センターのしくみ

◉常温食品のサプライチェーン

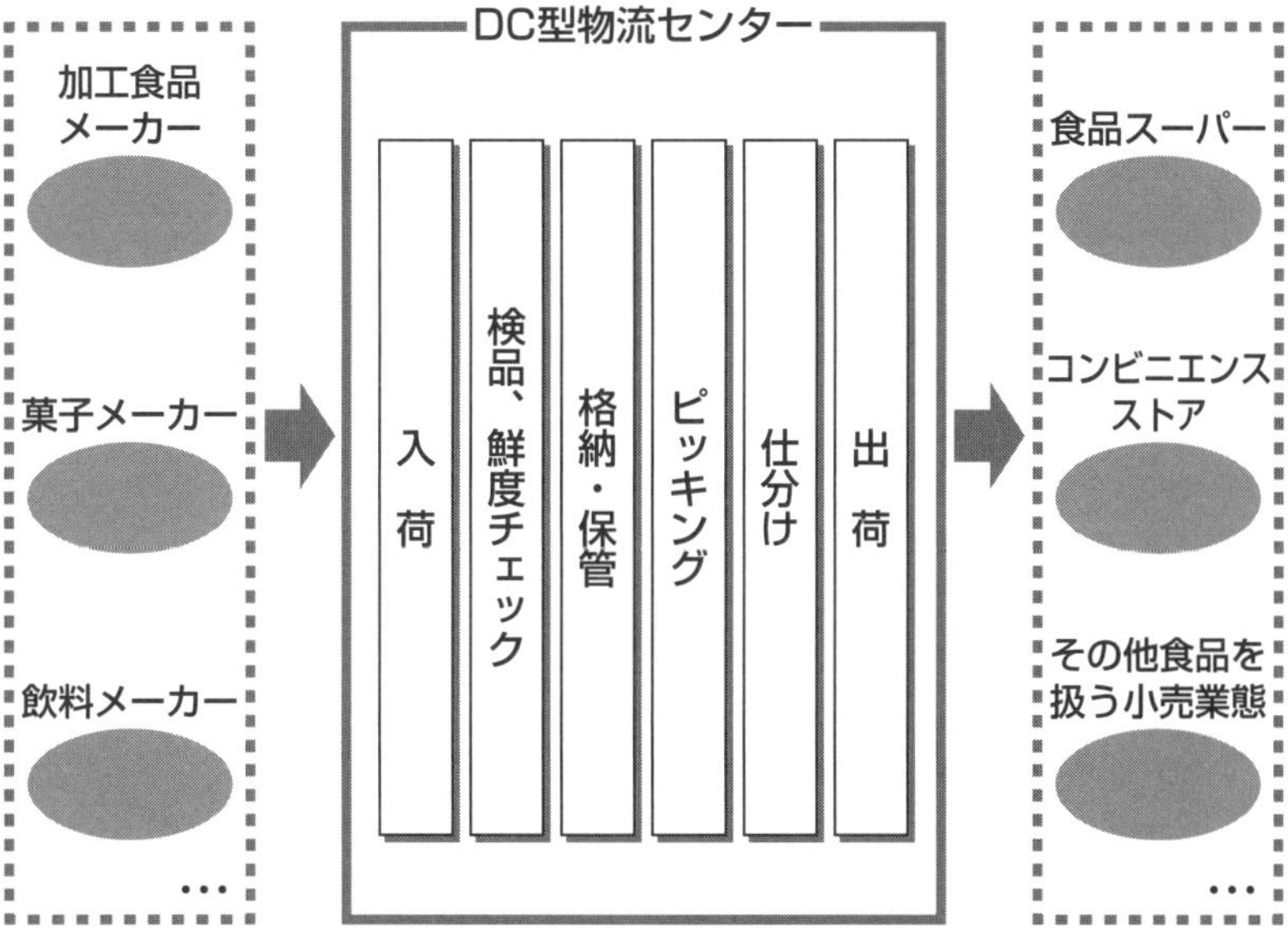
加工食品メーカー
菓子メーカー
飲料メーカー
…
DC型物流センター
入荷
検品、鮮度チェック
格納・保管
ピッキング
仕分け
出荷
食品スーパー
コンビニエンスストア
その他食品を扱う小売業態
…

◉常温食品を扱う物流センターのようす

ピッキングエリア

出荷エリア

（写真提供：株式会社ハローズ）

通い箱（かよいばこ）…業者間を行き来する箱

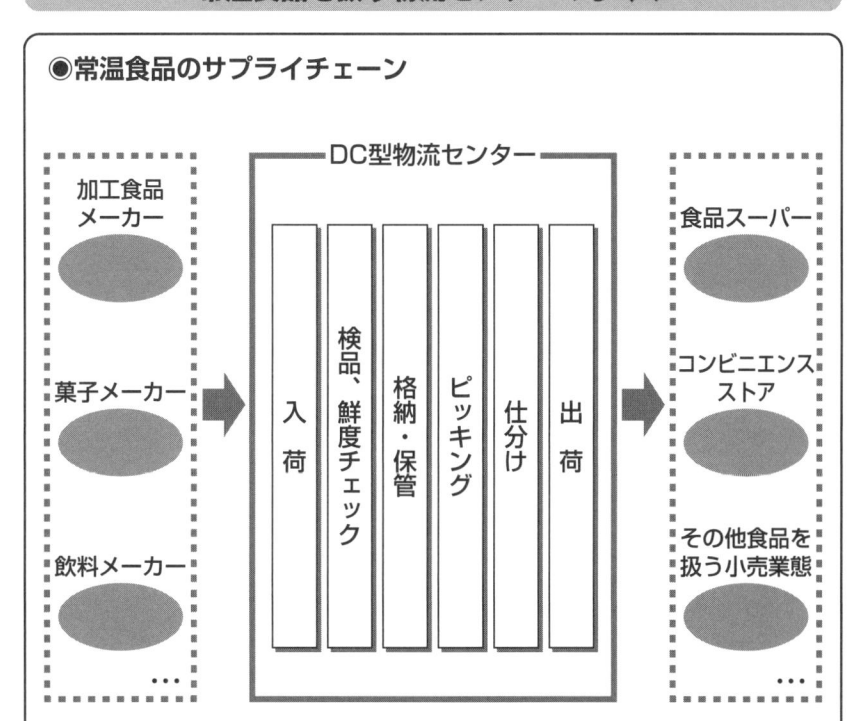

22 冷蔵食品の物流センター

❖冷蔵食品のサプライチェーン

冷蔵食品には、野菜や果物などの青果物、肉、魚といった生鮮品、豆腐やヨーグルトなどの日配品、弁当などがあります。農家で生産された野菜は、一般的に農協を経由し卸売市場に運ばれ、小売業をへて消費者に届きます。その他のルートとしては、農協から生協を通じて消費者に宅配されるものや、農協から小売業に直接運ばれ、消費者に届く場合もあります。日配品や弁当は、メーカーから卸売業、小売業を経由して消費者に届きます。

冷蔵食品は新鮮さを保つために、常温食品に比べ、繊細な物流体系が必要とされます。そこでサプライチェーン上を、厳格な温度管理のもとに低温状態で保管や輸送がなされ、商品の品質を維持しています。こうした流通体系をコールドチェーン（低温流通体系）といいます。

❖冷蔵食品物流の特徴

冷蔵食品は賞味期限が短いため、仕分けが中心のＴＣが基本です。センターでは、早朝に当日出荷量の7割程度を出荷する形態が多く見られます。これは生鮮品や日配品は、店舗の開店前に毎日定時納品が必要で、残りの3割は昼前後の補充用だからです。そこで、それに合わせた形で入荷、流通加工、仕分けの作業がなされます。

ＴＣといっても商品の一時的な仮置きが発生するので、荷捌きスペースや入出荷もトータルに温度管理できる物流センターの設計が必要です。庫内温度はチルド商品は0℃前後、鮮魚介類が4℃以下、野菜は5～10℃が望ましく、それ以上の高い温度にさらされる時間を極力短くすることが大切です。とくに夏場には、温度変化による商品の品質劣化に留意が必要です。

冷蔵食品は一般的には冷蔵車で運ばれます。小口配送で頻繁に荷降ろしが行なわれると、扉を開け閉めしている間に冷蔵車でもトラック内の温度が上がり、品質劣化の恐れが生じることもあります。そのため、そうした場合には低温保持のため、物流センターで出荷前に荷物ごと予冷し、荷物を積み込んだカゴ車単位で蓄冷剤を入れて断熱シートをかけて、保冷した状態で配送するなどの工夫をしています。

冷蔵食品を扱う物流センターのしくみ

◉冷蔵食品のサプライチェーン

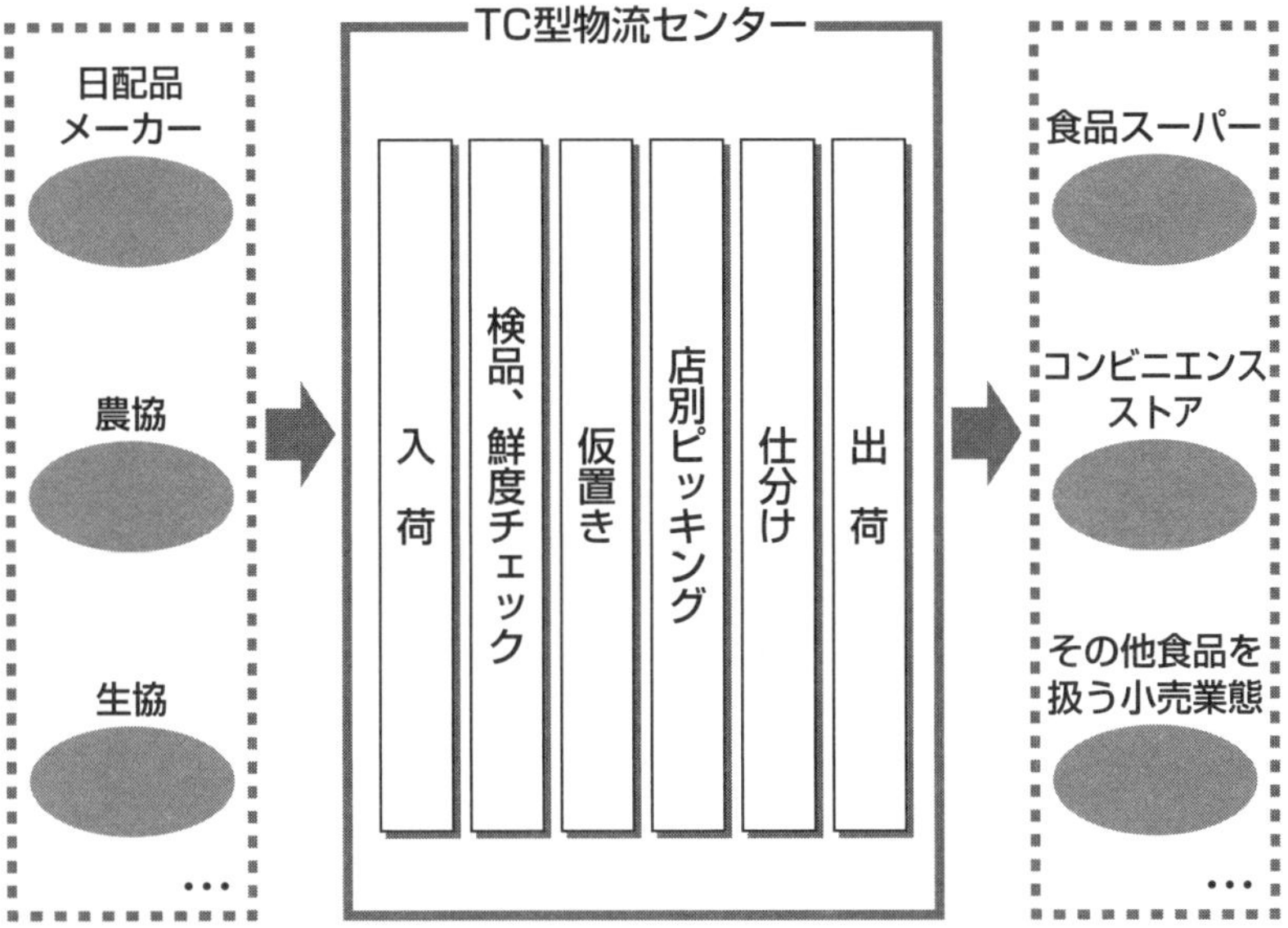
日配品
メーカー
農協
生協
…
TC型物流センター
入荷
検品、鮮度チェック
仮置き
店別ピッキング
仕分け
出荷
食品スーパー
コンビニエンス
ストア
その他食品を
扱う小売業態
…

◉冷蔵食品を扱う物流センターのようす

入荷口

ピッキングエリア

（写真提供：株式会社ハローズ）

23 冷凍食品の物流センター

❖冷凍食材・冷凍食品のサプライチェーン

畜産品などの冷凍食材は、長期間とれたての状態の鮮度と美味しさを保つために、凍結点よりもさらに低い温度で急速に凍結し、品温を下げて保管します。こうすることで、食材の細胞が破壊されず、解凍時にもとの状態を再現できます。また冷凍食品とは、畜産品や農産品などを加工した食品で、つくりたての状態で長期間保存するために生まれた商品です。

素材に近い形で冷凍された畜産品や農産品は海外から輸入されることが多く、その場合は港湾の冷凍倉庫に保管されます。その後、使用する用途によって食品工場や外食産業の物流センターなどに輸送されます。

国内の食品工場で生産された冷凍食品やアイスクリームなどは、主に卸や小売りの物流センターに納品されます。こうした商品は冷蔵食品よりさらに厳しい温度管理が求められます。

❖冷凍食品物流の特徴

冷凍食品・食材の基本的な温度管理のポイントは、品温をマイナス18℃以下に保つことです。サプライチェーン上のすべてでマイナス18℃以下を保てれば理想的ですが、実際には仕分けや入出荷時に外気に触れることもあります。したがって、マイナス18℃以上になる時間をいかに短くするかが重要です。これは冷凍した食品・食材が一度溶けてしまうと、その後その食品を再冷凍しても、においや食感などが変化し、品質の劣化につながるからです。そこで、トラックと建物の隙間から空気が流出入するのを防ぐドックシェルターやエアシェルターにより、品温が上がらないようにするなど、様々な工夫をしています。輸送時には品温管理を徹底するため、車両庫内温度の測定・管理も欠かせません。

❖アイスクリーム物流の特徴

アイスクリームの温度管理はマイナス25℃です。一般冷凍食品と比較して一段と低い温度設定になっています。しかもわずかな温度上昇でもアイスクリームは品質劣化の原因になります。そこで同じ物流センターでも保管エリアは分かれており、配送も専用車両になっています。

冷凍食材・食品を扱う物流センターのしくみ

◉冷凍食材・食品のサプライチェーン

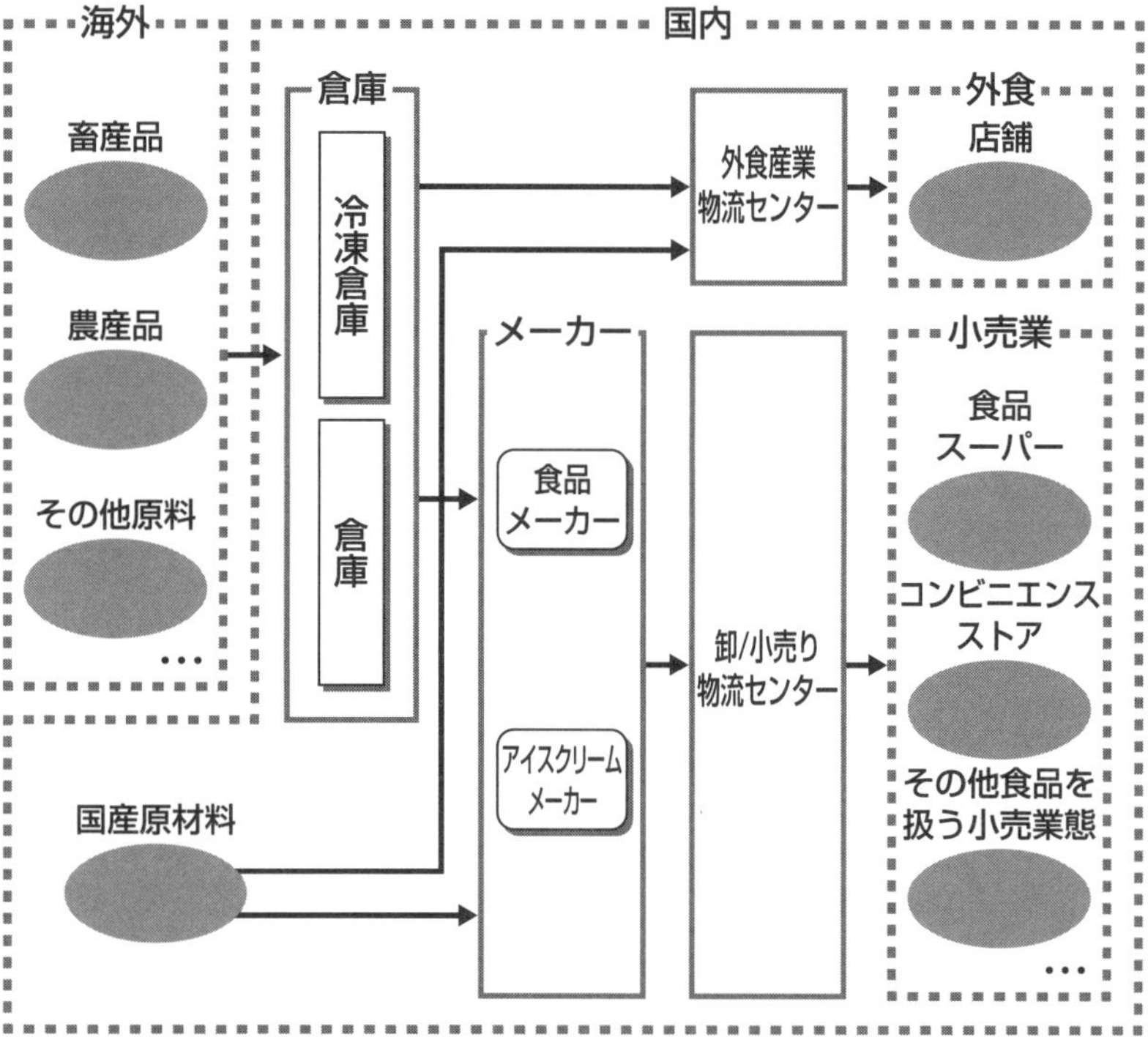
海外
国内
畜産品
農産品
その他原料
…
国産原材料
倉庫
冷凍倉庫
倉庫
メーカー
食品メーカー
アイスクリームメーカー
外食産業物流センター
卸/小売り物流センター
外食
店舗
小売業
食品スーパー
コンビニエンスストア
その他食品を扱う小売業態
…

◉冷凍食材・食品を扱う物流センターのようす

保管エリア①

保管エリア②

（写真提供：株式会社ロジスティクス・ネットワーク）

24 アパレルの物流センター

❖アパレルのサプライチェーン

アパレルとは衣服のことで、紳士服、婦人服、フォーマルウエア、カジュアルウエア、インナー、アウターなど様々なカテゴリーやジャンルがあるので、品目数も膨大です。メーカーも零細企業から、卸機能を併せ持つアパレルメーカー、製造機能を持つ小売業（ＳＰＡ：Specialty store retailer of Private label Apparel）まで多様です。そこで実際のサプライチェーンも商品カテゴリーによって様々ですが、大きくは三つに分かれます。

一つはユニクロや良品計画のようなＳＰＡで、海外で生産し、自社の店舗で販売している業態です。国内の物流センターは、海外から運ばれてきた初回導入品を各店舗に配布するコンソリテーション機能、追加発注商品を在庫する機能を持っています。

二つ目はワールド、オンワード、三陽商会などの大手アパレルメーカーで、百貨店を主販路としている流通形態です。各アパレルメーカーは国内外で商品を製造し、いったん物流センターに在庫します。百貨店からの注文に応じて商品を一品単位でピッキングし、検針、縫製などの品質管理検査、流通加工をして出荷しています。

三つ目は中堅アパレルメーカーで、スーパーや船場《せんば》、馬喰町《ばくろちょう》などの問屋に販売しています。在庫機能は卸売業が担い、小規模ながら物流センターを構えています。

❖アパレル物流の特徴

アパレルは、商品のライフサイクルが物流に大きな影響をもたらします。季節ごと、年単位で売れ筋が異なるため、在庫管理がむずかしくなっています。アパレルは初回導入が約半分で、残りがリピートオーダーです。海外生産比率が高く、発注から生産までのリードタイムが長いため、売行きを見誤ると売れ筋は即座に欠品、死に筋はデッドストックとなり、翌年に持ち越せないケースが多くあります。

また夏物と冬物では一品当たりの大きさが違うため、ピッキング間口の設定がやっかいです。さらにJANコードに色、柄、サイズの情報がなく、ハンドリングの方法が他の商材に比べてむずかしくなっています。

アパレルメーカーのサプライチェーンと物流センター

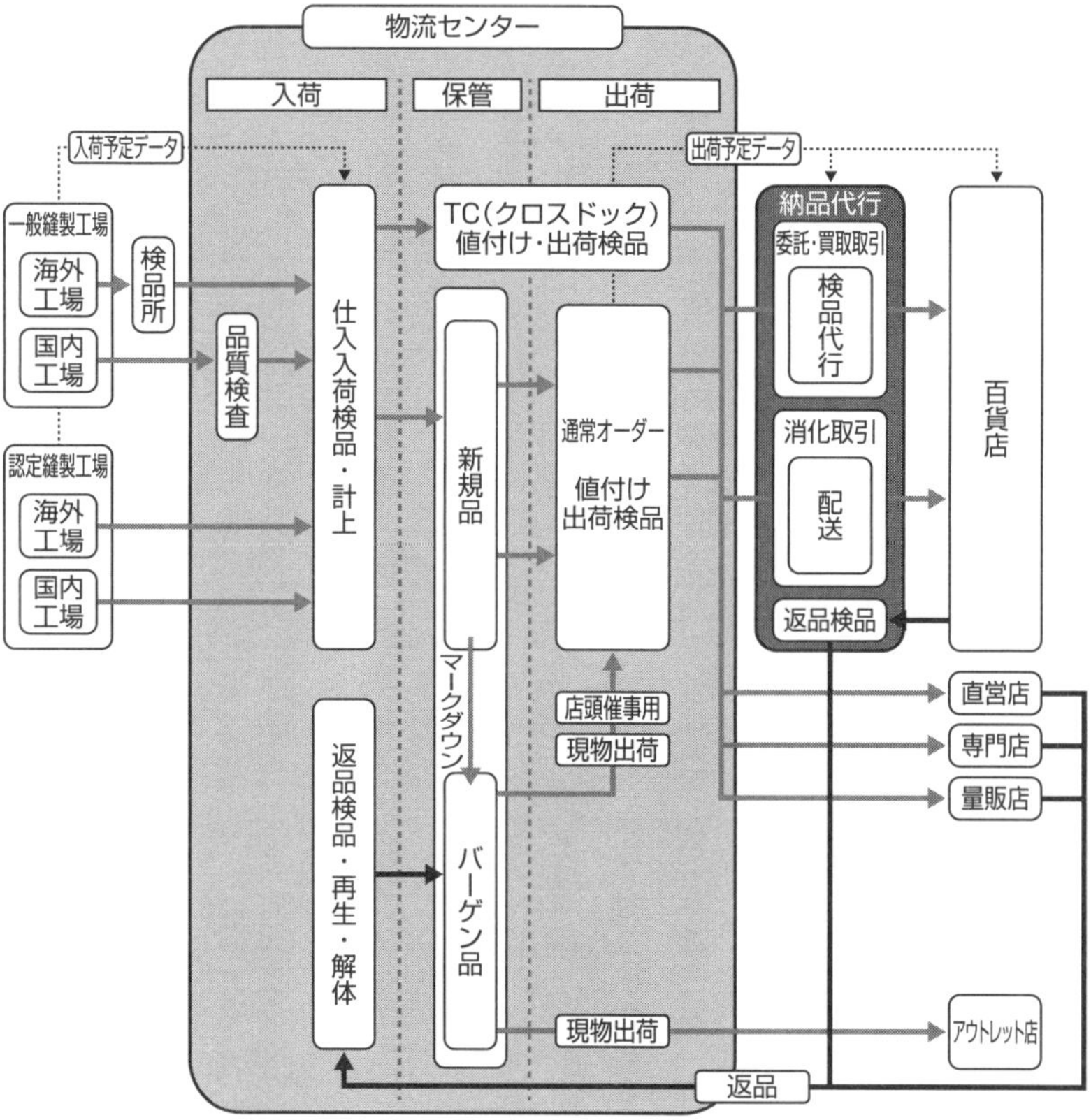
物流センター
入荷
保管
出荷
入荷予定データ
出荷予定データ
一般縫製工場
海外工場
国内工場
検品所
品質検査
認定縫製工場
海外工場
国内工場
仕入入荷検品・計上
TC(クロスドック)
値付け・出荷検品
新規品
マークダウン
通常オーダー
値付け
出荷検品
店頭催事用
現物出荷
返品検品・再生・解体
バーゲン品
現物出荷
返品
納品代行
委託・買取取引
検品代行
消化取引
配送
返品検品
百貨店
直営店
専門店
量販店
アウトレット店

クロスドック…在庫することなく、すぐ仕分けして出荷すること

シワが寄らないようハンガーに吊して保管

仕立て状態など品質管理検査を実施

（写真提供：センコー株式会社）

JANコード…わが国でもっとも多く使われているバーコードの1つ（200ページ参照）

25 日用品・化粧品の物流センター

❖日用品のサプライチェーン

日用品とは日常生活に使用する消耗雑貨品のことです。具体的な商品としては洗剤やシャンプー、歯みがき粉、芳香剤などが挙げられます。また化粧品には口紅、ファンデーション、化粧水、化粧小物などがあります。

日用品のサプライチェーンは、メーカー→卸売業→小売業です。花王を除いては卸売業経由になっています。化粧品はセルフ商品と制度化粧品で異なります。セルフ商品はセルフ販売を主体としており、比較的単価の低い商品が主流です。サプライチェーンは日用品と同様です。

一方、高額の商品でカウンセリング販売を主体とする制度化粧品に関しては、販売会社から直接、小売業に対して配送するルートもあります。

日用品メーカーは花王、ライオン、Ｐ＆Ｇ、ユニリーバなど大手企業が多く、自社で物流センターを保有しています。卸売業にはPaltac、あらた、花王販売などがあります。物流センターはメーカーからの仕入品を大量にストックする大型拠点が多く見られます。メーカー、卸ともに商品の荷姿が小さく、比較的包装設計がしやすいことから、機械化された物流センターが多くなっています。制度化粧品メーカーは資生堂、コーセーなどで、こちらは販社を通じて販売しています。

小売業はドラッグストアが販路の中心です。日用品に関して、外資系メーカーとの直接取引を前提に在庫をしているケースもありますが、他は制度化粧品を含め、小売業のＴＣ（通過型）を経由して店舗に配送しています。

❖日用品、化粧品物流の特徴

日用品は食品と比較してアイテム数が多く、商品回転率はかなり悪くなっています。

化粧品は単価も高価で、小売業の店頭でも一部商品を除いて多くは陳列されていません。そこで1品単位のバラ物流が多いことが特徴として挙げられます。

小売りのチェーン企業に関しては、取扱アイテムが少ないコンビニを除いて、在庫型物流センター（ＤＣ）を保有していません。ＴＣが基本で、スーパーなどでは食品と混載して店頭に配送しています。

日用品・化粧品のサプライチェーン

◉日用品・セルフ化粧品のサプライチェーンと物流

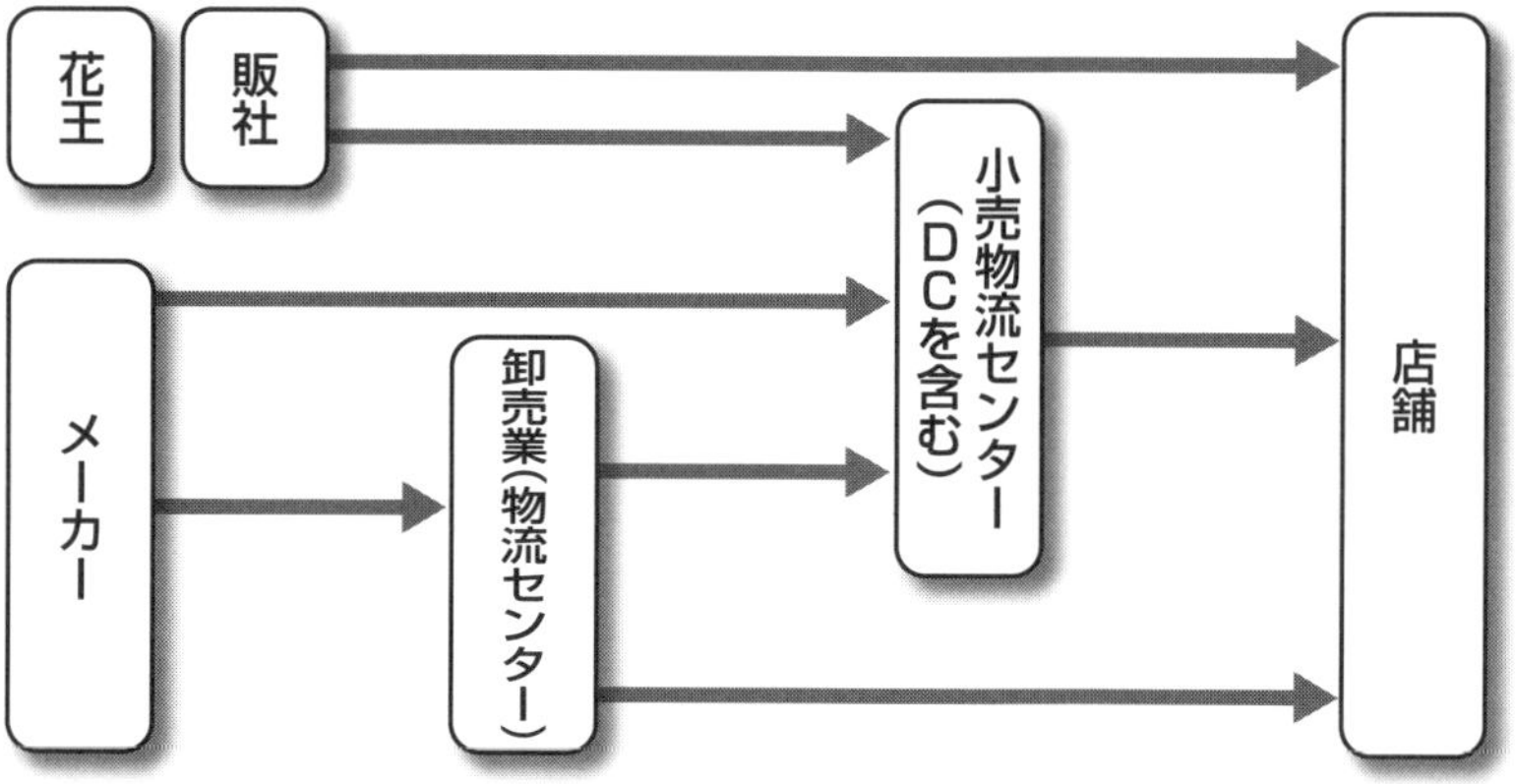
花王
販社
メーカー
卸売業(物流センター)
小売物流センター(DCを含む)
店舗

◉制度化粧品のサプライチェーンと物流

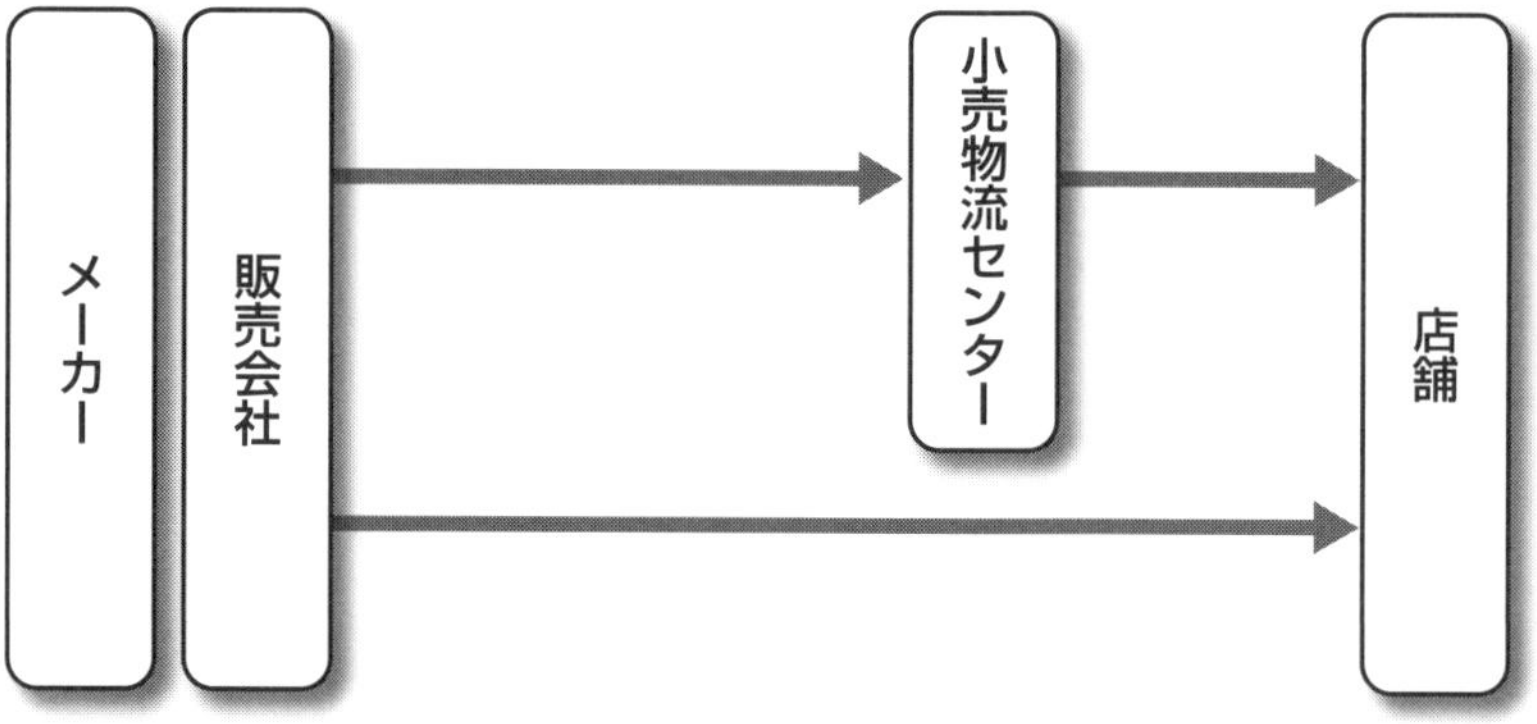
メーカー
販売会社
小売物流センター
店舗

入出荷エリア

バラピッキングエリア

（写真提供：株式会社Paltac）

26 医薬品の物流センター

❖医薬品のサプライチェーン

医薬品は、医師の診断と処方に基づいて使用される「医療用医薬品」と、処方の必要がない「一般用医薬品」に分けられます。サプライチェーンも異なり、医療用医薬品の場合は、メーカー→医療用医薬品卸→病院、調剤薬局です。一般用は、メーカー→一般医薬品卸→薬店です。

医療用の物流は主に卸売業が担っています。大型物流センターを各地域に配置し、全国に点在する営業所を併設する地域センターを経由し、専門の配送担当者が届けます。中規模センターからの直接供給パターンもあります。一般用の物流は主に小売業が担っています。薬店といっても、大半はチェーンのドラッグストアで、物流センターを保有しています。卸売業がＴＣに持ち込み、物流センターで検品、仕分けを行ない、日用品や加工食品などと併せて各店舗に配送しています。

❖医薬品物流の特徴

医薬品は生命に関係する商品です。とくに医療用医薬品は直結するといっても過言ではありません。物流もそうした商品特性を反映し、他の商材とは異なっています。

当然、欠品はゼロが基本です。受注から納品までのリードタイムも最短が求められます。病院には1日3～4回の納品も珍しくありません。商品単価はかなり高く、ほとんどがバラ物流です。調剤薬局には中箱をバラした錠剤単位で納入しています。

物流センターの在庫管理も特殊です。一般的に医療用医薬品の物流センターは約2万前後のアイテムです、カテゴリーは内服薬、外用薬、試薬などの一般医療用医薬に加え、向精神薬、毒物・劇物、生物由来など特別な医薬品も在庫しています。特別な医薬品に関しては通常の医薬品に対して、別の管理をすることが薬事法で決められており、施錠付きの特別な保管庫や、ロット管理が義務づけられています。また全アイテムの10％前後は温度管理が必要な商品です。ワクチンやインシュリンは2～8℃、試薬はマイナス20℃などと決められています。

医薬品は薬事法といった制約に加え、命に関わる重要な商品特性が物流上の特徴といえます。

医薬品のサプライチェーン

◉一般医薬品のサプライチェーンと物流

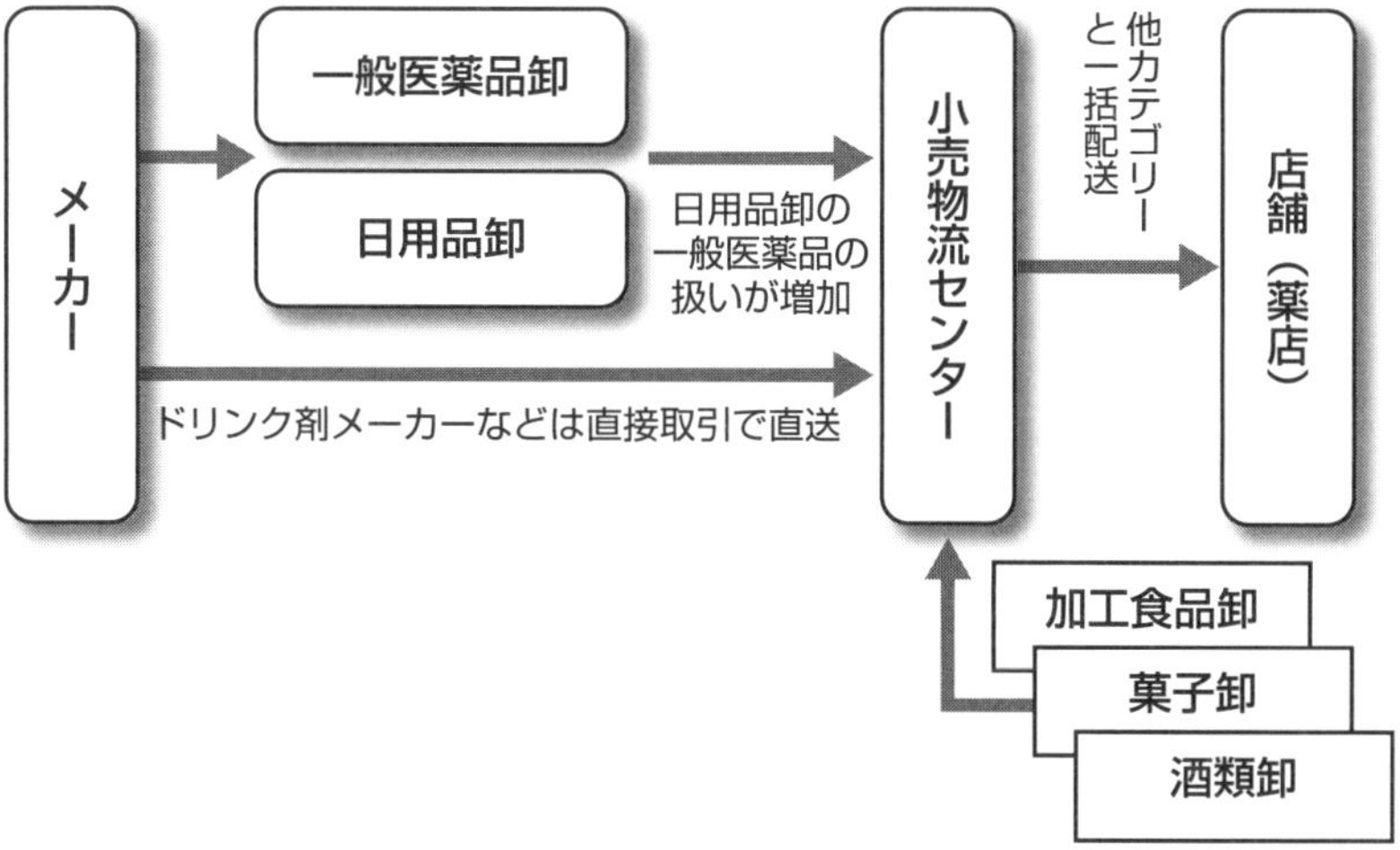
メーカー
一般医薬品卸
日用品卸
日用品卸の一般医薬品の扱いが増加
ドリンク剤メーカーなどは直接取引で直送
小売物流センター
他カテゴリーと一括配送
店舗（薬店）
加工食品卸
菓子卸
酒類卸

◉医療用医薬品のサプライチェーンと物流

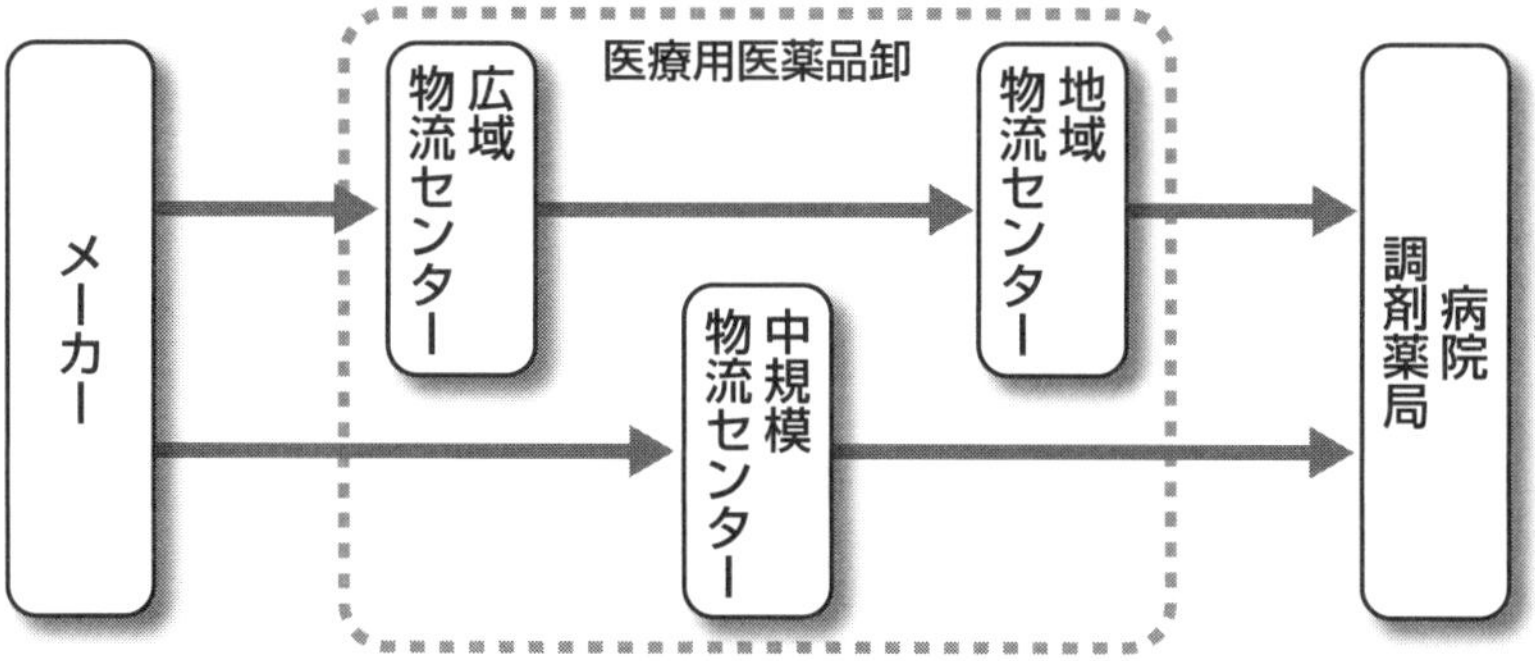
医療用医薬品卸
メーカー
広域物流センター
地域物流センター
中規模物流センター
病院
調剤薬局

バラ保管エリア

順立て出荷するストレージライン

（写真提供：株式会社メディセオ）

27 花きの物流センター

❖花きのサプライチェーン

日本では、年間2万種類もの花（切り花や鉢物）が売られています。これらを生産する農家は全国に約10万戸あります。生産された花は、農家ごとに、もしくは産地の農協でまとめて出荷され、全国に１８６箇所ある花の卸売市場で売買されます。卸売市場で花を購入できるのは、買参権《ばいさんけん》を持つ仲卸もしくは小売店です。仲卸は市場内の自分の店で小売店に販売します。なお、このほかに、市場を通さずに直接売買する取引もあります。

❖花き物流の特徴

国内最大規模の花き卸売市場「東京都中央卸売市場大田市場・花き部」では、1日に約３３０万本、金額にして1億８０００万円の花を取り扱っています。花は生鮮食品と同じように傷みやすいため、新鮮な状態で消費者の手許に届くようにしなければなりません。

大田市場には二つの卸があり、そのうちの一つ「大田花き」では、年間約２７０億円（1日に約4万ケース）の花を取引しています。取引日の前日までに生産者から入荷する花の情報が、インターネットやＦＡＸを通して届きます。現品の市場入荷後、入荷票を箱に貼付します。入荷票には品名、生産地、一箱当たりの本数、口数などが表示されています。ゆり、バラなど高温での品質変化が著しい花は、常温より低い温度で保管します。

卸売市場での花の売買には、「相対《あいたい》取引」と「せり」の二つの形態があります。販売者と購入者が一対一の相対取引で、まず約3万ケースが売買されます。残りの１万数千ケースが、翌朝せりで取引されます。

相対取引やせり落とされた花の箱には購入者情報が印刷されたラベルが貼られ、仕分機で購入者ごとに仕分けられます。この機械は1時間当たり最大５０００ケースを仕分けることができ、せりの終了から30分以内にすべての花が購入者ごとに仕分けられます。

大田花きでは、２００７年に業界初のシンクタンク「大田花き花の生活研究所」を設立しました。花きの鮮度保持などの研究のほか、花きに関するマーケティングや情報提供サービス、コンサルティングを展開しています。

花きを扱う物流センターのしくみ

◉花きのサプライチェーン

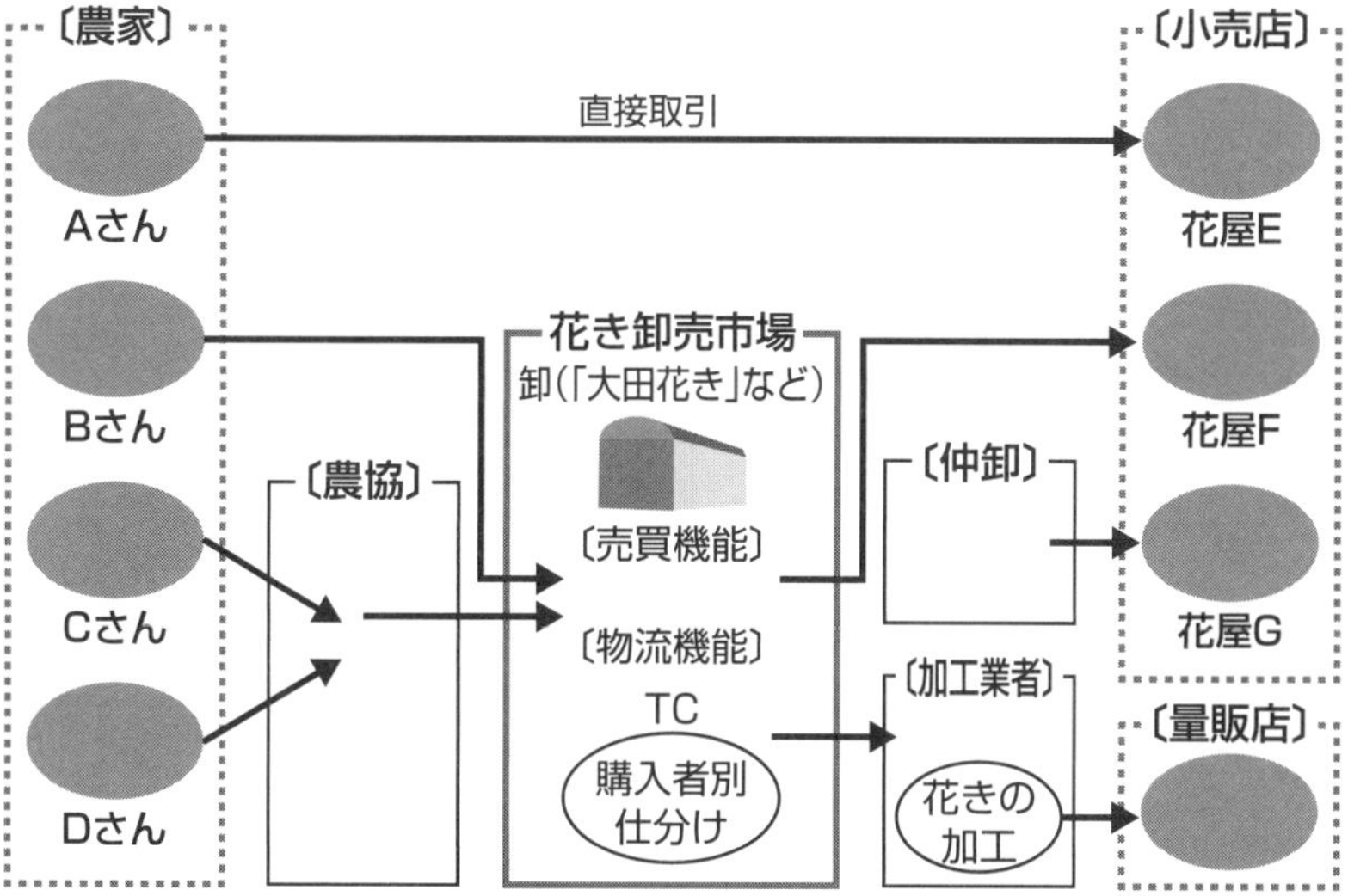
〔農家〕
Aさん
Bさん
Cさん
Dさん
直接取引
〔農協〕
花き卸売市場
卸(「大田花き」など)
〔売買機能〕
〔物流機能〕
TC
購入者別
仕分け
〔仲卸〕
〔加工業者〕
花きの
加工
〔小売店〕
花屋E
花屋F
花屋G
〔量販店〕

◉花き卸売市場のようす

①到着した品物を地下の倉庫などに運び保管する

②相対取引、せりを行なう

③商品の仕分準備をする

④購入者別に仕分けをする

（写真提供：株式会社大田花き　株式会社大田花き花の生活研究所）

28 出版物の物流センター

❖出版物のサプライチェーン

出版物の販売ルートは基本的には一般の商品と同じく、メーカー（出版社）から卸（出版販売会社）を経由して、小売り（書店など）をへて読者に届きます。

出版物のサプライチェーンを説明する上で欠かせない事項として、「再販制度」と「委託制度」が挙げられます。

再販制度とは、出版社が定めた販売価格（定価）で書店などが販売する、いわゆる定価販売制度のことです。こうした行為は独占禁止法で禁止されていますが、出版物に関しては文化・教養の普及の見地から、これが認められています。

委託制度とは、出版社・販売会社・書店の三者で契約し、定められた期間内であれば、売れ残った出版物の返品が認められる制度です。出版社は多くの出版物を書店などの店頭に陳列することで現物の宣伝ができ、書店も様々な出版物の豊富な品揃えを維持できるといったメリットがあります。これにより読者は、幅広い選択ができるようになるのです。

❖出版物流の特徴

出版社と書店などを結ぶ出版販売会社には、トーハンや日本出版販売などの総合取次《とりつぎ》のほか、特定分野の出版物を取り扱う専門取次があります。出版販売会社の物流センターの大きな特徴は、在庫と返品作業です。

出版販売会社は、読者の注文に応じた書店からの客《きゃく》注《ちゅう》や、店頭での充実した品揃えのための補充注文に対し、迅速に出版物を届ける必要があります。そのためには豊富な在庫量と、売れる本の目利きが大切です。出版業界では、読者の要望を正確に捕捉し、適時適量の新商品供給をめざしたSCM体制の強化に取り組んでいます。

もう一つの特徴は返品作業で、全国の書店から返品されてくる商品を銘柄ごとに分け、各出版社に戻す作業です。出版社への返品サイクルや出版物をきちんと管理する上で、煩雑な作業を伴います。また、各出版社へ返品するまでの工程で膨大な数の出版物を一時的に保管しなければなりません。そのため、自動倉庫などの導入によるシステム化の事例もあります。

出版物を扱う物流センターのしくみ

◉出版物のサプライチェーン

①従来のサプライチェーン

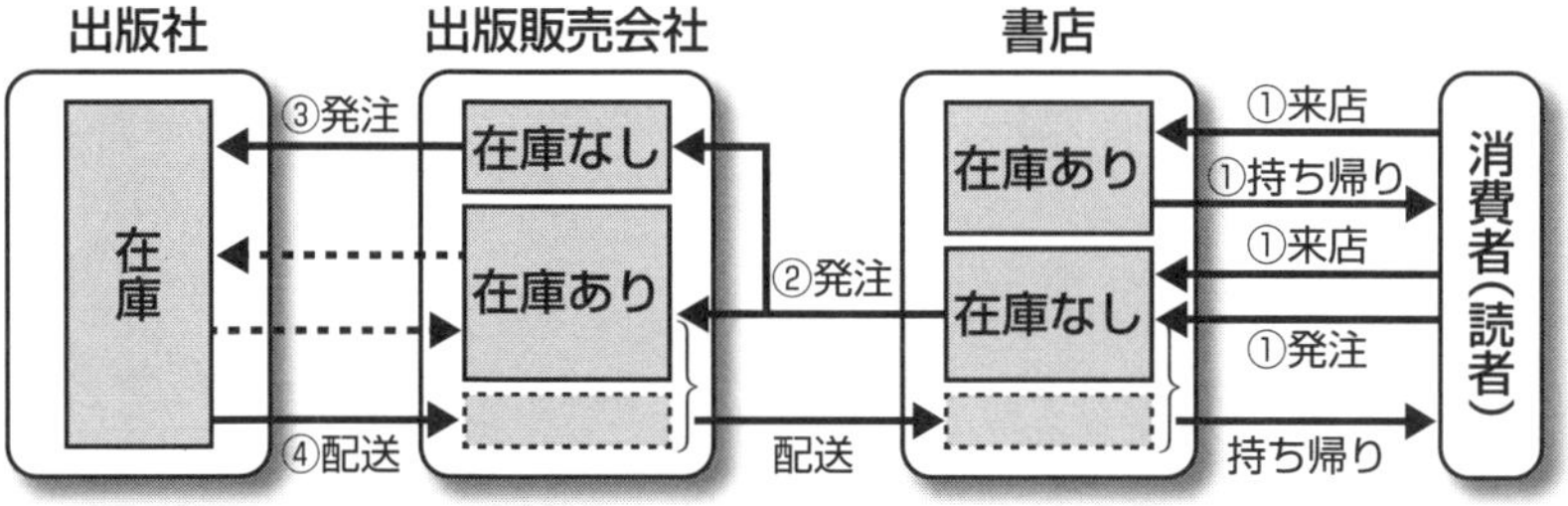
出版社
出版販売会社
書店
在庫
③発注
在庫なし
在庫あり
④配送
②発注
配送
在庫あり
在庫なし
①来店
①持ち帰り
①来店
①発注
持ち帰り
消費者(読者)

②ネット書店のサプライチェーン

（例1）出版販売会社系：e-hon（トーハン）

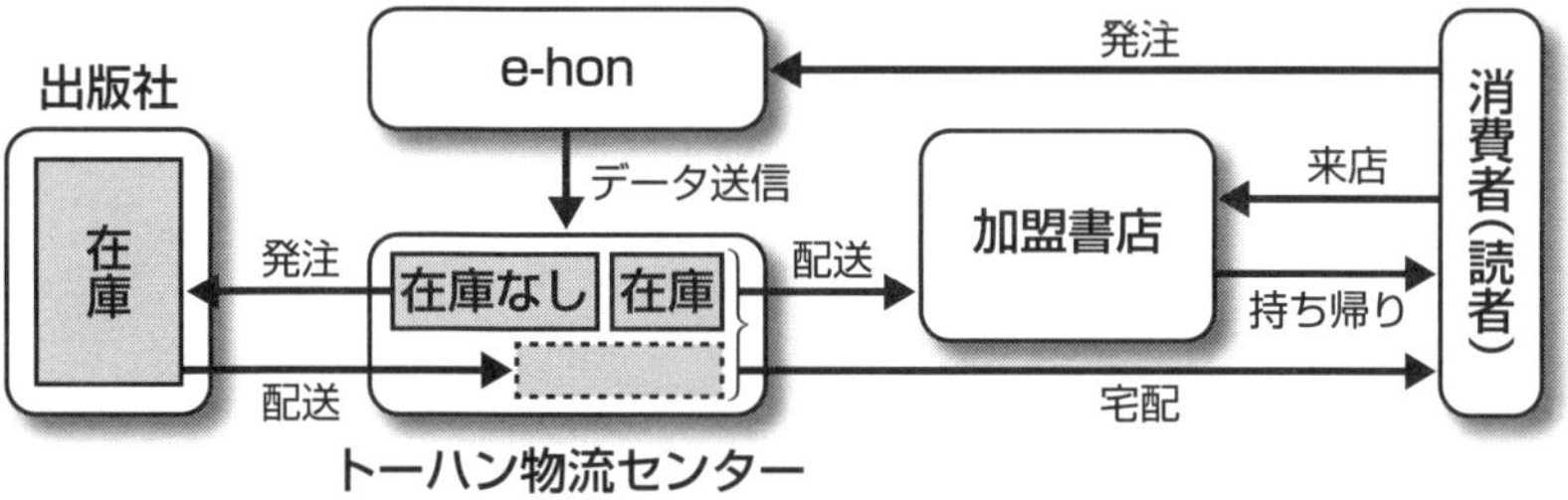
e-hon
発注
出版社
在庫
データ送信
加盟書店
来店
発注
在庫なし
在庫
配送
持ち帰り
配送
宅配
トーハン物流センター
消費者(読者)

（例2）独立系：アマゾン

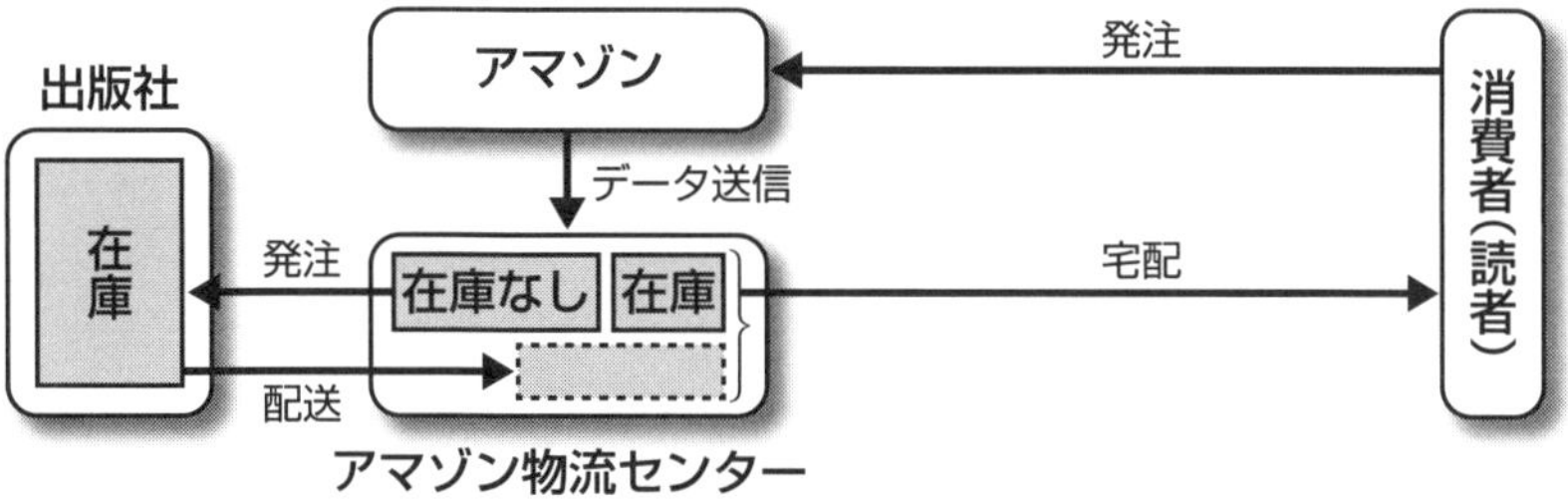
アマゾン
発注
出版社
在庫
データ送信
発注
在庫なし
在庫
宅配
配送
アマゾン物流センター
消費者(読者)

ネット書店では、顧客の幅広い要望に応えられるよう、物流センターに多種類の出版物を在庫している

◉出版物を扱う物流センターのようす

高速自動仕分機により、書籍を仕分けしている

（写真提供：株式会社トーハン）

SCM…サプライチェーン・マネジメント（18ページ参照）

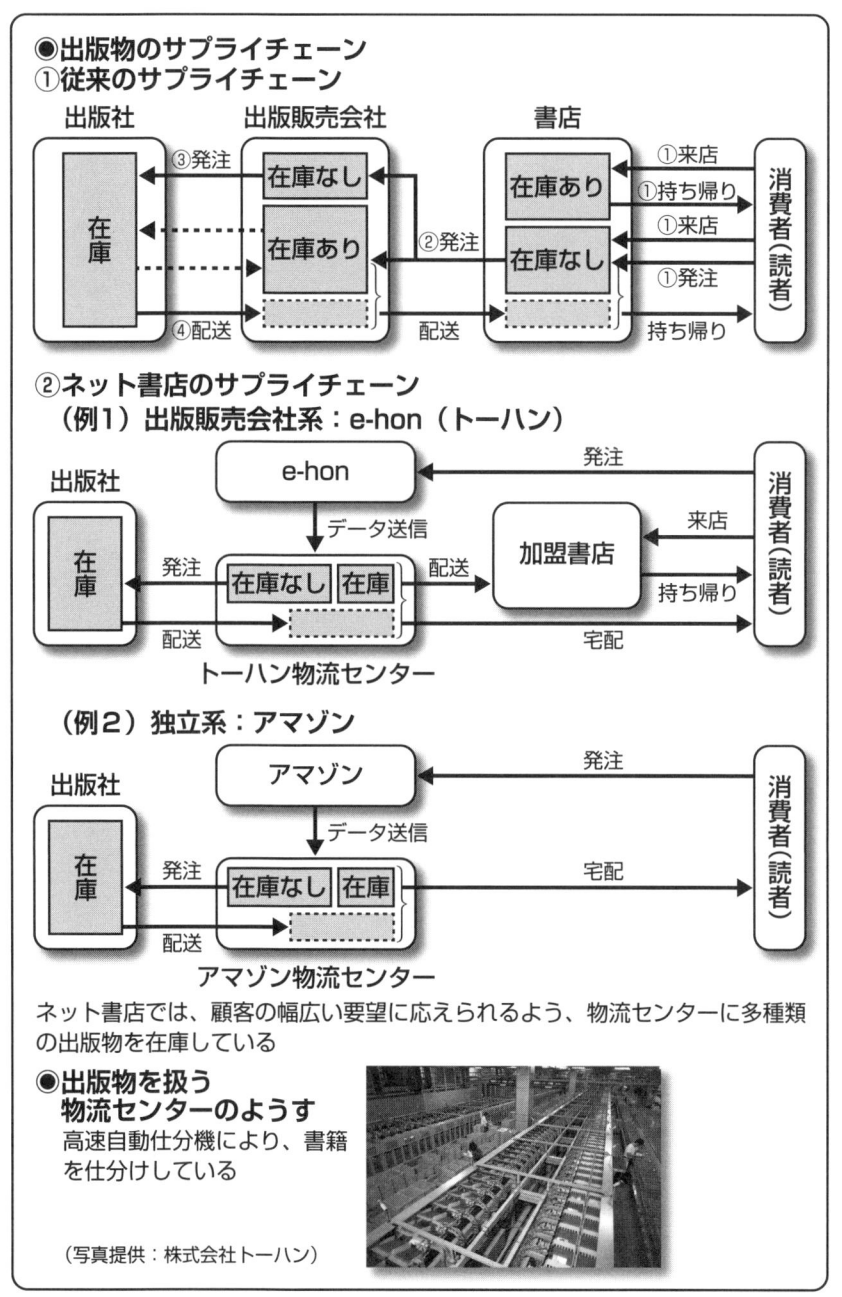

29 リサイクル資源の物流センター

❖リサイクル資源のサプライチェーン

環境問題の重要なテーマの一つに、資源の枯渇や廃棄物処理能力の限界を発端とする「循環型社会の構築」が挙げられます。平成12年に、食品廃棄物等の排出の抑制と資源としての有効利用を推進するために「食品リサイクル法」（同19年に「改正食品リサイクル法」）が施行されました。この法律では、食品メーカー、食品卸、小売り、外食といった食品関連事業者ごとに再利用等の実施率の目標を設定しています。

製造・販売時に出る野菜くず（残さ）、販売時に出る売れ残り、消費時に出る食べ残しといった食品廃棄物は、従来は焼却処分されていました。これらの食品廃棄物を肥料や飼料にして、農産物や畜産物の生産に利用することで、環境に配慮したリサイクルを実現するのが法律の主旨です。しかし、売れ残りの弁当などは、ふたを開いて、くしやアルミホイールなどを取り除く処理工程などにコストがかかるため、企業により取り組み姿勢に差があるようです。

❖リサイクル資源物流の特徴

食品スーパーのリサイクル資源センターでは、店舗などで発生するリサイクル可能な資源を、食品廃棄物、ダンボールや古紙類、プラスチック、発泡スチロールに分別します。食品廃棄物は、乾燥作業と発酵処理で堆肥にします。袋詰めされた堆肥は有機肥料として農家に提供され、農家はこの肥料を使用して野菜などを生産します。ダンボールや古紙類、プラスチックは、異物の確認をした後、圧縮機で固まりにして梱包します。これにより、製紙メーカーやプラスチック処理施設への運搬を容易にします。発泡スチロールは、紙やシールをはがした後、減容機で溶かし、固まり（インゴット）にして、発泡スチロール再生メーカーに販売します。

こうした資源のリサイクルは、廃棄物を分別して適切に処理をすることで、「廃棄物＝ごみ」ではなく、「価値のあるもの」に転換できることが最大の特徴です。しかし、リサイクル資源センターを建設するのはコスト負担が大きいため、自社で保有する小売業はまだ少数です。

リサイクル資源を扱う物流センターのしくみ

◉リサイクル資源のサプライチェーン

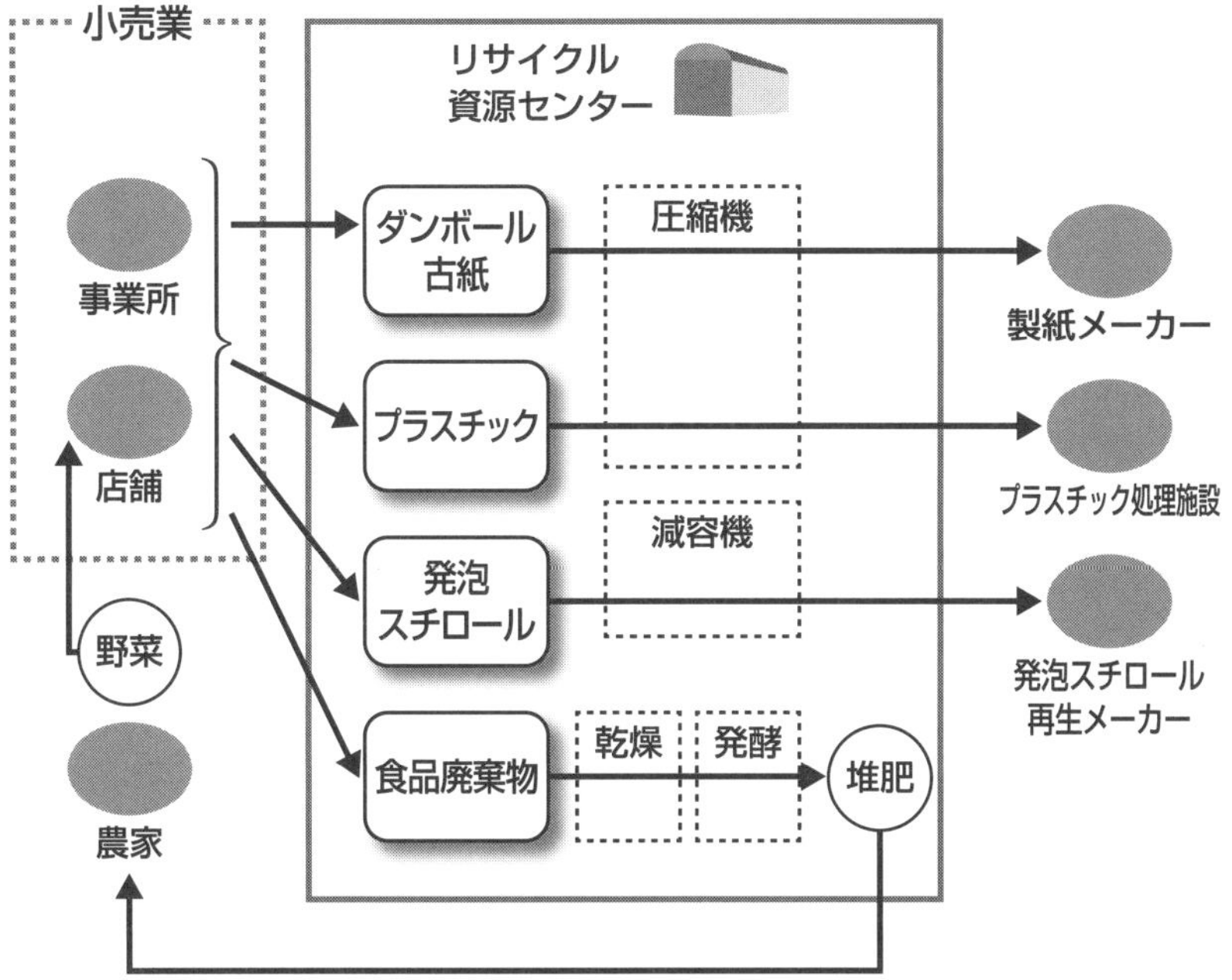
小売業
事業所
店舗
野菜
農家
リサイクル
資源センター
ダンボール
古紙
プラスチック
発泡
スチロール
食品廃棄物
圧縮機
減容機
乾燥
発酵
堆肥
製紙メーカー
プラスチック処理施設
発泡スチロール
再生メーカー

◉リサイクル資源を扱う物流センターのようす

古紙類の固まり

発泡スチロールの
インゴット

（写真提供：みやぎ生活協同組合）

30 住宅資材の物流センター

❖住宅資材のサプライチェーン

ここではプレハブ住宅建築における住宅資材の流れを見ていきます。家を一軒建てるには、約4万アイテムもの製品や部品（資材）が必要といわれています。

積水ハウス、大和ハウス工業、旭化成ホームズ、パナホームといったプレハブ住宅メーカーは建築設計などが主要業務で、製品や資材は川上の資材メーカーから調達しています。資材の中でも鉄骨や外装材などの躯体といった大きなものは、資材メーカーから施工現場に直送されます。それ以外の資材は、プレハブ住宅メーカーの物流センターを経由して運ばれます。その理由は、各資材メーカーから施工現場に個別に納品されると、現場では受け入れ作業に時間を費やし、効率的ではないからです。

❖住宅資材物流の特徴

施工現場には、多くの資材を保管する場所がありません。そこで物流センターには、「現場の作業工程に合わせて、必要な資材を、必要なときに、必要な場所に一台のトラックで納品する」ことが求められます。

物流センターの実質的な運営は、専門の物流事業者が行なっています。センター運営を行なう事業者は、住宅メーカー、資材メーカー、施工現場と情報を共有し、現場の搬入情報や物流センターの在庫情報を、資材メーカーの生産計画に反映できるようにしています。

センターの種類は、プレハブメーカーにより異なります。ＤＣでは、それぞれの建築現場の工程に合わせて、センターにあらかじめ在庫しておいた資材を必要な量だけピッキングし、2トン車で届けます。ＴＣでは、メーカーから資材が現場別に仕立てて送られてくる場合や、当日分としてまとめて送られてくる資材を、センターで現場別に仕分ける場合もあります。いずれの場合も、現場別に資材をそろえて、トラックで出荷しています。

トラック配送は、現場の作業を意識した納品をしています。たとえば、資材に貼付したラベルを見えるようにする、手前に置かれた資材から使えば作業できるようにする、といったことです。出荷の段階でこうした納品ができるように、トラックへの荷積みを工夫しています。

住宅資材を扱う物流センターのしくみ

◉住宅資材のサプライチェーン

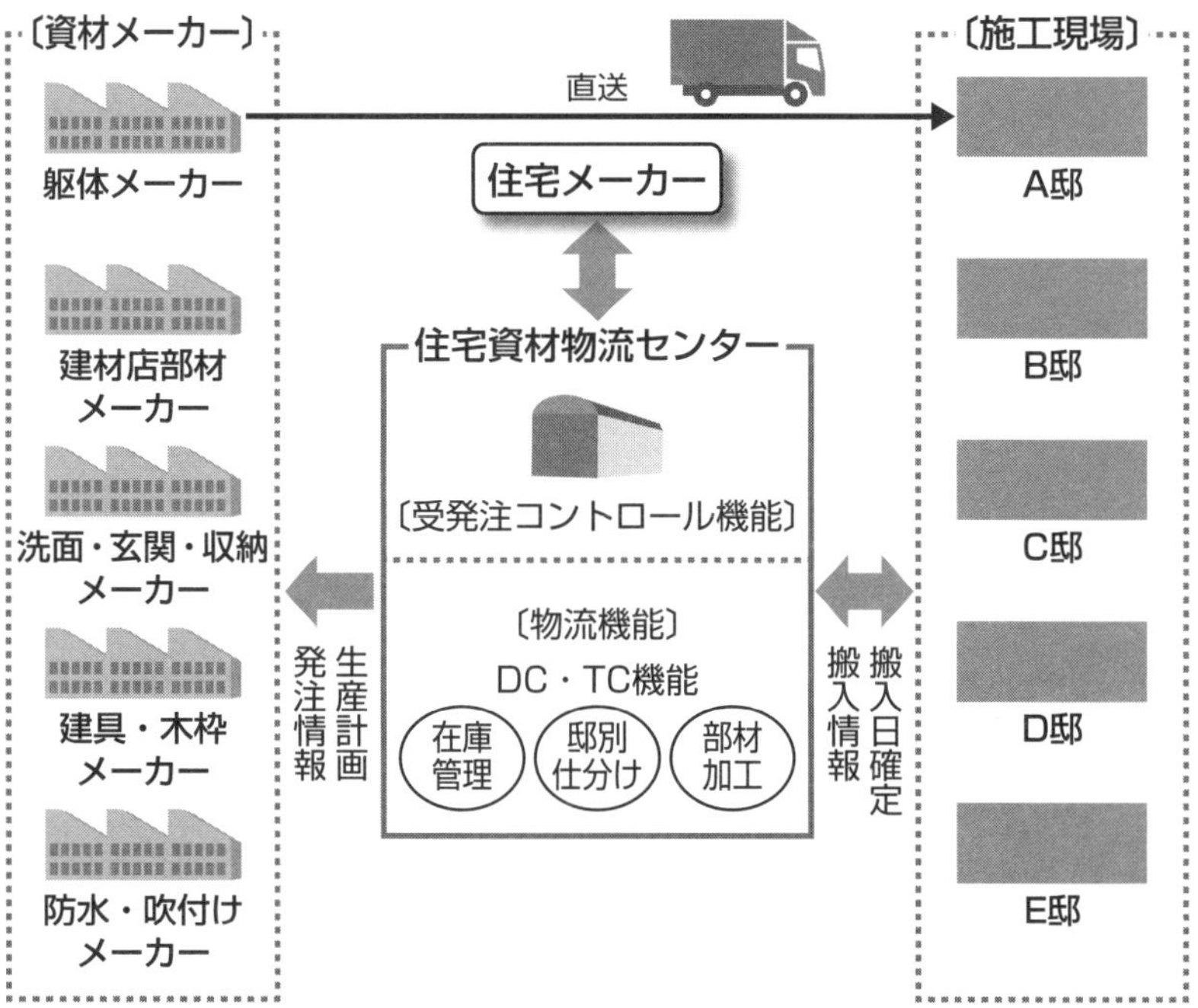
〔資材メーカー〕
躯体メーカー
建材店部材メーカー
洗面・玄関・収納メーカー
建具・木枠メーカー
防水・吹付けメーカー
直送
住宅メーカー
住宅資材物流センター
〔受発注コントロール機能〕
〔物流機能〕
DC・TC機能
在庫管理
邸別仕分け
部材加工
生産計画
発注情報
搬入日確定
搬入情報
〔施工現場〕
A邸
B邸
C邸
D邸
E邸

◉現場の工程を重視した資材の置き方

（写真提供：センコー株式会社）

4章

業態別に見た物流センターの特徴

31 メーカーの物流センター

❖メーカー物流の特徴

メーカー物流は、卸売業の物流センターに対する供給を前提にしています。ですから、在庫機能や小分け機能は卸物流に依存しています。その結果、メーカー物流は生産した商品を保管する機能に主眼が置かれます。

取り扱うアイテムは自社製品の範囲で、物流センターに保管するアイテムも限られ、一般的に５００アイテム程度です。単品を大量生産するメーカーでは、自動倉庫を導入するケースも多く見られます。バラはなく、すべてパレット、ケース出荷で、機械化しやすい物流特性です。

❖メーカーの物流センターの課題

メーカーの物流センターを考える上でのポイントは、生産工場との関係です。生産工場から物流センターへの供給コストが発生しますが、工場とセンターが一箇所にあればコストは発生しません。しかし販売先の物流センターが広く点在している場合は、配送コストが高くなる場合もあります。また供給範囲が限られていると、効率的な生産が可能な量に達しないケースもあります。こうした関係はケースバイケースで、必ずしも最適な解はありません。以上のことは、あくまでメーカー側の立場に立った生産と販売物流の効率化の考え方にすぎません。今日のような供給過剰の時代では、買い手側のパワーが強くなり、物流も調達側の論理が強くなっています。

最近は小売業が在庫型センター（ＤＣ）を構えるケースが多くなって、メーカーとの直物流が増加しています。小売業の物流センターは最小在庫で、かつ欠品は許されません。そこでメーカー物流も、多頻度小口納品の傾向にあります。また最近は、バックホールと称し、小売業がメーカーの拠点まで商品を引き取りに行くケースも珍しくありません。販売が伸び悩む中、メーカーの全体の供給量は増えていません。また卸売業への大量出荷といった単純な物流から、小売業の物流センターなど供給先も複雑になり、メーカー物流の改革が求められています。そこで自社物流会社を３ＰＬに売却する、あるいはライバルメーカーと共同配送を実施するなど、物流の効率化に取り組んでいます。

メーカー物流と機能の変化

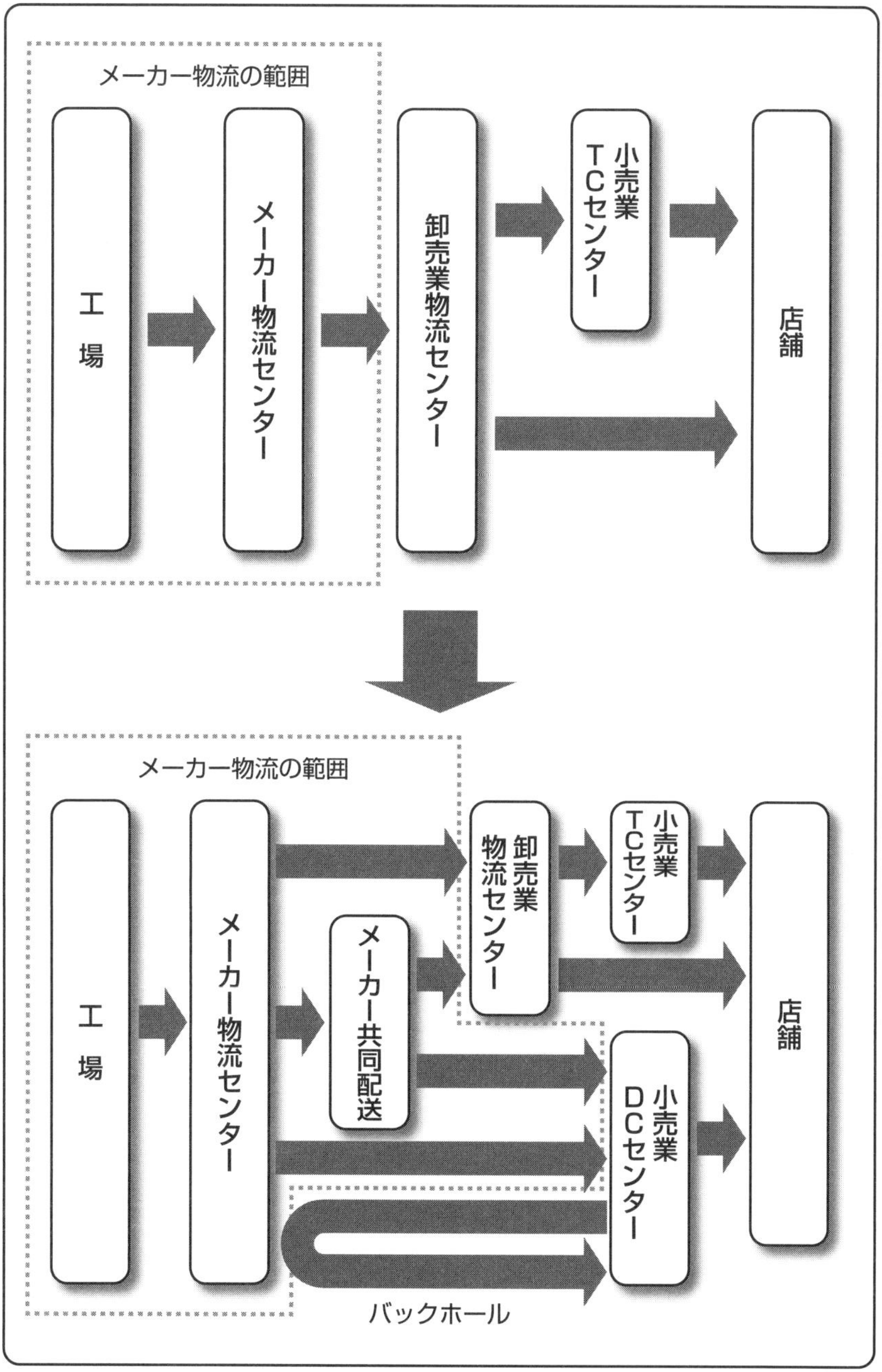
メーカー物流の範囲
工場
メーカー物流センター
卸売業物流センター
小売業TCセンター
店舗
メーカー物流の範囲
工場
メーカー物流センター
卸売業物流センター
小売業TCセンター
メーカー共同配送
小売業DCセンター
店舗
バックホール

3PL…Third Party Logistics。物流業務全般を請負う会社

32 卸売業の物流センター

❖卸物流の特徴

卸売業はメーカーから商品を仕入れ、小売業に販売します。ですから、メーカーから購入した商品を在庫し、小売業の発注に応じて小売業のＴＣや店舗に直送することが、卸売業の物流センターの基本機能として挙げられます。卸物流の特徴は、数多くの小売業に出荷するため、取り扱うアイテムが非常に多いことです。業種によっても異なりますが、加工食品卸で1万品目ほど、物流センターに在庫しています。日用品雑貨卸や医薬品卸では約2万品目、またはそれ以上に達します。

出荷単位がケースに加え、バラ出荷が多いのも特徴です。たとえば、加工食品ではボール（中包装）といった単位での出荷割合が多くなっています。日用品雑貨、医薬品などでは1品（ピース単位）からの出荷も多く、非常に細かいのが特徴です。

併せて、出荷先の小売業からは高い物流サービス水準が求められます。そこで出荷ミスを最小限にとどめるような物流システムを導入した、機械化の進んだ物流センターが多いのも特徴といえます。

❖卸売業の物流センターの形態

卸売業の物流センターは、①汎用型物流センター、②業態対応型物流センター、③特定企業専用型物流センター、④共同物流型物流センター（一括物流）の四つに分かれます。

汎用型は複数企業を相手にするセンターで、一箇所の物流センターで様々な業態に対して出荷します。通常、卸売業のセンターといった場合、汎用型のことをいいます。業態対応型は物流サービス水準の違いから特定業態に絞った物流センターで、コンビニ、業務用などの専用センターが該当します。特定企業専用型は特定企業の専用物流センターで、まとまった物量を扱う重要な取引先用に構築するケースがあります。そこでは相手側のオペレーションに合わせてセンターを運用します。

これに最近は、３ＰＬとして卸売業が小売業の物流センターの運営を担うケースが増えています。これが商物分離の共同物流型で、一括物流といわれています。

卸売業の物流センターの形態

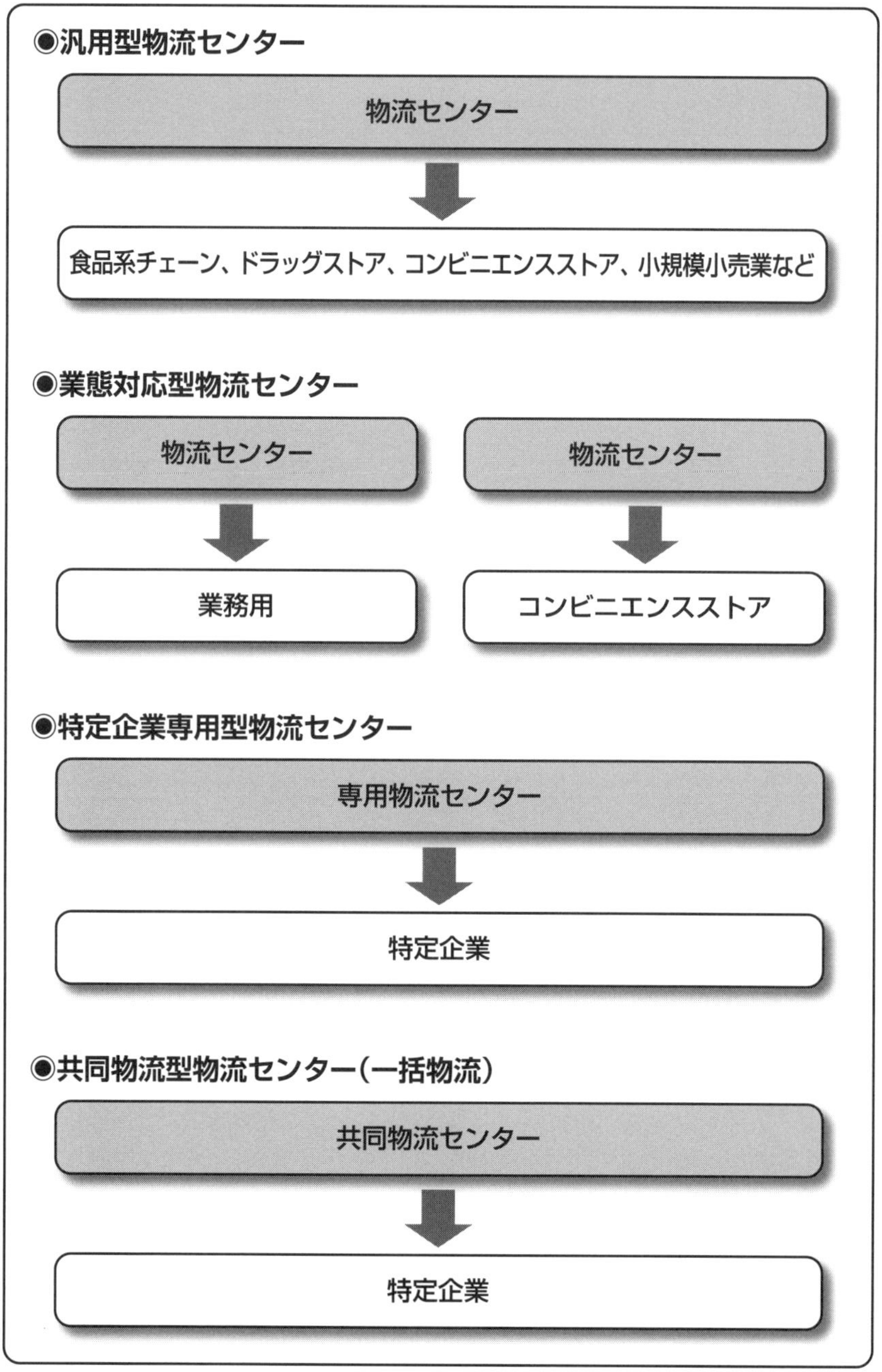
◉汎用型物流センター
物流センター
食品系チェーン、ドラッグストア、コンビニエンスストア、小規模小売業など
◉業態対応型物流センター
物流センター
物流センター
業務用
コンビニエンスストア
◉特定企業専用型物流センター
専用物流センター
特定企業
◉共同物流型物流センター(一括物流)
共同物流センター
特定企業

33 小売業の物流センター

❖小売物流の特徴

小売物流とは、一般的に店舗に配送する物流のことです。長年、卸売業がその役割を担ってきました。しかし小売業にとって取引先は数百社になることもあります。卸売業に依存したままでは、取引数と同じだけの店舗配送が発生し、小売業は一日中、荷受け作業を行なう必要性が生じます。そこで小売物流は多くの取引先商品を物流センターに集約させ、そこから店舗に一括配送をしています。そうした物流システムを「一括物流」といい、物流センターを「一括物流センター」といいます。

❖一括物流センターの形態

「一括物流」は商流とは別に、物流と情報を一元管理し、店舗に一括配送する小売業の調達物流システムです。

商流を一本化すれば、必然的に物流と情報は一元化します。しかし複数企業との取引なしに競争原理は働きません。そこで商流は変えず、複数の取引先の物流と情報のみを一元管理するシステムが、今日の小売物流の主流になっています。ＡＳＮ（事前出荷情報）、ＳＣＭラベル（２０２ページ参照）、**物流ＥＤＩ**などの情報技術を導入し、納品体制もノー検品、定時・定配送など店舗作業の削減が実現できるような納品形態になっています。

一括物流センターは大きくＤＣとＴＣ分けられます。ＤＣは「一括物流在庫型センター」、ＴＣは「一括物流通過型センター」です。

ＤＣ在庫は預かり在庫です。小売業の仕入条件は店頭渡しが基本で、所有権は商品が店舗に届いた段階で移転します。ですから、センターに保管されている在庫は店頭の到着前段階にあると解釈され、所有権はまだメーカーや卸売業にあります。取引先の在庫を、物流センターに集結させることで、一括物流を実現しているのです。

ＴＣは取引先の商品をセンターに納品させることで、一括物流を実現します。取引先が仕分け、検品済み状態で納品する場合と、総量で納品する場合があり、各々センター機能は異なります。前者を「店別仕分け型（ＴＣⅠ型）」、後者を「総量納品型（ＴＣⅡ型）」といった呼び方をします。

小売物流（一括物流センター）の形態

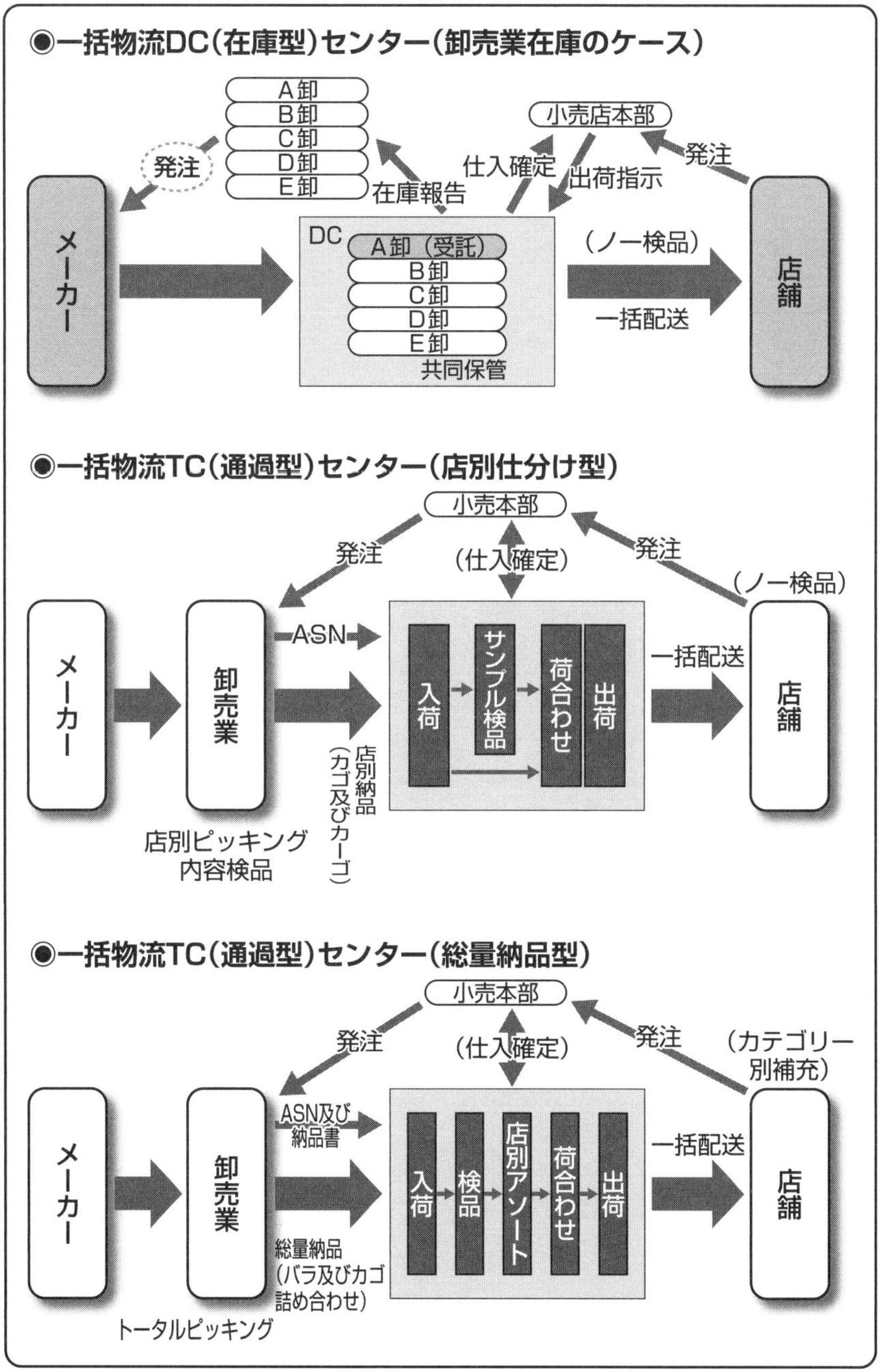
◉一括物流DC（在庫型）センター（卸売業在庫のケース）
A卸
B卸
C卸
D卸
E卸
発注
小売店本部
仕入確定
出荷指示
発注
在庫報告
メーカー
DC
A卸（受託）
B卸
C卸
D卸
E卸
共同保管
（ノー検品）
一括配送
店舗
◉一括物流TC（通過型）センター（店別仕分け型）
小売本部
発注
（仕入確定）
発注
（ノー検品）
メーカー
卸売業
ASN
入荷
サンプル検品
荷合わせ
出荷
一括配送
店舗
店別納品（カゴ及びカーゴ）
店別ピッキング
内容検品
◉一括物流TC（通過型）センター（総量納品型）
小売本部
発注
（仕入確定）
発注
（カテゴリー別補充）
メーカー
卸売業
ASN及び納品書
入荷
検品
店別アソート
荷合わせ
出荷
一括配送
店舗
総量納品（バラ及びカゴ詰め合わせ）
トータルピッキング

物流EDI（Electronic Data Interchange）…企業間の商取引のための電子データ・情報を伝達するシステム

34 食品スーパーの物流センター

❖食品スーパー物流の特徴

食品スーパーとは、食品の売上高比率が50％以上を占めるチェーン企業です。主な扱い商品は「青果」「鮮魚」「精肉」「総菜」「日配品」「ドライ食品」「冷凍食品」「菓子」「雑貨」「酒類」です。商品単価は１００円前後のローコスト物流のニーズがとても高い業態です。

物流センターは「青果」「鮮魚」「精肉」を扱う生鮮センター、「総菜」「日配品」を扱うチルドセンター、「加工食品」「菓子」「雑貨」を扱うドライセンター、「冷凍食品」を扱う冷凍センターの四つに大きく分かれます。

ただし、生鮮・青果などは産地や市場、販売店経由も多く、センター比率は必ずしも高くありません。冷凍センターも設備費用が高いことなどを理由に、卸売業のセンターを利用しているケースがほとんどです。

また最近は、生鮮、チルド、ドライ、冷凍などすべての温度帯の商材を扱う物流センターも構築されつつあります。しかしながら、まだ圧倒的に多いのがチルドとドライ物流センターの利用です。

❖ドライ物流センターの機能

ドライセンターはＤＣとＴＣの併用パターンが多くなっています。ＤＣは自社商品のプライベートブランドなどで、取引先在庫の加工食品、菓子、飲料、酒類、雑貨や米はＴＣです。ＤＣは比較的回転率の高いカテゴリーのみとし、回転率の低い日用品や賞味期限管理が厳しい米などは卸の機能を活かす意味で、ＴＣとしています。

ＤＣはメーカーからの直送で、物流センターに入荷されます。鮮度チェック及び内容検品を実施後、保管・格納されます。店舗のオーダーに応じてピッキング、店別仕分けを行なった後、出荷エリアに積み付けられます。

ＴＣ商品は、店別ラベルを貼り付けられた状態でセンターに納品されます。後はケースコンベアが自動的に仕分けします。米は店別仕分け完了状態で、しかも店舗配送するカゴ車の什器でセンターに納品されます。入荷後はただちに出荷エリアに搬送されます。

最後はＤＣ、ＴＣ商品を合わせた状態で、店舗に一括配送されます。

食品スーパーのドライセンター

◉食品スーパーの売上高構成比（%）の例

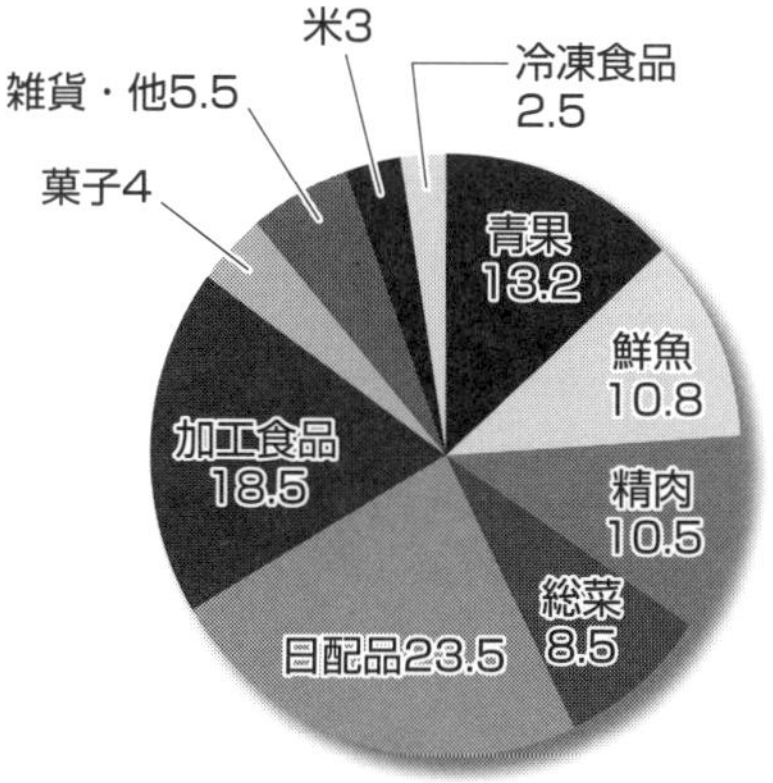
米3
冷凍食品
2.5
雑貨・他5.5
菓子4
青果
13.2
鮮魚
10.8
加工食品
18.5
精肉
10.5
総菜
8.5
日配品23.5

◉食品スーパー・ドライ（常温）センターの概要

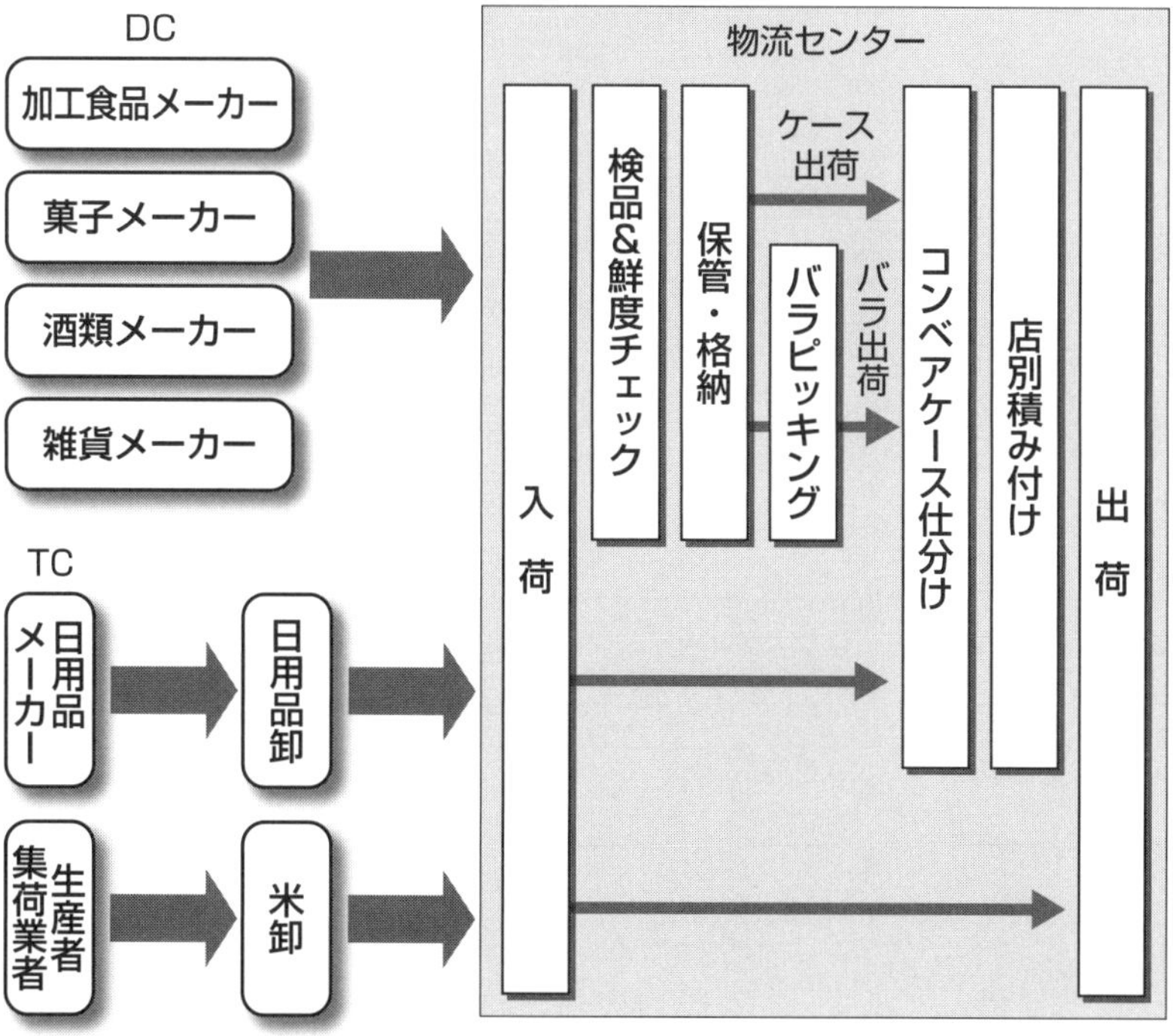
DC
加工食品メーカー
菓子メーカー
酒類メーカー
雑貨メーカー
TC
日用品メーカー
日用品卸
生産者集荷業者
米卸
物流センター
入荷
検品&鮮度チェック
保管・格納
ケース出荷
バラピッキング
バラ出荷
コンベアケース仕分け
店別積み付け
出荷

35 コンビニエンスストアの物流センター

❖コンビニエンスストア物流の特徴

コンビニエンスストアとは、約30坪の店舗に３０００アイテムほどの生活必需品を品揃えする業態です。カテゴリーは日配品、加工食品、非食品、サービスです。

業態としての物流の特徴は、もっとも品質面を重視しているということです。コンビニはＦＣ（フランチャイズ・システム）で、本部と店舗は独立した関係にあります。よってピッキングミスは当然のこと、発注に対しての欠品も許されません。

また食品を多く扱うことから、衛生面にも力を入れています。とくに売れ筋の米飯関係は、１日３回の配送を実施して欠品防止と鮮度維持に努めています。当然、温度管理も徹底され、常温、定温、冷蔵、冷凍と四温度帯のサプライチェーンを確立しています。

配送も欠品や鮮度維持の視点から、基本は毎日で、カテゴリーによっては１日３回の配送を実施しています。

上記以外の商品は店頭での陳列量が少なく、バラ発注が主体になっています。

❖コンビニエンスストアの物流センター

コンビニの物流センターは、「常温」「チルド」「米飯」「冷凍」と各温度帯によって大きく四つに分けられます。

常温センターは加工食品、菓子、酒類などを扱っている物流センターで、温度管理はされていません。基本はＤＣで、在庫の所有権は取引先にあります。冷凍センターも同じくＤＣで取引先の在庫です。市販用冷食、アイスクリームなどを扱い、温度管理はマイナス18～28℃となっています

チルドセンターと米飯センターはＴＣです。チルドは洋日配、和日配などのチルド製品ならび総菜や麺類、米飯センターは弁当や調理パンを扱います。

温度管理はチルドセンターが０～５℃、米飯センターが18℃前後です。

なお、企業によって温度帯は別々に管理しているものの、一箇所の物流センターで扱っているケースも見られます。また、総菜や米飯などの併設が多いのも、コンビニの物流センターの特徴といえます。

コンビニエンスストアの物流のしくみ

◉コンビニエンスストアの売上高構成比（%）

サービス4.5
日配品
34.4
非食品
31.0
加工食品
30.1

（出所：日本フランチャイズチェーン協会　JFAコンビニエンスストア統計調査月報2010年11月度）

◉コンビニエンスストアのサプライチェーンと物流センター

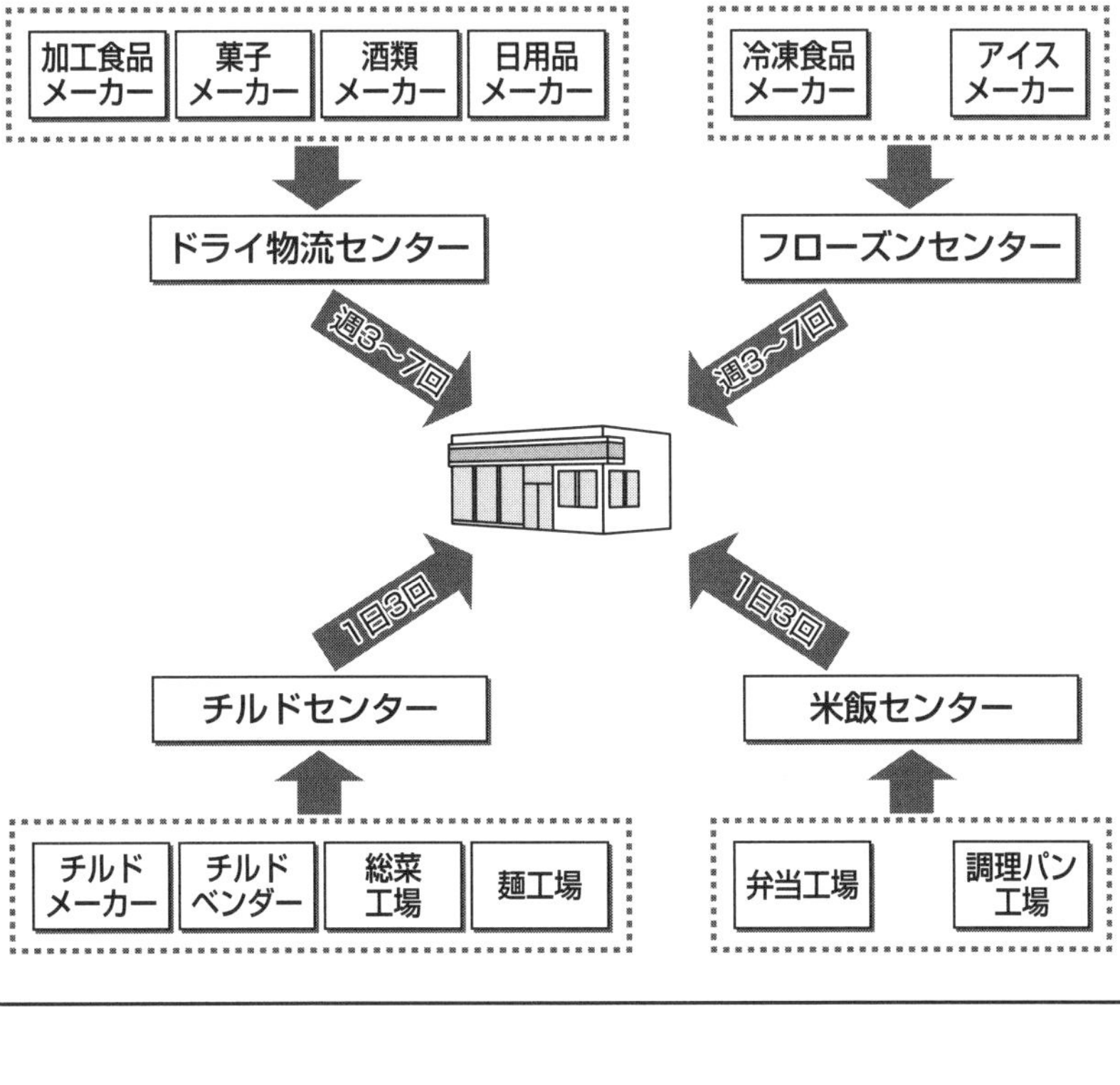
加工食品メーカー
菓子メーカー
酒類メーカー
日用品メーカー
冷凍食品メーカー
アイスメーカー
ドライ物流センター
フローズンセンター
週3～7回
週3～7回
1日3回
1日3回
チルドセンター
米飯センター
チルドメーカー
チルドベンダー
総菜工場
麺工場
弁当工場
調理パン工場

36 ドラッグストアの物流センター

❖ドラッグストア物流の特徴

ドラッグストアは医薬品、日用品、化粧品、食品を扱うチェーンストアです。店舗は平均して１５０～２００坪程度で、取り扱うアイテムは2万点前後です。

最近は、医薬品でも調剤を主体に扱うドラッグストア、食品を主体に扱う企業も増えてきました。食品を主体に扱うドラッグストアは店舗規模が５００坪ほどで、売上高構成比も食品が医薬品を抜き、50%近い比率になっています。しかしドラッグストアの特徴は、小規模店舗に医薬品や化粧品など比較的単価の高い商材から、単価の低い食品まで扱うというアイテムの多さです。

物流は前記の特徴を受け、バラ発注が基本です。また補充作業もピース（単位）のため、通路別納品が基本です。サプライチェーンは卸売業者経由になっています。

❖ドラッグストアの物流センター

ドラッグストアの物流センターは、一部にはＤＣ機能を充実させたセンターも見られますが、基本はＴＣです。ＤＣはＰＢ（プライベートブランド）商品や一部メーカー品に限られ、１０００アイテム以下。残りはすべてＴＣハンドリングです。特徴は単品発注が多い結果、オーダー当たりのピース数が2程度と非常に低いことが挙げられます。かつ、そうしたオーダー数を１日に何十万ピース処理することも珍しくありません。

ＴＣは卸売業者から総量納品の形態で納品されます。ケースで入荷し、ケース出荷される商品はコンベアに直接投入、途中、センサーが**ＩＴＦコード**を読み取り検品します。後は店別に仕分けられ、シュート下のカゴ車にカテゴリー単位で積み込まれます。

ケース単位で入荷し、バラで出荷する商品やオリコン（折りたたみコンテナ）に詰められた状態で入荷した商品は、全数検品を実施します。

次に単品ごとにトレイに載せ、配分ラインまで搬送します。配分ラインでは単品ごとに店別、カテゴリー単位にピッキング、オリコンに投入していきます。

後はケース出荷同様、店別に仕分けられ、各店舗に出荷されます。

ドラッグストアの物流のしくみ

◉ドラッグストアの売上高構成比(%)の例

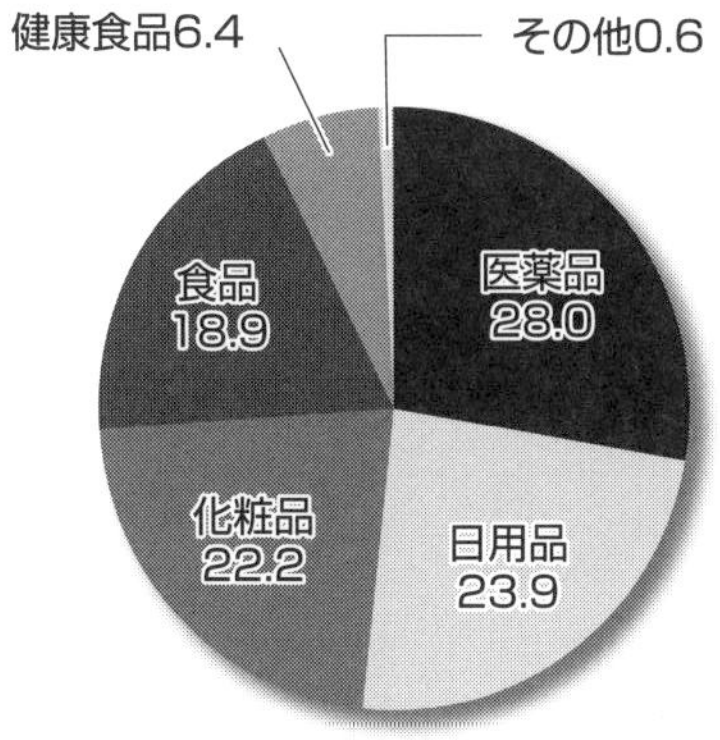
健康食品6.4
その他0.6
医薬品
28.0
日用品
23.9
化粧品
22.2
食品
18.9

◉ドラッグストア物流センターの概要

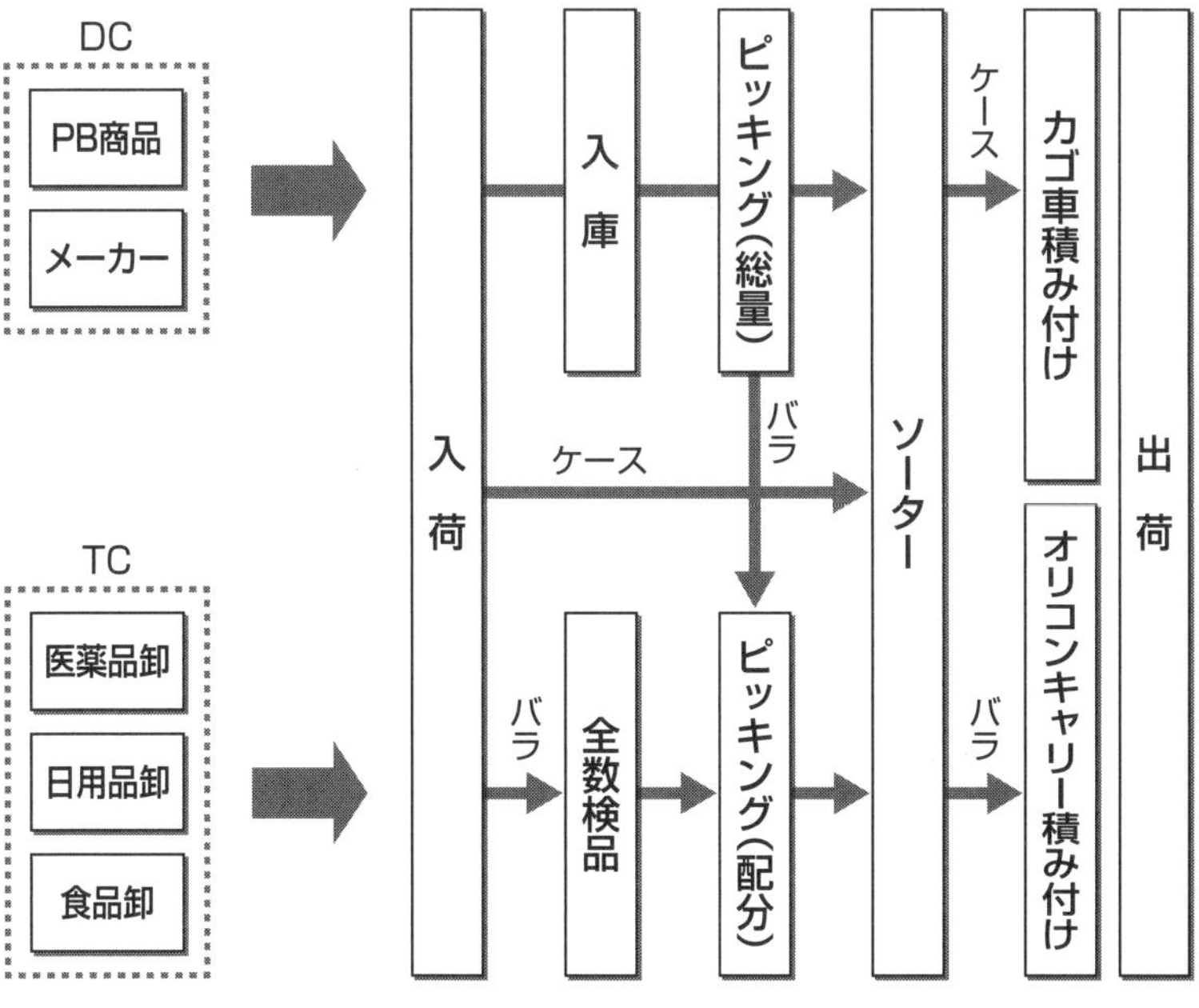
DC
PB商品
メーカー
TC
医薬品卸
日用品卸
食品卸
入荷
入庫
ピッキング(総量)
ケース
バラ
全数検品
ピッキング(配分)
ソーター
ケース
カゴ車積み付け
バラ
オリコンキャリー積み付け
出荷

ITFコード…わが国の物流でもっとも多く使われているバーコードの1つ(200ページ参照)

37 外食産業の物流センター

❖外食産業の物流の特徴

外食産業には飲食店から学校給食、事業所給食、病院給食、喫茶店、居酒屋、料亭、バーなど実に幅広い業種があり、その市場規模は約25兆円といわれています。しかし大半は小規模企業で、物流センターを構えている企業は一部の大手に限られます。

一般的には業務用卸業者が直接、店舗に食材を供給しています。

物流センターを構えているのは、外食レストラン、ファストフード、コーヒー及び居酒屋のチェーンなどです。

外食レストランの場合、扱う品目数は企業によって異なりますが、おおよそ１０００前後となっています。店舗で調理する食材と、ナプキンや箸などの用度品です。食材は冷凍、冷蔵、常温の三温度帯です。

物流コストは総じて高いといえます。冷凍物流の割合が多く、設備コストが高いこと、また店舗当たりの物量が少ない割に、食品を扱う関係から毎日配送になることが原因です。

❖外食チェーン企業の物流センター

外食レストランのサプライチェーンは一般小売チェーンとは異なっています。品目によっては、原料を加工し自社で食材を製造する工場、食材に加工を施すセントラルキッチンなどを保有していることから、メーカー物流と小売物流の両面を兼ね備えています。

左ページの図は、物流センターに工場を併設しており、一部食材を自社製造し、野菜やフルーツの加工を外注しているケースのモデルパターンです。

物流センターは、ＤＣとＴＣの両方の機能を持っています。ＤＣは自社製造品に加え、利用頻度が高い用度品や卸から仕入れている高回転の食材を在庫しています。

ＴＣは業務用食品卸をはじめとする食材で、加工場からカット野菜やカットフルーツ、パンなどが物流センターに持ち込まれます。

店舗別の物量が少ないことから、大半は総量で納品されます。物流センターでは集められた食材を店別にピッキングし、店舗に一括供給します。

外食レストランのサプライチェーンと物流センター

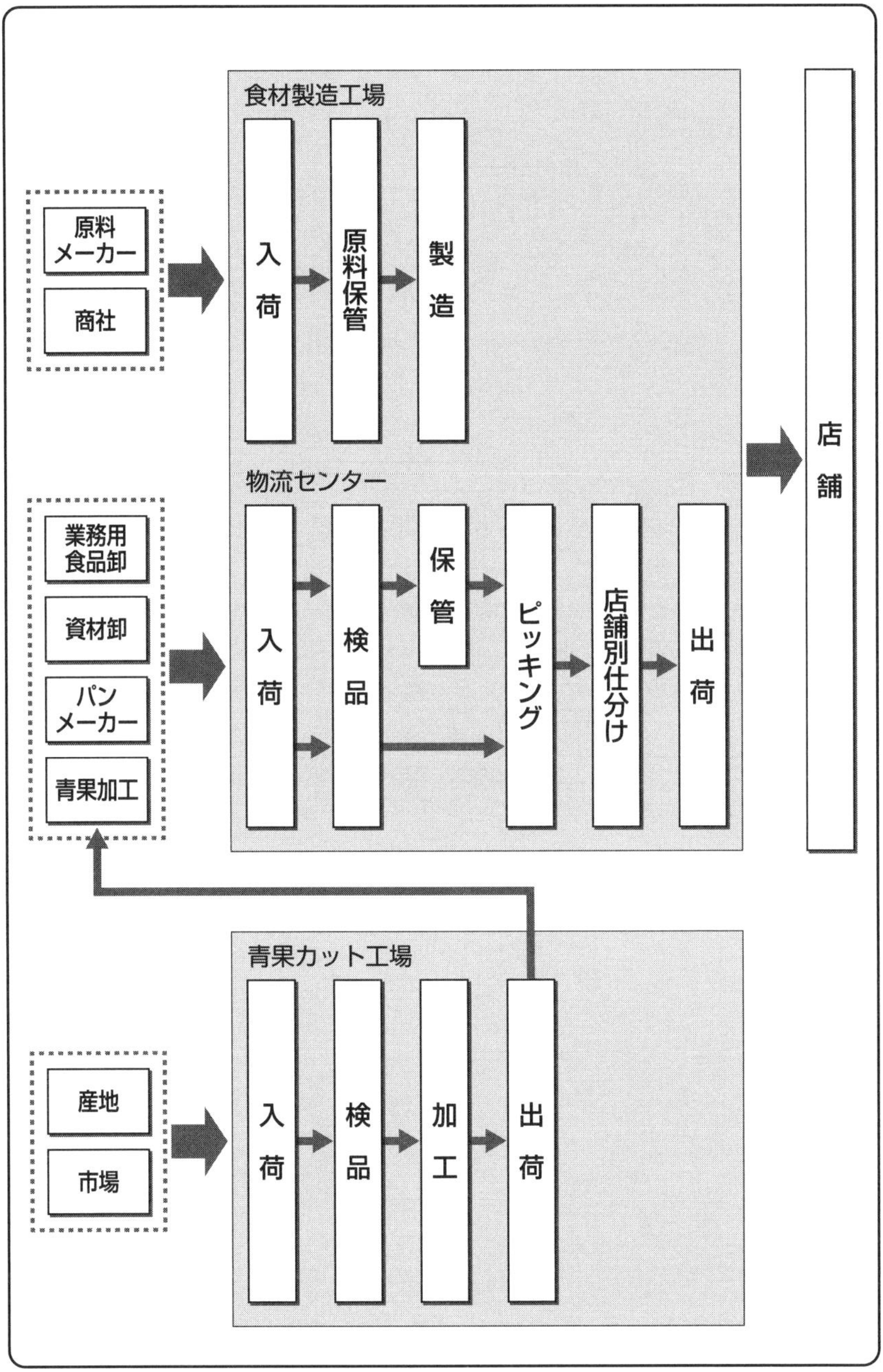
原料メーカー
商社
食材製造工場
入荷
原料保管
製造
物流センター
業務用食品卸
資材卸
パンメーカー
青果加工
入荷
検品
保管
ピッキング
店舗別仕分け
出荷
店舗
青果カット工場
産地
市場
入荷
検品
加工
出荷

38 輸出貨物の物流センター

❖航空輸出貨物のサプライチェーン

日本は島国なので、商品を輸出入するには、海上輸送（船）か航空輸送（飛行機）を利用しなければなりません。航空輸送は単価が高いため、日本の国際貨物輸送量に占める割合は1％もありません。しかし、国際貨物輸送額では30％ほどになります。

航空輸送を利用する貨物は、小さくて付加価値の高いもの、もしくは急を要するものです。航空輸送は、貨物を載せるための航空貨物便を主に利用しますが、旅客便の胴体下部にも貨物室（ベリー）があり、そこも活用されています。

航空輸出貨物は、荷主からフォワーダーといわれる事業者の物流センター（倉庫）に運ばれます。このセンターは、空港の周辺にあります。ここで航空輸出貨物の物流センターの最大の特徴である「輸出通関（税関検査）」をしてから空港に運ばれます。空港では各フォワーダーから集められた荷物が共同上屋《うわや》をいったん経由して、航空機に載せられ最終目的地に届けられます。

❖航空輸出貨物の物流センターの特徴

それでは、フォワーダーの物流センターのようすを説明しましょう。まず、航空貨物の料金は重量もしくは大きさで決まるため、荷物が届くとさっそく重量とサイズを測り、行き先などの情報のついたラベルを貼ります。

次は輸出通関です。輸出とは内国貨物を外国に向けて送り出すことです。内国貨物をセンター内にある保税地域（物理的には国内にあっても、国外として扱われる場所）に移動し、税関に対して輸出申告をします。そして、審査・検査をへて許可を得たものだけが輸出されます。国により法律や規則が異なるので、各国の法規に精通したスタッフがすばやく的確に申告手続きをします。

税関の許可を得ると、複数の荷物をパレットに載せ、一つの荷物に仕立てます。これを混載といいます。荷物は大きさや形（荷姿）、重さがそれぞれ異なるので、これらを見定めて上手く一つのパレットに積み付けるには経験による技が必要になります。そして、複数のパレットをトラックに積んで、空港内の共同上屋に運びます。

航空輸出貨物の流れ

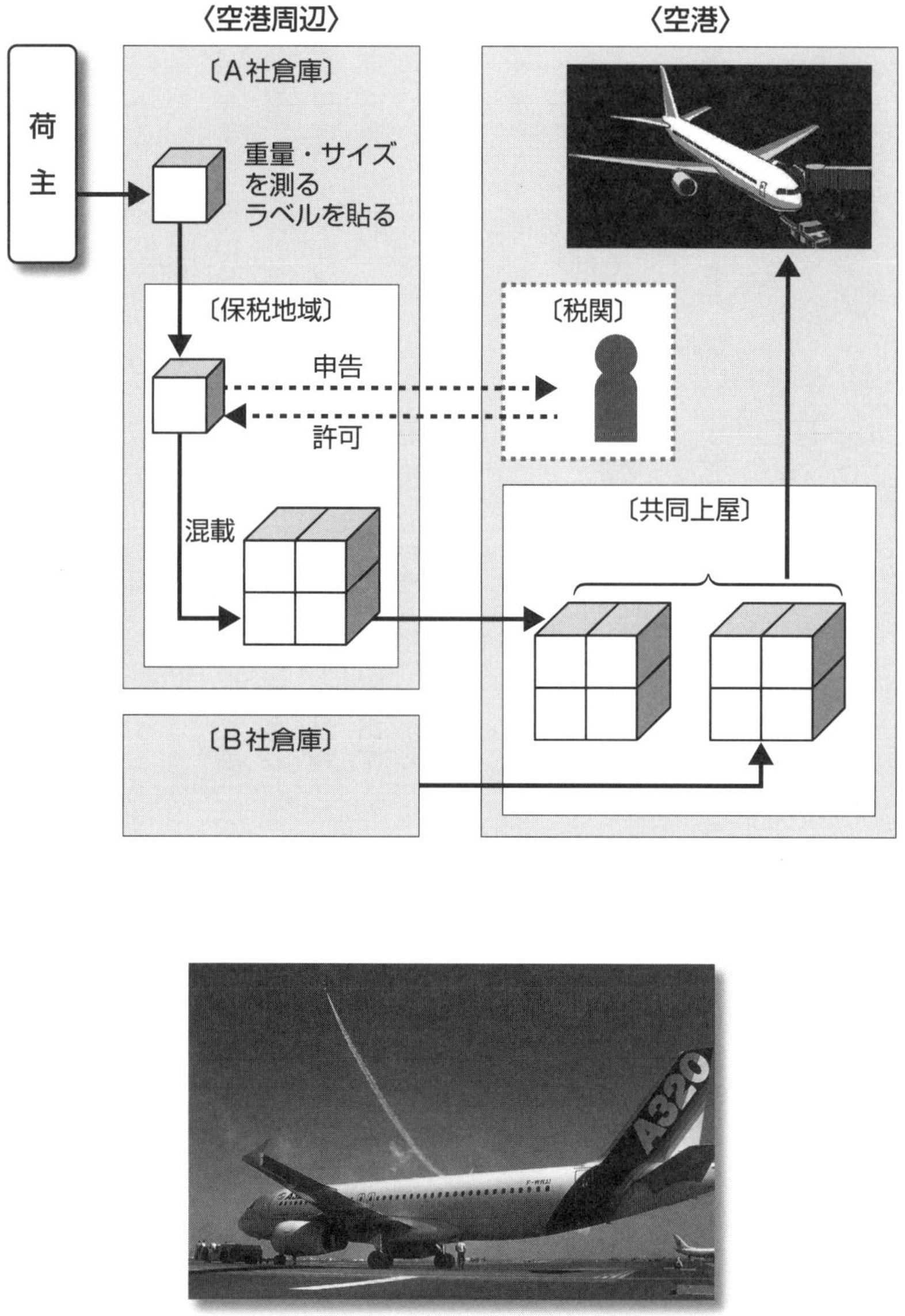
〈空港周辺〉
〈空港〉
荷主
〔A社倉庫〕
重量・サイズを測る
ラベルを貼る
〔保税地域〕
申告
許可
〔税関〕
混載
〔共同上屋〕
〔B社倉庫〕
A320

39 宅配便の物流センター

◆宅配便のサプライチェーン

ここでは宅配便の荷物が届くまでの流れを説明します。

宅配便事業者の集配車は、コンビニなどの宅配便を取り扱う店から荷物を集め、その地域の営業所に運びます（荷主は、荷物を営業所に直接持ち込むこともできる）。

その後、荷物は地域の営業所を統括する大きな中継施設（「ベース」や「大型仕分センター」と呼ばれる）に運ばれ、ここで送り先の地域の営業所を管轄する中継施設別に荷物が仕分けされます。

中継施設を設けているのは、営業店間をトラックで直接運ぶよりも、トラックの台数を少なくできるなどの効率的な輸送が可能になるからです。

仕分けされた荷物は主に深夜に大型のトラックで、送り先の地域の営業所を統括する中継施設に輸送されます。ここに到着した荷物はさらには細かく仕分けされ、送り先を担当する営業所に主に4トントラックで運ばれます。営業所では、送り先の住所や希望時間帯によって荷物を小分けし、集配車や自転車などで荷物を届けます。

◆宅配便物流の特徴

次に、中継施設のようすを見てみましょう。最大の特徴は、大量の荷物を短時間で方面別に仕分けることです。

営業所から荷物を運んできたトラックは、中継施設に到着するとトラックバースに停車し、荷物は仕分機のベルトコンベアに次々に載せられます。

コンベア上を流れている荷物は、コンピュータで制御されています。荷物の情報はコンベアの途中にあるスキャナーで読み取られ、仕分場所に来ると送り先の中継施設別のレーン（「シュート」という）にコンベアから自動的に振り分けられます。各シュートで待ち構えているスタッフが、これらの荷物を方面別のトラックに次々に積み込みます。

宅配便事業者の取り扱う荷物は1日に数万個に及びます。これらの荷物の翌日配送を可能にする鍵の一つが、中継施設における荷物の短時間での仕分けです。宅配便事業者の多くは、自動高速仕分機を導入して、的確に短時間での仕分けを可能にしています。

宅配便の荷物の流れ

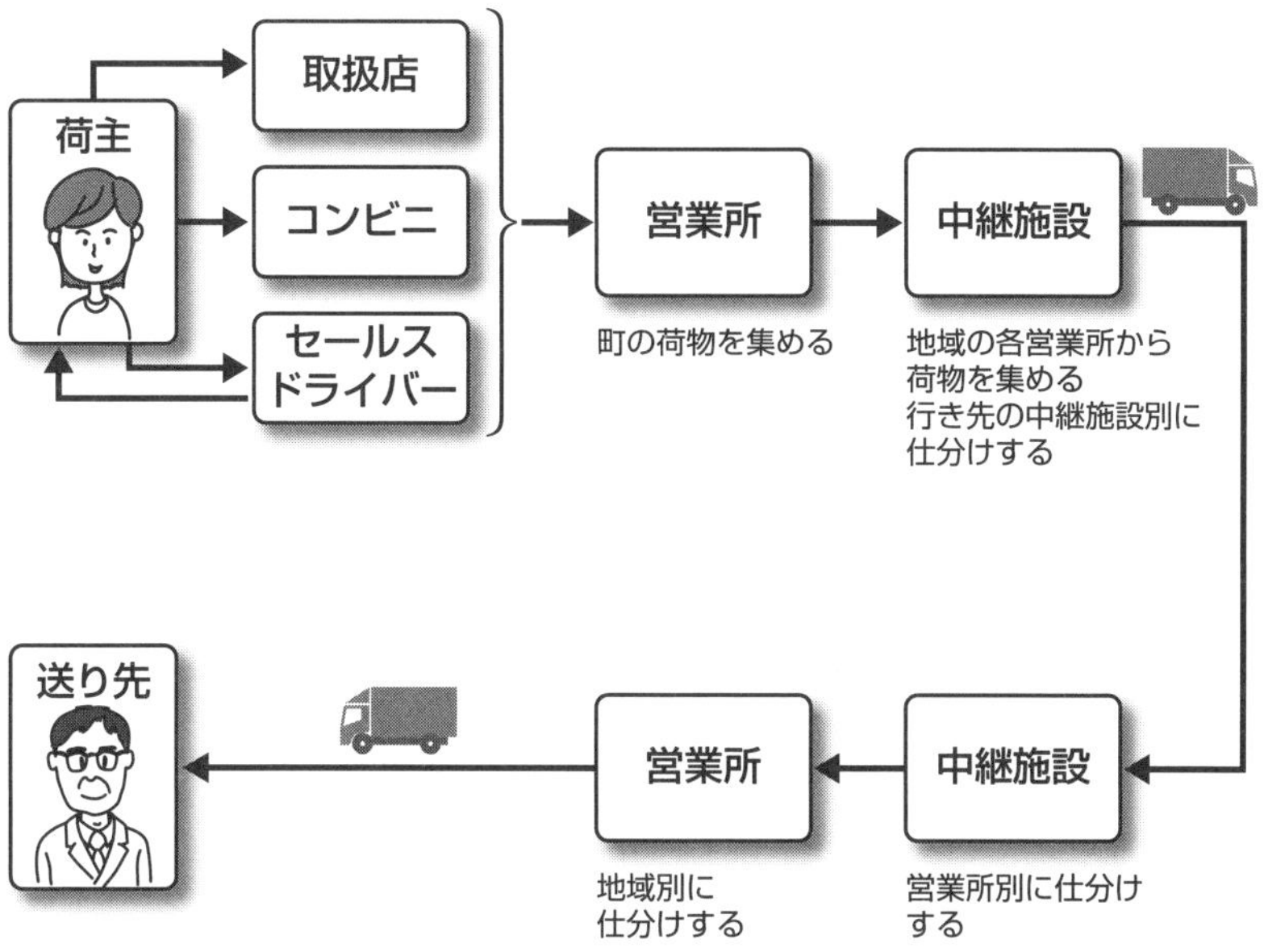
荷主
取扱店
コンビニ
セールス
ドライバー
営業所
町の荷物を集める
中継施設
地域の各営業所から
荷物を集める
行き先の中継施設別に
仕分けする
送り先
営業所
地域別に
仕分けする
中継施設
営業所別に仕分け
する

自動高速仕分機

40 通信販売業の物流センター

❖通信販売のサプライチェーン

通信販売業のサプライチェーンを語る上で、「フルフィルメント」という言葉が欠かせません。本来の意味は、約束などを「遂行する」ということですが、通信販売の業界では、受注や配送、代金回収など、商品の受注後に生じる事務作業全般を指します。

お客様からの注文は、まず「コールセンター」で受けます。大手のテレビ通販はこれを自社で運営し、大手のカタログ通販は子会社に委託し、その他の中堅・中小企業は専門の企業に委託しています。

コールセンターでの受注処理が完了すると、次は商品の輸送です。お客様の注文商品は物流センターでピッキングや梱包、輸送方面別に仕分けされ、お客様のもとへ運ばれます。物流センターの運営はコールセンターと同様に、大手のテレビ通販は自社で、大手のカタログ通販は子会社が、その他の中堅・中小企業は専門の企業が行なっています。また、配送は宅配事業者に委託されることがほとんどです。

代金回収は、宅配事業者による代金引換え、コンビニでの支払い、クレジットカード決済などの方法がとられています。

❖通信販売物流の特徴

通信販売では、速く確実に商品を届けることが、購入者のリピート率に大きな影響を与えます。また、誤配送はリピート率の減少に加え、返品によるコスト高にもつながるので、商品の返品やクレームを防ぐための品質管理も大切になります。

テレビ通販の大手企業では、深夜0時までの注文に対し、翌日の夕方には商品をお客様に向けて発送しています。お客様の注文が一つの商品だけであればピッキングは簡単ですが、複数の商品を注文するお客様も多いため、複数の商品を迅速確実にピッキングし、最適な大きさの箱に詰めて出荷することが大切です。

受注予測に基づいた在庫管理、商品のロケーション管理、適切なピッキングフローの確立などが通販業を運営する上でのノウハウになっています。

通信販売の商品の流れ

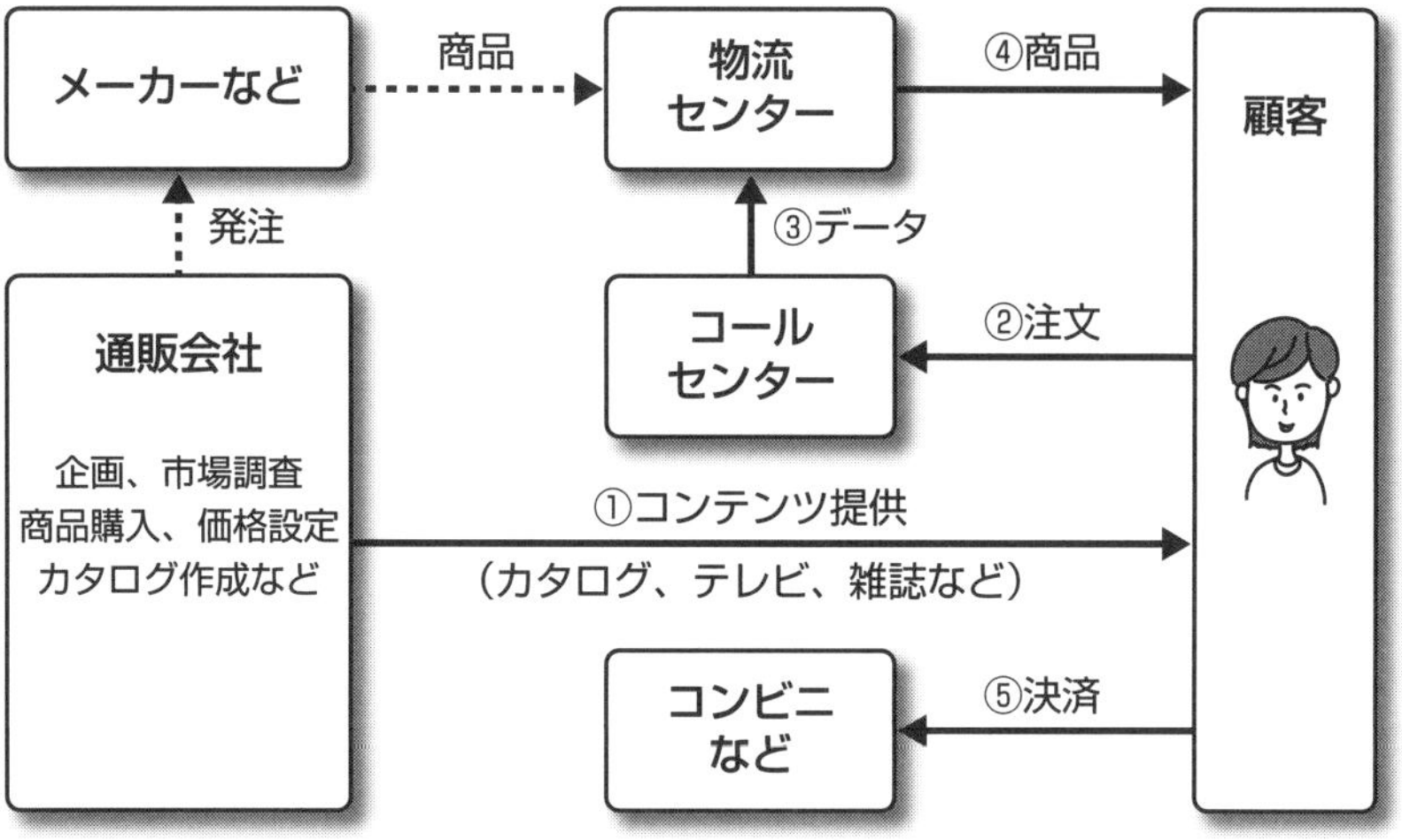
メーカーなど
商品
物流センター
④商品
顧客
発注
③データ
通販会社
企画、市場調査
商品購入、価格設定
カタログ作成など
コールセンター
②注文
①コンテンツ提供
（カタログ、テレビ、雑誌など）
コンビニなど
⑤決済

◉通信販売業の物流センター内のようす

5章

物流センターの業務

41 物流センターの業務の全体像

❖物流センターの業務とは

物流機能は保管、荷役、流通加工、包装、輸送といわれます。実際の物流センター業務も、それらの機能に応じて行なわれています。たとえば、保管機能をはたす業務として、入荷から格納までの商品の搬送業務が挙げられます。荷役は物流ハンドリング業務全般を指し、ピッキング、搬送、仕分けなどの業務が荷役に該当します。

こうした機能に応じた物流センター業務には作業を中心とした業務と、管理を主体とした業務があります。物流センターを訪れると、忙しく動き回っている人が目立ちますが、作業だけを行なっているわけではありません。顧客からの受注データの処理、納期などの問い合わせへの応答業務、預かった商品の在庫管理、配送車両の手配などの業務も行なっています。これらの管理業務がなくては物流センターの運営は成り立ちません。

作業系の業務としては「入荷」「保管（格納）」「ピッキング」「流通加工」「検品」「梱包」「仕分け」「出荷」が挙げられます。入荷から出荷まで同一の荷姿で、梱包作業は発生しない例外もありますが、大方の物流センターでは左図にあるような流れで業務を行なっています。

物流センターではモノの動きに付随して、多くの情報が発生します。その情報を管理することによって、はじめて効率的な業務を実現することができます。したがって管理系業務としては、一般的にいわれる「在庫管理」「配送業務管理」に加え、受発注管理を含む「物流情報管理」も重要な管理業務となります。

❖入荷から出荷までの各業務フロー

個々の業務に関しては次項以降でくわしく説明しますが、入荷から出荷までの流れを簡単に見てみましょう。

入荷された商品は、検品を終えるとフォークリフトなどで搬送し、ラックに保管します。出荷オーダーが掛かると在庫を引き当てし、保管されている商品からピッキング作業を行ない、検品業務も同時に行ないます。必要に応じて流通加工や梱包業務を行なった後、納品先別に仕分けします。最後にトラックに積む順番に出荷エリアに荷物を搬送させ、完了となります。

物流センター業務全体のフロー

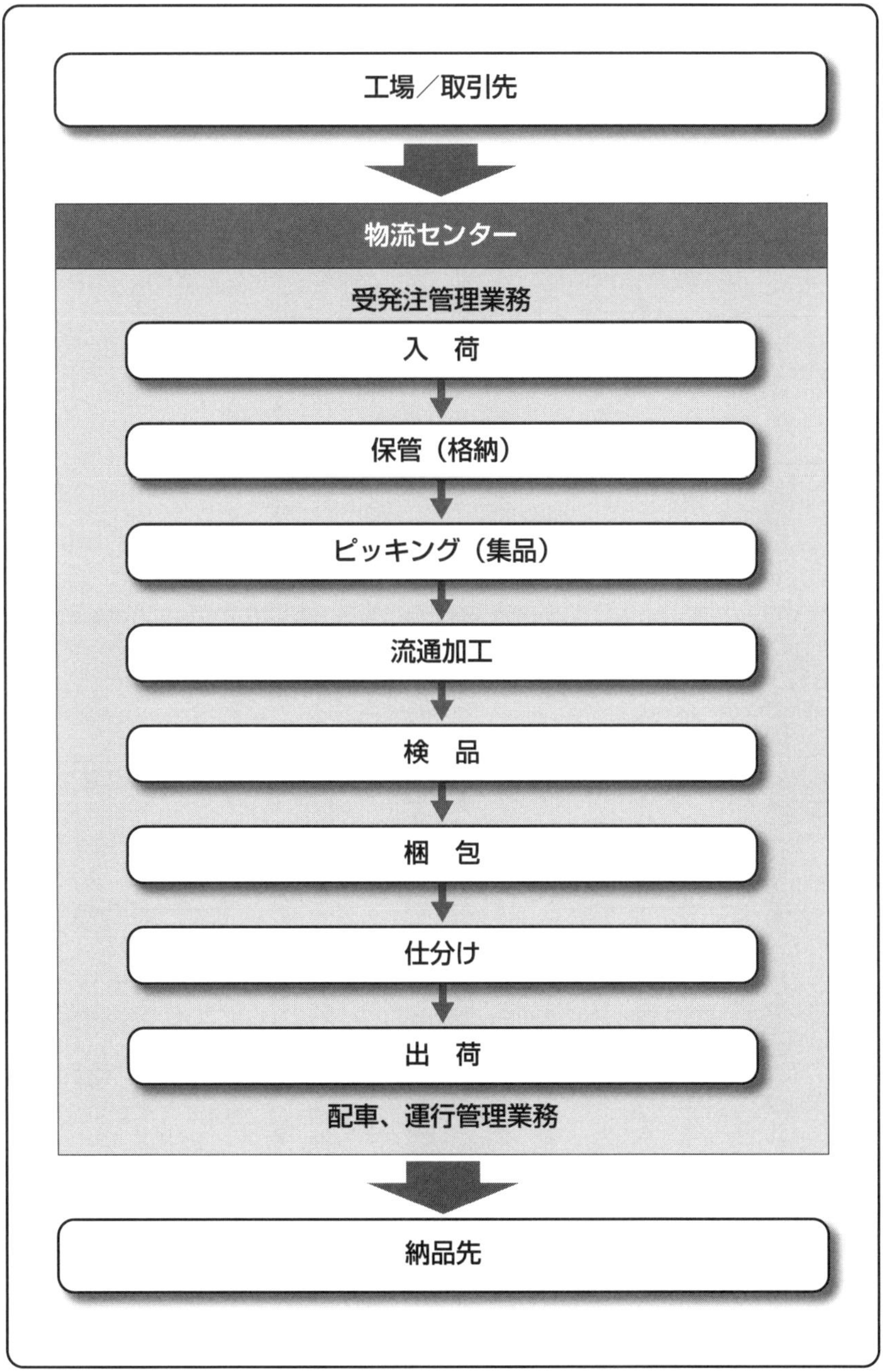
工場／取引先
物流センター
受発注管理業務
入　荷
保管（格納）
ピッキング（集品）
流通加工
検　品
梱　包
仕分け
出　荷
配車、運行管理業務
納品先

42 入荷業務の流れ

❖入荷業務のフロー

入荷業務とは、取引先から運ばれた商品を正しくセンターに受け入れるまでの一連の業務です。まずトラックが物流センターに到着し、入荷受付事務所に立ち寄ります。事務所ではドライバーが持参した納品明細書を確認し、入荷受付証を発行します。

入荷受付終了後は、トラックを指定の入荷バースに接車し、ドライバーが荷物を降ろし、指定の場所に積み付けていきます。すべて降ろし終わったところで、物流センターの作業員とドライバーで、入荷商品の過不足や品違いがないか確認します。最後にドライバーは物流センターの受領印をもらい、入荷業務は完了します。

❖入荷検品業務と賞味期限のチェック

一般的に、取引行為は入荷した時点で所有権が移転します。そこで入荷に際しては必ず検品業務を伴います。伝票と現物をすべて目検品している物流センターもありますが、ミスをする可能性が高いことや、作業に時間を要することもあり、最近は入荷予定データを活用している物流センターが多くなってきました。入荷予定データとは、入荷される商品の内容や数量が事前に物流センターに送られてくる情報で、ＡＳＮ（Advanced Shipping Notice＝事前出荷情報）データとも呼ばれています。物流センターでは事前に入荷予定データをハンディターミナルなどに取り込み、入荷された商品の物流ラベルやバーコードなどを読み込むことでデータと商品を確認し、すばやくかつ正確に検品業務を行なっています。

最近は製造日、賞味期限などのロット管理や商品のトレーサビリティ（履歴管理）のチェックなども、入荷業務として行なわれるようになっています。

しかし賞味期限の情報は、物流ラベルやＩＴＦバーコードには入っていません。そこで**商品マスタ**に、入荷時にはどれくらいの残日数を必要とするか、日数を設定しておきます。そして入荷時に、入荷日ならび外箱に印字されている賞味期限の日数を入力すると、その情報をもとに入荷許容の可否を物流センターシステムが判断するしくみになっています。

入荷業務フロー

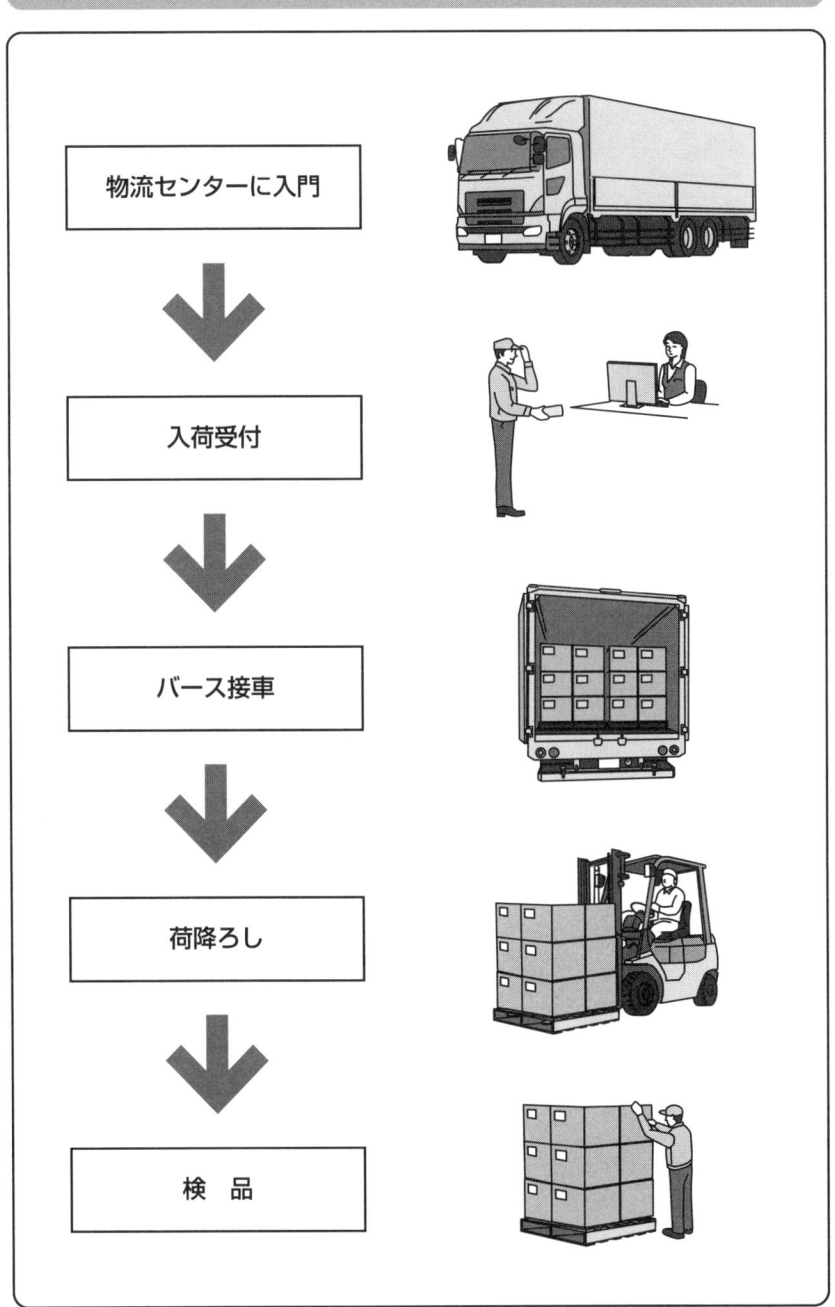

物流センターに入門

↓

入荷受付

↓

バース接車

↓

荷降ろし

↓

検　品

商品マスタ…商品名やサイズ、色、登録日など、商品を適正に管理するための基本情報

43 保管業務の流れ

❖保管作業のフロー

入荷を終えた商品は、いったん仮置エリアに置かれます。その後、各保管エリアに搬送されます。各保管エリアには商品を格納するロケーションや保管エリア（置き場）があり、商品の荷姿や出荷特性に応じてラックなどが備えつけられています。

コンピュータシステムを導入している物流センターの場合、入荷検品と同時に入庫ラベルが発行され、ラベルに保管場所の情報が記載されます。パレットや商品の外箱にラベルを貼り付けておけば、誰でも間違いなく指定された保管エリアに搬送することができます。搬送された商品はラックに格納され、ラックに貼られたバーコードラベルと商品情報をハンディターミナルなどで関連づけ、棚入れ設定を行ない、在庫として計上されます。

こうした入荷後の搬送、格納、保管などの業務を一般的に保管業務といいます。

❖固定ロケーションとフリーロケーション

各ラックに商品を保管する方法には、固定ロケーションとフリーロケーションの二つの方法があります。

固定ロケーションは、あらかじめ商品ごとにロケーションが登録されており、どのエリアのラックに保管されるかが決まっています。保管場所が決まっているため、商品が探しやすい、在庫がない場合などは一目でわかるというメリットがあります。ただし、商品を指定外の保管場所に置くことができないため、在庫が減少した場合、ムダなスペースが生じることになり、保管効率が悪くなるデメリットもあります。

一方、フリーロケーションは、空いているエリアやラックのどこにでも保管できます。このシステムでは入荷のつど、商品とラックの位置を確認します。空いているスペースのどこにでも自由に置けるので、当然、スペース効率は高くなります。また同じ商品を、複数の場所やラックに保管できるので、ロット管理を必要とする商品には適した管理といえます。しかし場所が決まっていないので、保管場所が複数になることで、作業自体が非効率になる場合があります。

保管業務フロー

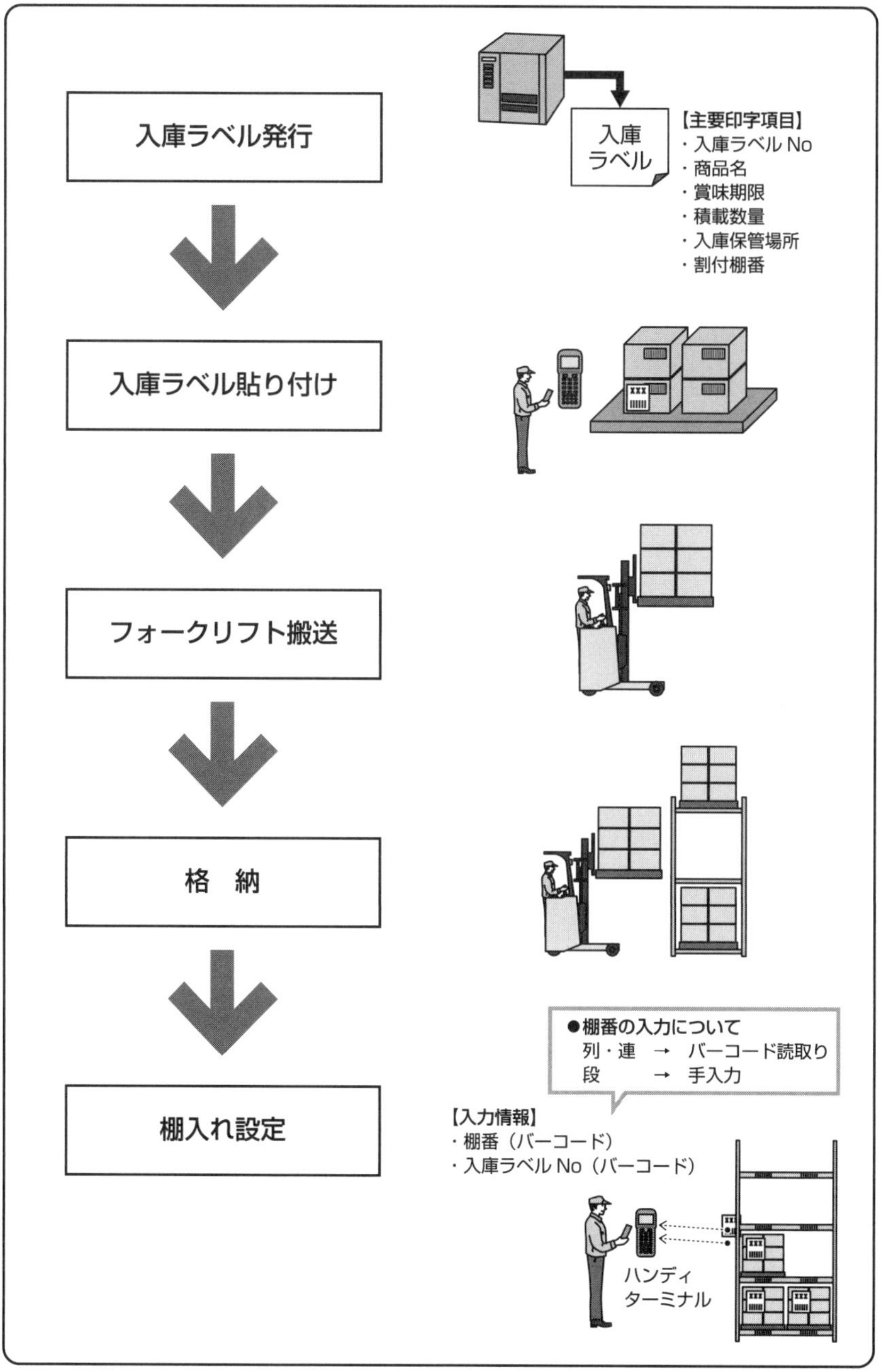

入庫ラベル発行
入庫ラベル
【主要印字項目】
・入庫ラベル No
・商品名
・賞味期限
・積載数量
・入庫保管場所
・割付棚番
入庫ラベル貼り付け
フォークリフト搬送
格　納
棚入れ設定
●棚番の入力について
列・連　→　バーコード読取り
段　　　→　手入力
【入力情報】
・棚番（バーコード）
・入庫ラベル No（バーコード）
ハンディ
ターミナル

44 ピッキング業務の流れ

❖ピッキング業務とは

顧客からのオーダーに基づいて、保管場所から商品を選定しますが、出荷箱やオリコン（折りたたみコンテナ）などの通い箱に商品を投入するまでの一連の作業をピッキング業務といいます。ピッキング業務は物流センターの業務中でも、もっとも時間がかかります。全作業時間中、約50%が同業務といっても過言ではありません。

またピッキング業務は絶対に間違いが許されない業務でもあります。出荷先に間違った商品が届いた場合、クレームや返品などで大変なことになるからです。また必ず時間内に終了させなくてはなりません。納品の遅延につながるからです。ですから、ピッキング業務は物流センターの中でも最重要の業務に位置づけられています。

ピッキングに必要な機器は、商品の荷姿や出荷特性によって様々です。ロボットピッキング、ピースソーターといった高額のマテハン機器を用いる場合もあります。

しかし一般的に多いのは、デジタル表示器やハンディターミナルを用いて人手でピッキングする方法です。

❖ピッキング業務のやり方

ピッキングのやり方は、大きく「摘み取り方式」と「種まき方式」に分けられます。摘み取り方式は、オーダー別（顧客別）に商品を一品ごとに集品する方法です。種まき方式は商品ごとにオーダーの総数をいったん集め、オーダー別に商品を配分する方法です。

どちらの方法を選択するかは、商品数とオーダー数（顧客数）によります。「商品数＞オーダー数」の場合は摘み取り方式、逆に、「商品数＜オーダー数」の場合は種まき方式で行なうのが一般的です。

種まきピッキングの場合は、いったん商品を集めた後、オーダー別に振り分けます。一方、摘み取りピッキングはダイレクトに商品を集品します。ですから、種まき方式は摘み取り方式より一工程多いことになります。よって、多くの商品種類をピッキングする場合、種まきピッキングは摘み取り方式に比べて余分の時間を要します。逆に、摘み取りピッキングは顧客や店舗数が多い場合、余分に時間を要します。

2つのピッキング方法

◉摘み取りピッキング

直接、保管場所に行き、A店のオーダーをa、b、c、d、e、f順にピッキング。
B〜D店についても同様の作業を行なう

◉種まきピッキング

保管置場からa商品をフォークリフトで搬送し、いったん仮置きをする

a商品をA店、B店、C店、D店……と配分
していく。b〜f商品についても同様の作
業を行なう

45 流通加工・検品・梱包業務の内容

❖流通加工業務とは

流通加工業務とは、商品や製品に加工を施す業務をいいます。主な業務は、商品にプライスタグやＪＡＮコードが付与されていない場合の、販売価格が表示されているシールの貼り付け作業です。これらの業務を、一般的に「値付け」作業といいます。中元や歳暮のギフト商品の箱詰めや熨斗《のし》の貼り付けなどは「セット組み」、総菜や魚などの袋詰作業は「プリパッケージ」業務になります。

そのほか生産材でも流通段階で資材をカットするなどのケースもあり、これらも流通加工業務に該当します。

こうした加工業務を物流センターで行なうメリットはコストの軽減です。生産や販売段階で個々に行なうのと比較して、商品が集まる物流センターで行なうほうが生産性が上がり、結果としてコストが低くなります。

❖検品業務とは

検品業務とは、モノが正しいかどうかを確認、検査する業務です。入荷時に行なうのを入荷検品、出荷時は出荷検品といいます。入荷検品は商品が注文どおりに物流センターに入荷したかどうかを確認する業務で、入荷業務と同時に行なわれます。

出荷検品はピッキングした商品が間違いなく、納品先に届くかどうかを確認する業務です。

間違いが発生する可能性のある業務は、ピッキング、仕分け、積み込みなどの業務です。各業務後、間違いがないかどうか確認するのが検品業務ですが、最近はハンディターミナルなどの機器が普及し、ＪＡＮコード、台車に貼り付けたバーコードなどを作業と同時に読み取ることで、各業務と検品を一緒にすることが増えています。

❖梱包業務とは

梱包業務は、商品が汚損や破損しないようにすることが主目的ですが、商品を梱包することで、ハンドリングも容易になります。生産段階から梱包単位で入荷し、そのまま出荷する商品は、とくに梱包作業は伴いませんが、ケースをバラしてピース単位で配送する場合は、オリコンなどの容器に入れます。アパレル製品などもダンボールに箱詰梱包し、出荷します。

流通加工・検品・梱包業務の実際

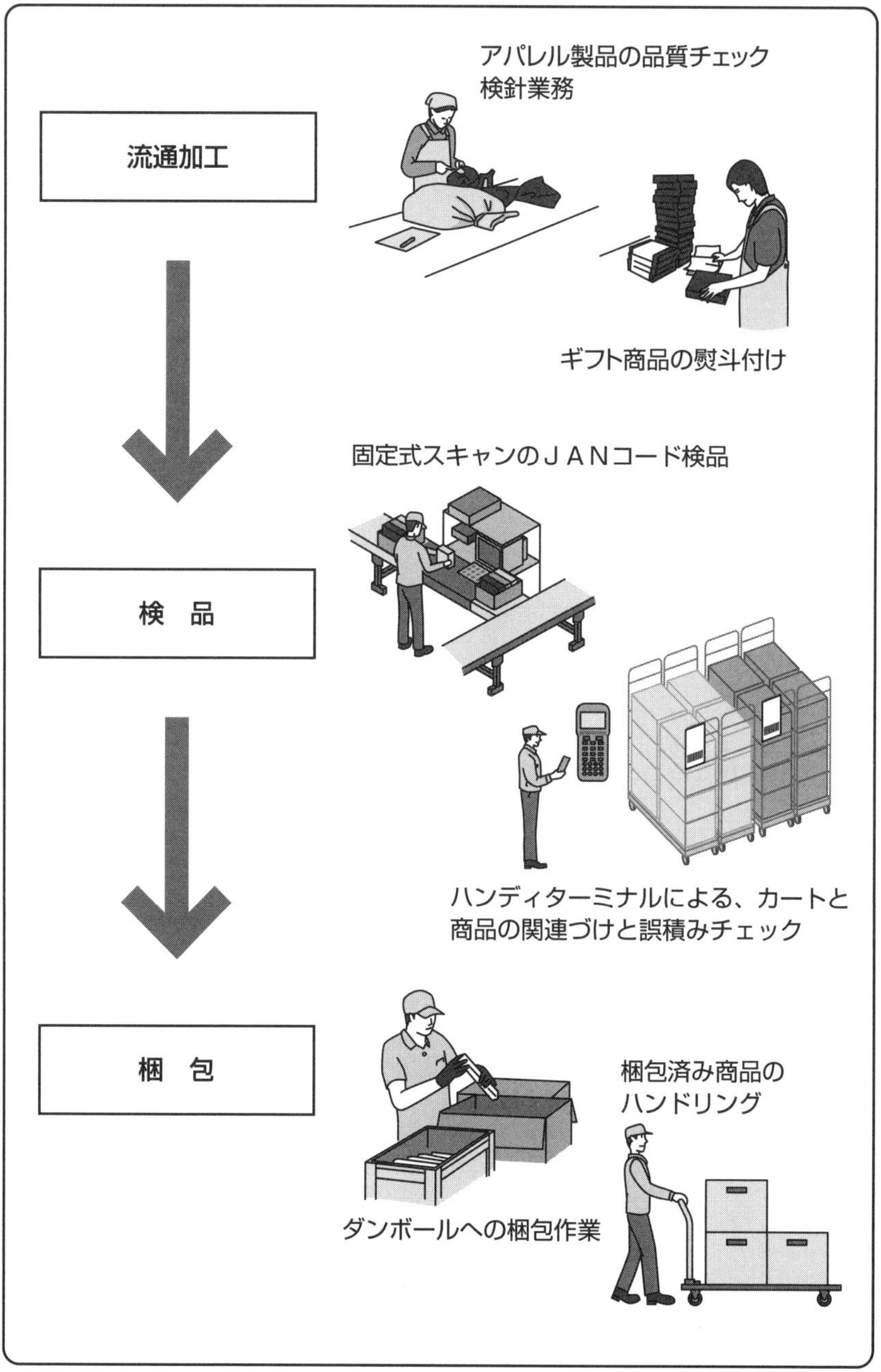
流通加工
アパレル製品の品質チェック
検針業務
ギフト商品の熨斗付け
検　品
固定式スキャンのＪＡＮコード検品
ハンディターミナルによる、カートと
商品の関連づけと誤積みチェック
梱　包
ダンボールへの梱包作業
梱包済み商品の
ハンドリング

46 仕分業務の内容

❖仕分業務とは

物流センターには多数の拠点から荷物が集まります。集まった荷物を一定の括りに分類し、出荷しなくてはなりません。仕分業務とは、物流センターに集まってきた荷物を、ある目的を持って分類する業務になります。

物流センターでは出荷単位を想定し、荷物を分類していきます。ただし、すべていきなり最終出荷単位に仕分けするとは限りません。一次仕分け、二次仕分けといった工程をへる場合もあります。

宅配便のターミナルセンターでは、必ずしも最終出荷単位で仕分けしていません。拠点別に仕分けをし、最終仕分けは各拠点が担っているケースもあります。どちらにしても納品先別に分けることに変わりはありません。

小売業の例で見ると、店舗にはカート台車やカゴ車に商品を積載し納品しています。したがって、小売業の物流センターでの仕分作業は、店別に用意されたカゴ車などの什器に配分するまでの一連の業務になります。当然、仕分けミスがないか、検品を伴う場合もあります。

❖仕分方法のパターン

仕分方法としては、機械設備を用いた方法や人手による作業など様々な方法があります。

機械設備を用いた代表的なものは、ケースソーターなどで自動的に仕分ける方法です。自動仕分けは、まずピッキング済み商品をコンベアに載せます。商品はコンベア上を搬送され、途中に備えつけられているセンサーでＩＴＦコードや物流バーコードから仕分先情報を読み取ります。仕分先情報は、ソーターのシュートとコンピュータシステムで関連づけることが可能で、拠点別、方面別、店舗別など自在に設定できます。

一方、人手による作業は、仕分情報の入ったリストにしたがって仕分けします。最近は、商品のバーコードをハンディターミナルでスキャンし、仕分先情報を画面に表示させて仕分けていく方法がもっとも一般的です。リスト、ハンディターミナルなど、仕分情報を確認するツールは様々ですが、仕分情報を確認しながら、手で仕分けていくことは変わりません。

手仕分けとケースソーターによる自動仕分け

◉手仕分け

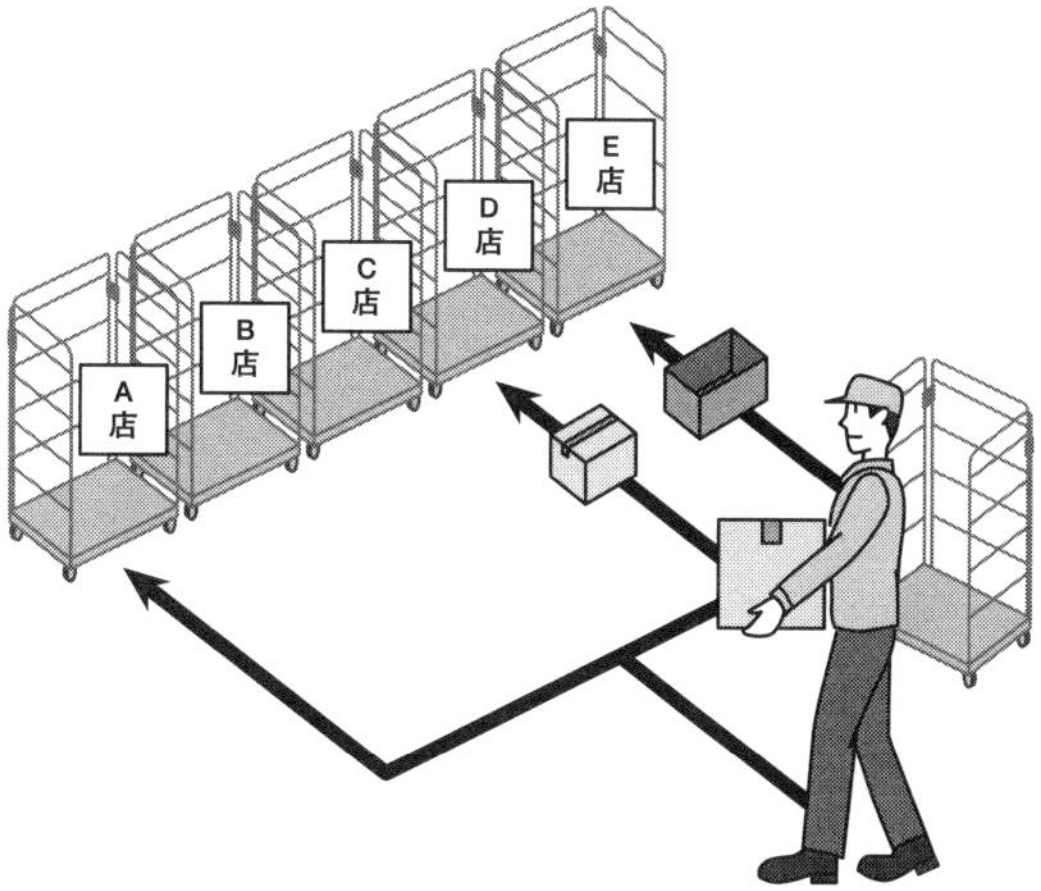

店別に用意されたカゴ車に人手によって仕分けていく

◉自動仕分け

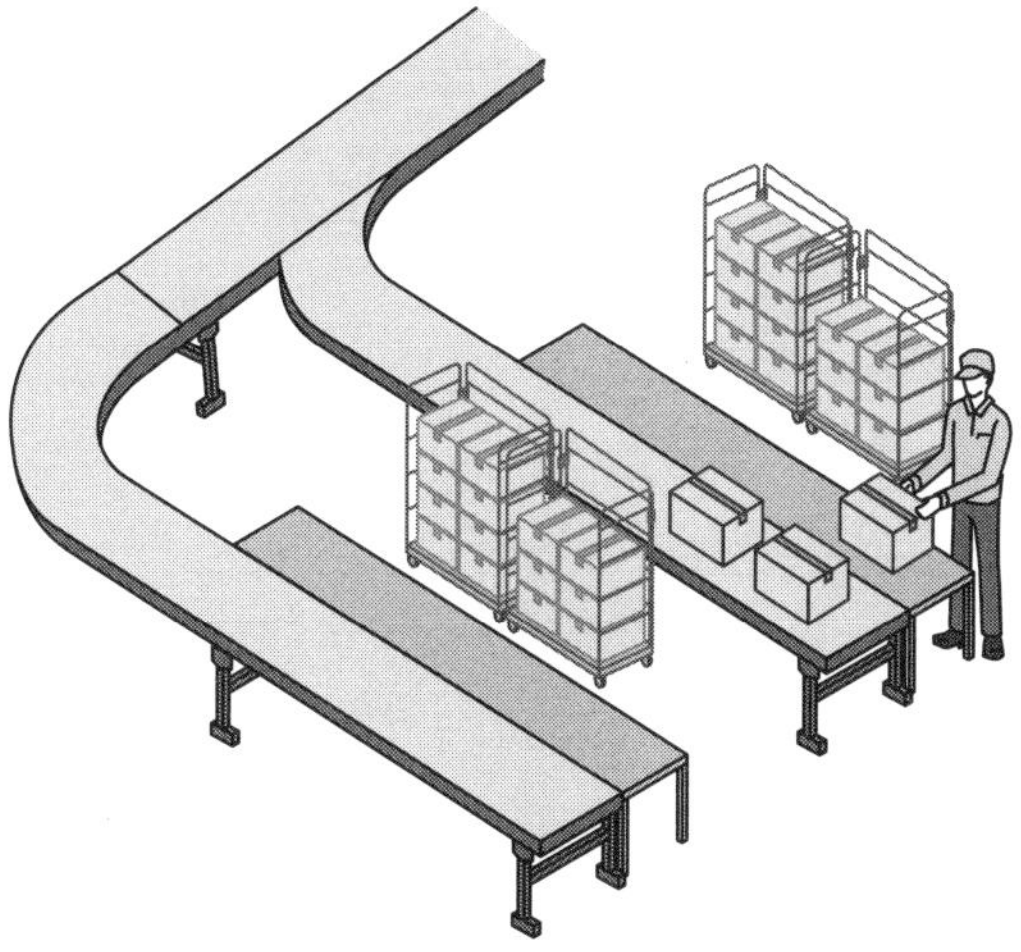

ケースソーターで自動的にシュートに仕分けられた
荷物をカゴ車にセットしていく

47 出荷業務の内容と流れ

❖出荷業務とは

出荷業務は、入荷からスタートし、保管、ピッキング、仕分けといった物流業務フローの最終工程です。仕分けの完了した荷物を出荷エリアに搬送し、トラックにスムーズに積み込めるよう荷物を整えます。トラックが物流センターに到着し、誤積みのないように積み込み作業を確認し、受け渡しが完了するまでの業務です。

一見、単純なように見えますが、とても重要な業務です。正しくピッキング、仕分けが行なわれたとしても、誤ってトラックに積み込んでしまったら誤納になります。その場合、誤納はパレットやカゴ車といった大きな単位になるかもしれません。したがって出荷ミスは絶対にあってはならないのです。

❖出荷業務のフロー

出荷エリアで店別仕分けなどを行なう小売業の物流センターでは、仕分け～出荷と業務は連続しています。ケースソーター等で搬送された荷物は、人手でカゴ車などの搬送什器に積み付けていきます。間違った商品を積み付けていないか、正しく商品を積み付けたかどうか、出荷に際して確認作業を行ないます。カゴ車には、納品先情報を事前に登録したバーコードを印刷したシールやラベルを貼り付けておきます。カゴ車に商品を積み付けた後、商品のバーコード情報とカゴ車のバーコード情報をハンディターミナルでスキャニングすることで、正しく商品が積み付けられているかどうかを検品します。

検品を終えたカゴ車は、積み間違いが起きないよう、あらかじめ納品先を記載した看板などの目印のある出荷エリアに搬送され、一時、仮置きします。

トラックが物流センターに到着すると、荷物を積み込んでいきますが、その際、納品先情報が入ったカゴ車のバーコードと同じく、納品先情報が入った用紙をトラックの台車等に貼り付けておき、積み込み間違いがないかどうか、ハンディターミナルでお互いのバーコードをスキャニングすることで確認します。最後に受け渡し報告書に確認印を押し、出荷業務は完了します。

仕分けから出荷までの業務フロー

ソーターで自動仕分けをする

↓

仕分済み商品を
カゴ車に積み付ける

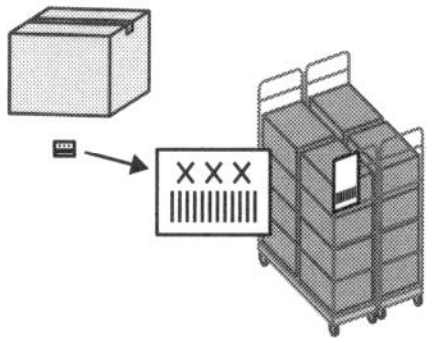

↓

カゴ車のバーコードと
商品のバーコードを確認する

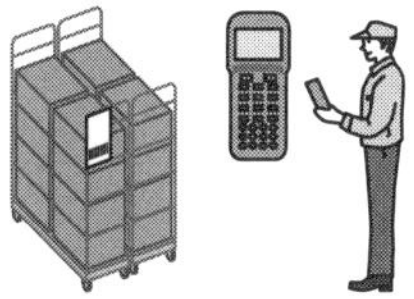

↓

できあがったカゴ車を
ステージングエリアに搬送する

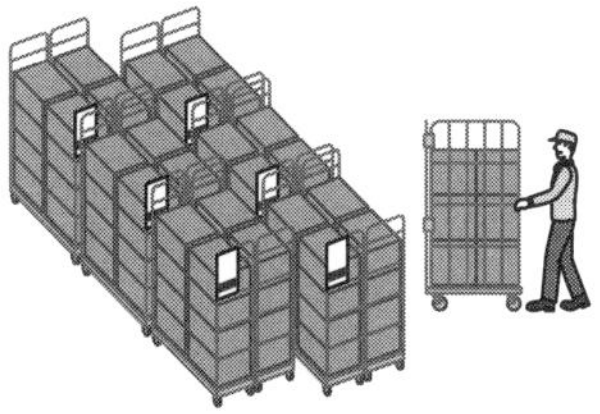

↓

カゴ車のバーコードと
トラックの台車のバーコードを確認する

48 物流情報管理業務の内容

❖情報管理業務とは

コンピュータシステムが発達した今日、モノの動きに付随して必ず情報のやり取りが発生します。情報の品質やメンテナンスが行き届いていなくては、効率的な物流センター業務はできません。

入荷に際しては、出荷先の出荷情報をセンターで事前に受信し、入荷受入れや検品業務を実施します。また取引先の受注情報をセンターに取り込み、ピッキングオーダーなどを作成します。出荷に際しては、どの商品をいくつ出荷したかなどの出荷情報を顧客と取引先に送信し、顧客と取引先はその情報に基づいて仕入確定をします。

情報がなくては、物流センターは動かないといっても過言ではありません。物流センターでは様々な情報を入力または出力し、関係企業とのデータ交換業務、メンテナンスなど行なっています。

これらの一連の情報を管理する物流センターシステムはＷＭＳ（Warehouse Management System：倉庫管理システム。１９０ページ参照）と呼ばれています。物流センターでは、ＷＭＳを用いて情報をマネジメントしており、これらの業務を物流情報管理業務といいます。

❖物流センター業務と情報フロー

物流センターでは取引先の受注情報を入手するところから作業がはじまります。その受注情報に基づき、荷物を受け入れ、その結果を確定データとして取引先に返します。入荷された商品は格納された時点で在庫として計上され、在庫情報が更新されます。新たな在庫情報をもとに顧客は新たな発注行為を行ないます。

顧客から取引先に注文されたオーダーは受注情報として物流センターに取り込まれます。物流センターは受注情報と在庫情報をマッチングさせ、出荷可能な商品を引き当てていきます。出荷可能商品はピッキング情報となり、ピッキング作業に用いられます。

ピッキングした内容は、どの出荷先に何を、箱数はいくつかなどの内容がデータ化されます。情報は物流ラベルにインプットされ、出荷データとして取引先に返されます。

物流センターと情報フロー

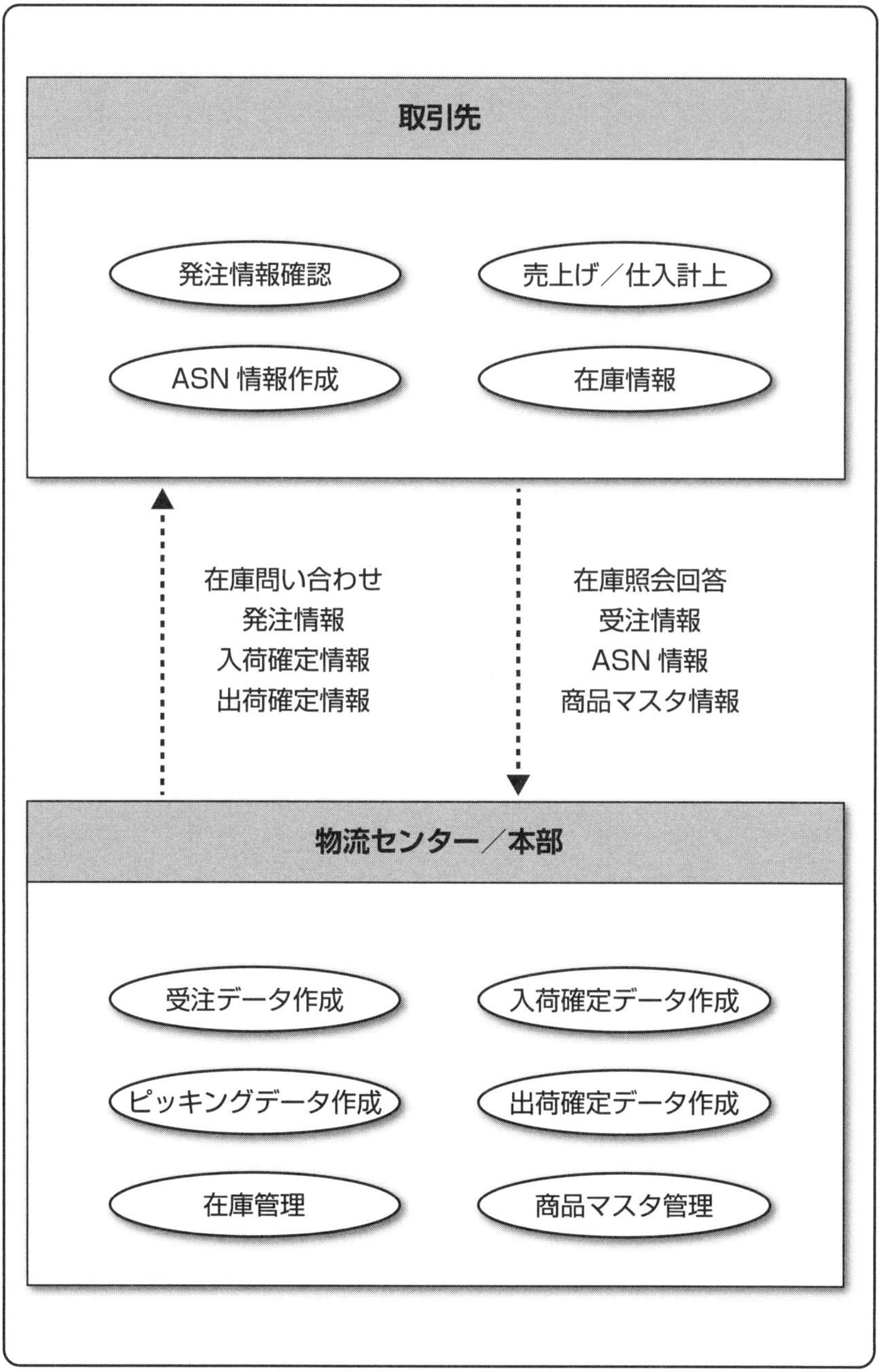
取引先
発注情報確認
売上げ／仕入計上
ASN 情報作成
在庫情報
在庫問い合わせ
発注情報
入荷確定情報
出荷確定情報
在庫照会回答
受注情報
ASN 情報
商品マスタ情報
物流センター／本部
受注データ作成
入荷確定データ作成
ピッキングデータ作成
出荷確定データ作成
在庫管理
商品マスタ管理

49 在庫管理業務の内容

❖在庫管理業務とは

物流センターの在庫管理業務は、棚卸業務を通じて在庫された商品の数量や金額を正確に把握することです。状態や日付、ロット番号などもチェックし、汚損や破損を含め、一定条件化の在庫状態の維持に努めます。

そこで在庫状況を把握することを目的に、入庫や出庫管理を徹底させます。不良品や返品などは一箇所に集め、取引先などに引き取らせます。

欠品などを防止する在庫数量の確認や、資産効率が落ちないようにする在庫金額のコントロール業務も在庫管理の業務に含まれます。ただし、コントロール業務は判断を要するマネジメント業務で、物流センターでなくても業務を遂行することはできます。ですから物流センターの在庫管理業務としては含まれないこともあります。

しかし自社物流の場合では、自らが仕入れや発注を行なうので、在庫コントロールを含みます。物流事業者にしても、発注業務を荷主に代わって行ない、在庫コントロールに関わる業務を行なっているケースは多々あります。

したがって物流センターの在庫管理業務はコントロール業務を含むことと定義され、これを含まない作業中心の在庫管理業務は「狭義の在庫管理」とされています。

❖適正在庫の管理

在庫を多く持ちすぎると資産が膨らみ、経営効率が悪化します。また販売商品のライフサイクルの変化で、販売のタイミングを逃し、処分することにもなりかねません。ですから、需給調整を担う物流センターにとって、適正在庫の維持や管理は重要な管理業務といえます。

在庫を適正に維持するのは、とてもむずかしいことです。販売数量は出荷先の都合で大きく増減します。季節ごと、月ごと、曜日によっても異なります。よって適正在庫を維持するには、物流センターにおいて狭義の在庫管理業務に加え、発注管理、仕入管理を正しく行なう必要があります。それらの管理を正しく行なった上で、ＡＢＣ分析、流動性分析、需要予測などを行なうことで、適正在庫を維持、コントロールすることができるのです。

物流センターの在庫管理業務

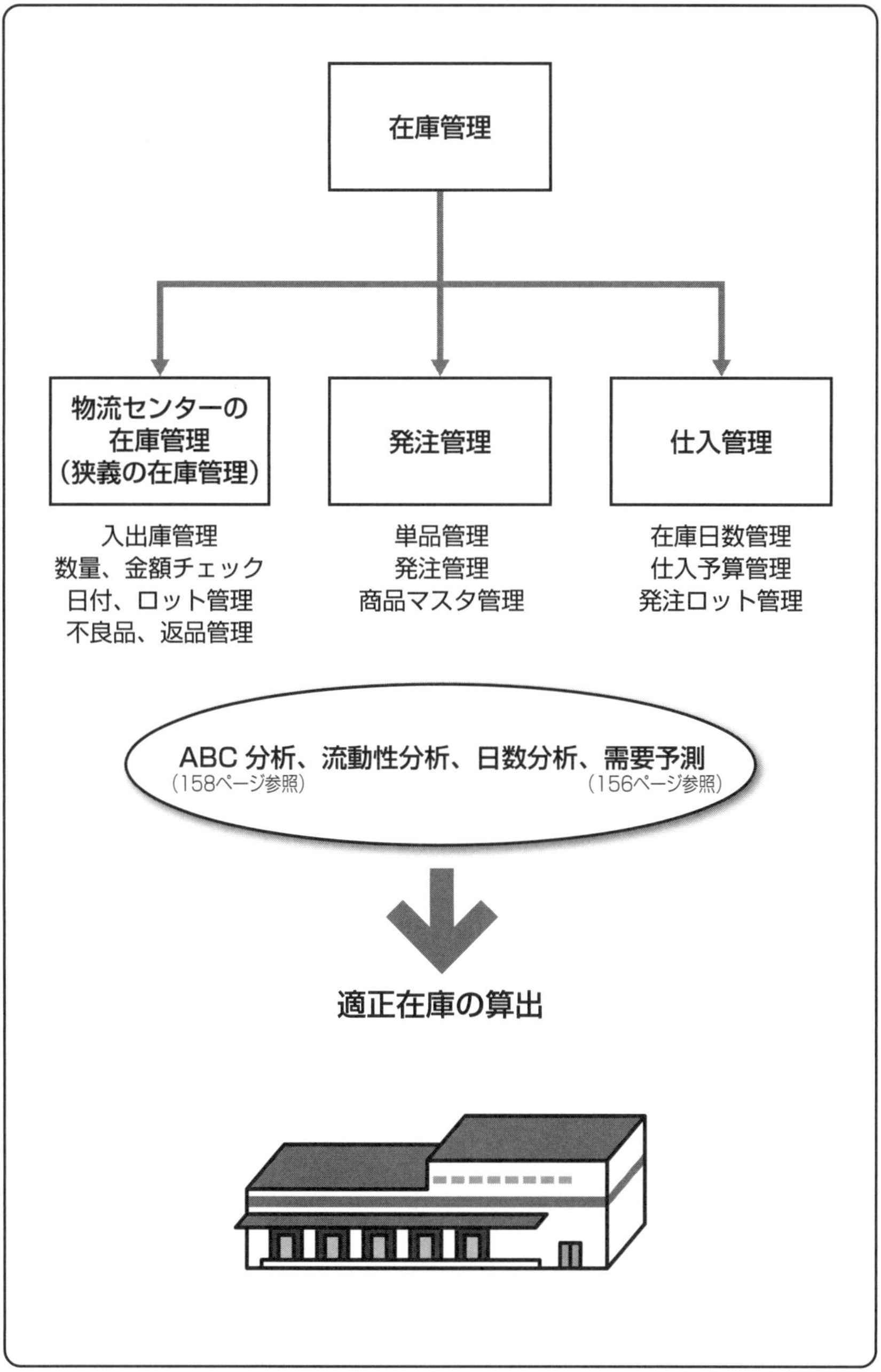
在庫管理
物流センターの
在庫管理
（狭義の在庫管理）
発注管理
仕入管理
入出庫管理
数量、金額チェック
日付、ロット管理
不良品、返品管理
単品管理
発注管理
商品マスタ管理
在庫日数管理
仕入予算管理
発注ロット管理
ABC 分析、流動性分析、日数分析、需要予測
（158ページ参照）
（156ページ参照）
適正在庫の算出

50 配車・配送管理業務の内容

❖配車・配送管理業務とは

配車・配送管理は運送に関する業務ですが、実際の業務は物流センターで行なわれています。

毎日、何台ものトラックが物流センターを出発します。これらのトラックをコントロールしているのも、実際は物流センターの運行管理者です。

配車は物流センターから商品を出荷するに際して、トラックの必要台数を算出し、実際にトラックを手配する仕事です。物流センターでは必要最小台数のトラックに関しては、あらかじめ契約等で手配しています。しかし、曜日や月によっては物量が大きく増減するので、必要台数は変わってきます。また緊急配送など急にトラックが必要になる場合もあります。

これら車両の手配をスムーズに行なうために、物流センターでは受注データ、出荷個数、カゴ車台数などの物量を予測または確認し、ムダなトラック手配にならないように配車手配を行ないます。これを配車・配送管理業務といいます。

また物流センターを出発したトラックの着時刻や運行状況などを把握することも物流センターの仕事になります。車両の手配から商品が納品先に届くまで、配送業務全体のマネジメントが配送管理業務です。したがって、積載効率を勘案してのコースの組み替えなどの分析業務や着時刻の管理なども業務の対象に入ります。

❖配車業務のフロー

物流センターでは物量を把握することから業務がはじまります。配送の数時間前には受注データなどをセンターでは受信しており、そのデータをもとに当日の配車を割り出します。出荷のカゴ車数を使う場合もあります。

配車コースはあらかじめ決まっていますが、物量の増減によっては増便、減便を行ない、運送会社に配車の依頼をします。その後は、センターへの積み込み時刻を指定するなどして運行全体をコントロールします。

納品に出発したトラックについては、GPSなどを用いて運行や走行状況を把握し、取引先からの店着時刻の確認に対する回答業務などを行ないます。

配車・配送管理業務のフロー

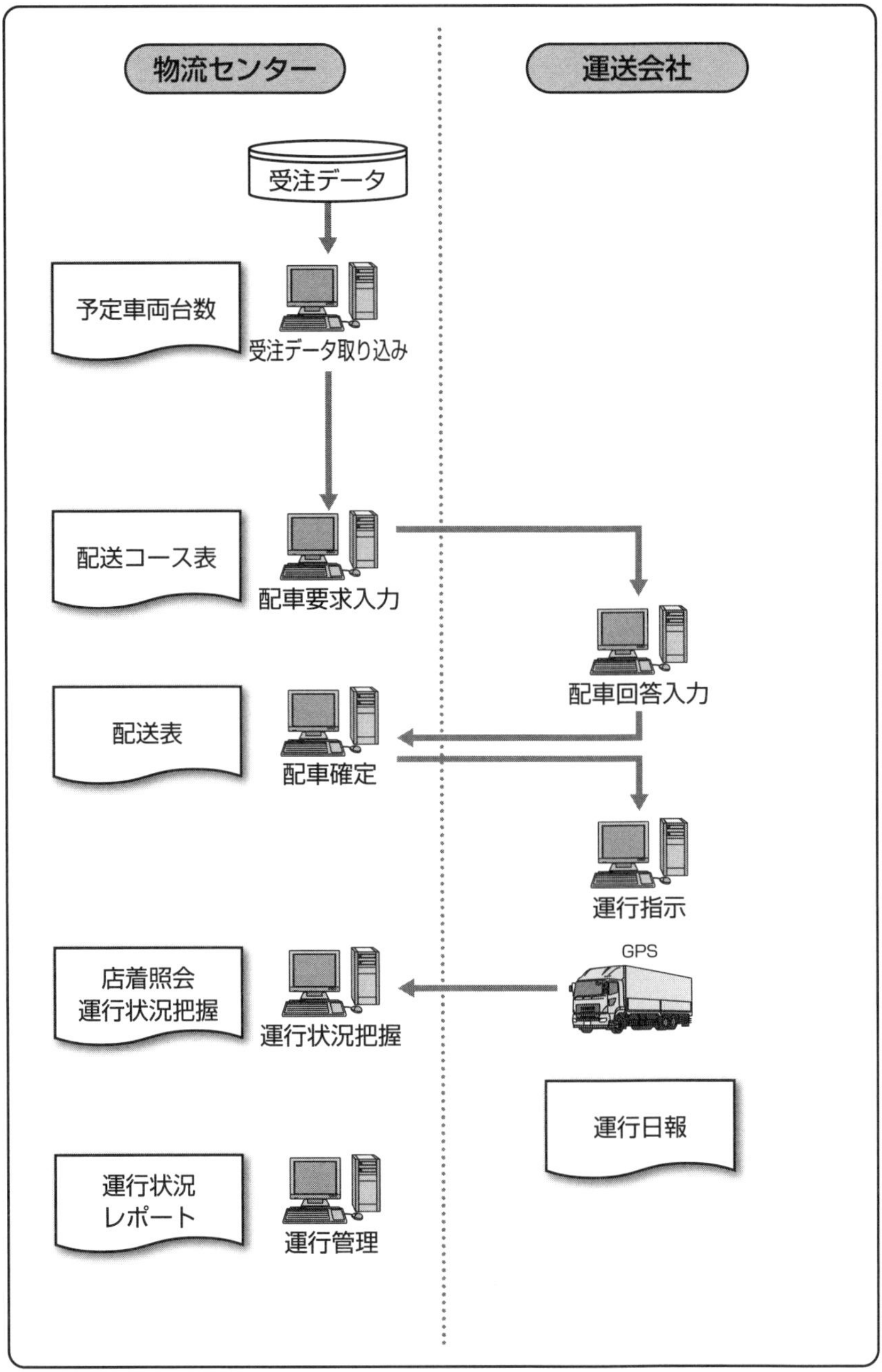
物流センター
運送会社
受注データ
予定車両台数
受注データ取り込み
配送コース表
配車要求入力
配車回答入力
配送表
配車確定
運行指示
GPS
店着照会
運行状況把握
運行状況把握
運行日報
運行状況
レポート
運行管理

6章

物流センター管理と物流改善

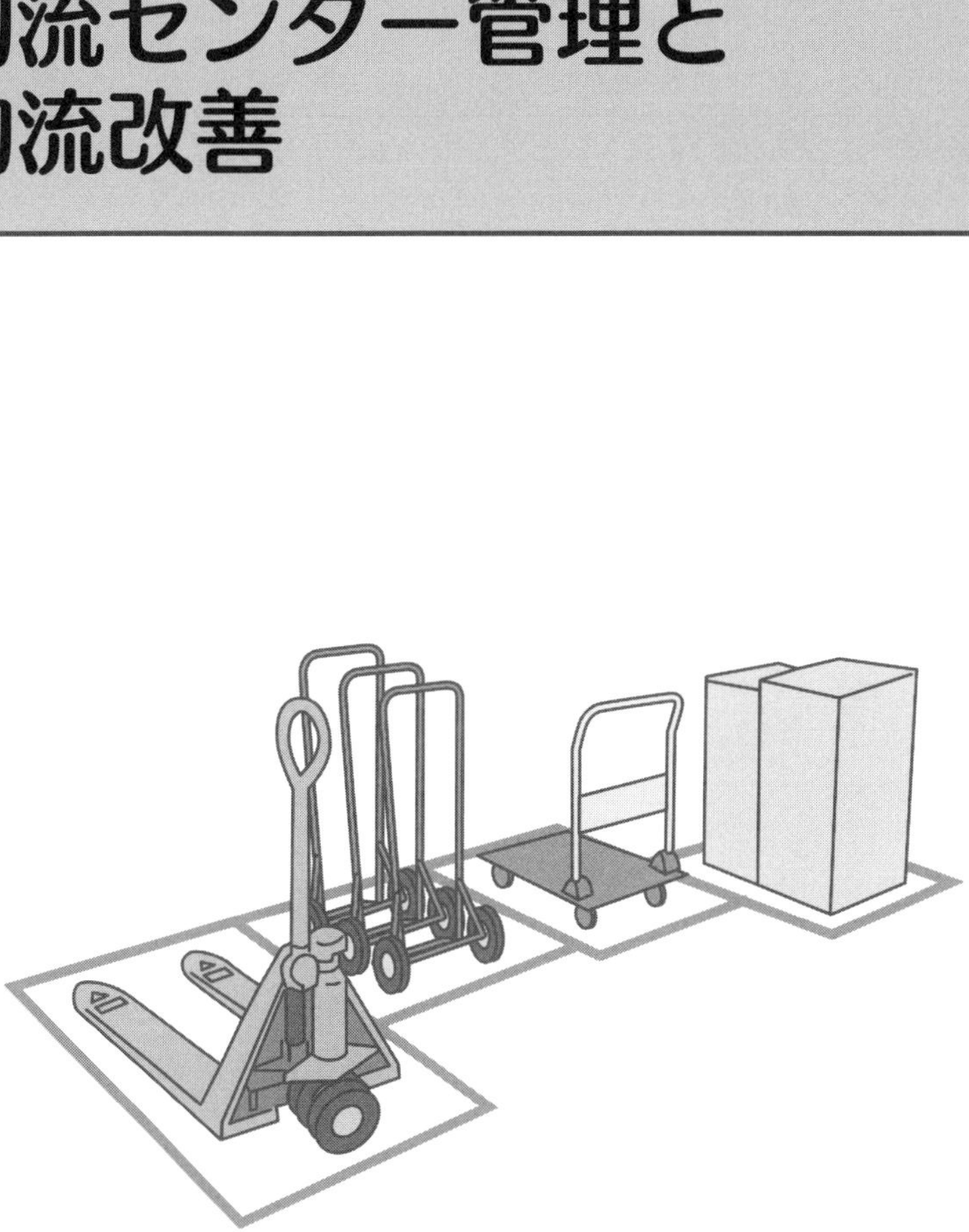

51 物流センターの管理と体系

❖物流センターの管理と定義

物流センターの管理とは、センター全般のマネジメント業務です。前章で説明した「物流情報」「在庫」「配車」なども含まれます。しかしこれらはあくまで物流センター業務管理の範囲です。物流センターの管理といった場合、物流コストや要員管理といった内容も含まれます。

さらに適正な管理を維持、コントロール、改善を目的とした物流管理指標や重要業績評価指標（KPI = Key Performance Indicator）の導入によるマネジメント、物流データ分析などのツールも物流センター管理に含まれます。物流機器などが正常に動いているかどうかを常に点検する必要もあります。４Ｓ（整理、整頓、清潔、清掃）の状態を保つことも大切な仕事です。こうした物流センター管理における最適のマネジメント状況を維持、管理するには、常に物流センターを「みえる化」し、問題点を発見できるように努めることが重要です。

高い品質と効率性、安全性を実現する物流センターの全般管理が、物流センター管理の定義といえます。

❖物流センター管理項目

主な管理項目としては「要員管理」「品質管理」「作業管理」「在庫管理」「物流情報管理」「物流機器管理」「施設管理」「コスト管理」「安全管理」「車両管理」の10項目が挙げられます。人、モノ、カネ、情報全般に管理範囲は及びます。

物流センターにとって、顧客に対して、いかに高い物流サービスを提供していくかは重要なテーマです。

物流サービス水準を設定した後は、それをいかに低いコストで、かつ高い品質を維持し、安全に実現するかがテーマとなります。それには単に品質やコスト、作業といった側面だけでなく、物流機器や施設、情報システムなどに対しても配慮しなくてはなりません。

人も当然、重要な管理項目になります。物流センターでは多くの人が働いています。物流コストの大半は人件費です。また品質の鍵を握っているのも人です。ですから、人の配置やモチベーションの維持なども物流センターの重要な管理内容になってきます。

物流センターの管理業務の体系

物流センター管理
要員管理
品質管理
作業管理
在庫管理
物流情報管理
物流機器管理
施設管理
コスト管理
安全管理
車両管理
物流改善
KPI(重要業績評価指標)
(136ページ参照)
物流管理指標
(134ページ参照)
みえる化

52 物流センター管理と情報

❖物流センター管理数値とは何か

物流センター管理において、情報を収集することはとても重要です。本日の物量がどの程度なのかを把握していなくては、物流センターの管理や運営はできません。

他にも、物流センターには納品先や出荷先等、様々な情報が入ってきます。物流センターはそれらの情報を有効に活用してはじめて最適な管理が実現できるのです。後に紹介する物流ＫＰＩや物流管理指標も、分析の基礎となる情報収集なくして導入はできません。それほど物流センターにとって情報は大切な経営資源なのです。

❖物流センター運営に必要な情報

入荷に必要な情報としては、「仕入先数」「入荷物量」「トラックの台数」などが挙げられます。入荷作業としてどれくらいの時間を要するのか、またトラックの台数を事前に把握することは、入荷バースの有効活用を促し、入荷の待ち時間を軽減させることにつながります。

保管は「パレット数」「ケース数」「ピース数」など荷姿別に物量を把握することで、倉庫スペースを有効活用するとともに、最適な在庫管理を担うことができます。

ピッキングは「オーダー件数」「アイテム数」「ケース・ピース数」といった処理量を把握することで、1日の作業量ボリュームが事前にわかり、人の配置などでムダをなくすことができます。また物量から作業終了時刻を予測し、納期遅れが出ないよう作業計画を構築することもできます。これらの数値は総時間で割ることで、生産性を計る基礎にもなります。流通加工業務の「値付け数」「ラベル貼り付け数」なども事前に物量を把握することで、ピッキング作業同様の効果が得られます。

仕分作業はピッキング、流通加工が終了した荷物を出荷単位に配分する業務です。同業務が予定どおりの時刻に終了しない場合、出荷が遅れ、遅納につながります。

ですから「仕分数」「カゴ数」「納品先数」などを把握することはとても重要です。出荷作業はスムーズにトラックに積み込むことが目的なので、「出荷件数」「配送ルート数」「トラック台数」などの情報を事前につかむことで効率的な業務が実現できます。

物流作業管理における必要な情報

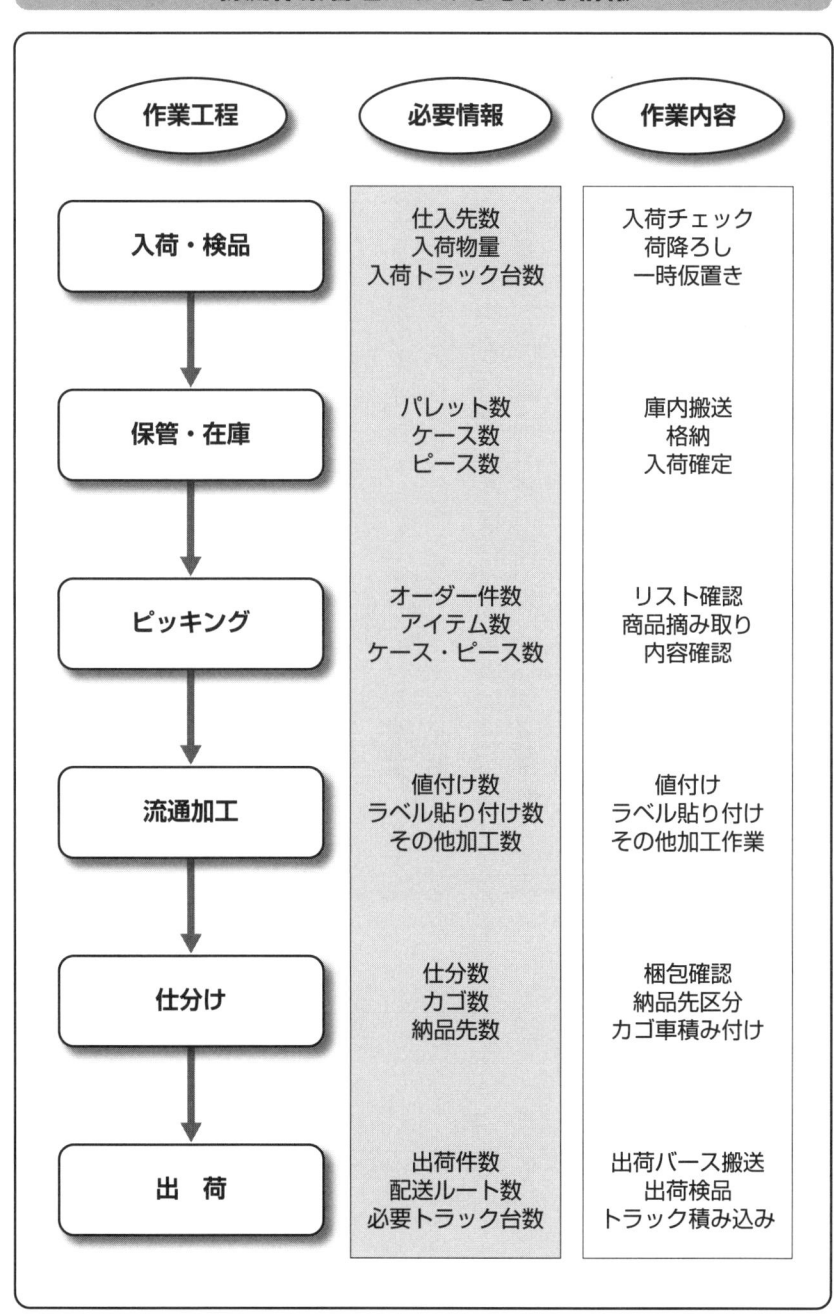

作業工程	必要情報	作業内容
入荷・検品	仕入先数 入荷物量 入荷トラック台数	入荷チェック 荷降ろし 一時仮置き
保管・在庫	パレット数 ケース数 ピース数	庫内搬送 格納 入荷確定
ピッキング	オーダー件数 アイテム数 ケース・ピース数	リスト確認 商品摘み取り 内容確認
流通加工	値付け数 ラベル貼り付け数 その他加工数	値付け ラベル貼り付け その他加工作業
仕分け	仕分数 カゴ数 納品先数	梱包確認 納品先区分 カゴ車積み付け
出　荷	出荷件数 配送ルート数 必要トラック台数	出荷バース搬送 出荷検品 トラック積み込み

53 物流サービス水準の考え方

❖物流サービス水準とは何か

物流サービス水準とは、顧客と物流センター間で取り決める事項です。具体的には「リードタイム」「欠品率」「誤納率」「在庫誤差」「破損率」などが挙げられます。

「リードタイム」は、物流センターがオーダーを受注してから納品先に届けるまでの時間です。リードタイムが長いと、余分に在庫を抱えることになります。よってリードタイムが短いほどサービス水準は高いといえます。「欠品率」は顧客からのオーダーに対して、物流センターの在庫からどの程度出荷できたかを表わす数字です。欠品は顧客の販売機会の喪失になります。当然、低いほうがサービス水準は高いといえます。「誤納率」はピッキングや納品間違いの率、「在庫誤差」はコンピュータの理論在庫と実在庫との誤差を表わします。「破損率」は商品を誤って破損してしまった割合です。すべて低いほど、物流サービス水準が高いといえます。

基準に関しては、扱う商品単価によって管理レベルが異なるため、一概にはいえませんが、欠品率や在庫誤差は１％未満、誤納率に関しては０・０１％未満が平均的な数値といえます。

❖物流サービス水準とコスト

小売業の物流に対するニーズは店舗在庫の削減、補充作業人時削減、欠品を少なくするような物流体制の構築です。よって物流サービスに対して、「リードタイムの短縮」「棚単位のカテゴリー納品」「多頻度小口配送」などを要求してきます。

しかし、これらの要求を安易に受け入れた場合、物流センターのコストは大幅に増加することになります。高い物流サービス水準とコストは、一方をよくすると他方が悪くなる「トレードオフ」の関係にあるからです。

物流サービス水準を高くすることについては、有料化するべきといった意見もあります。しかし、現実は各物流センター同士で、仕事の奪い合いをしている状況です。コストを上げずにいかに高い物流サービス水準を提供できるか。こうした矛盾に応えることが、今日、物流センターに求められています。

物流センターに求められる物流サービス

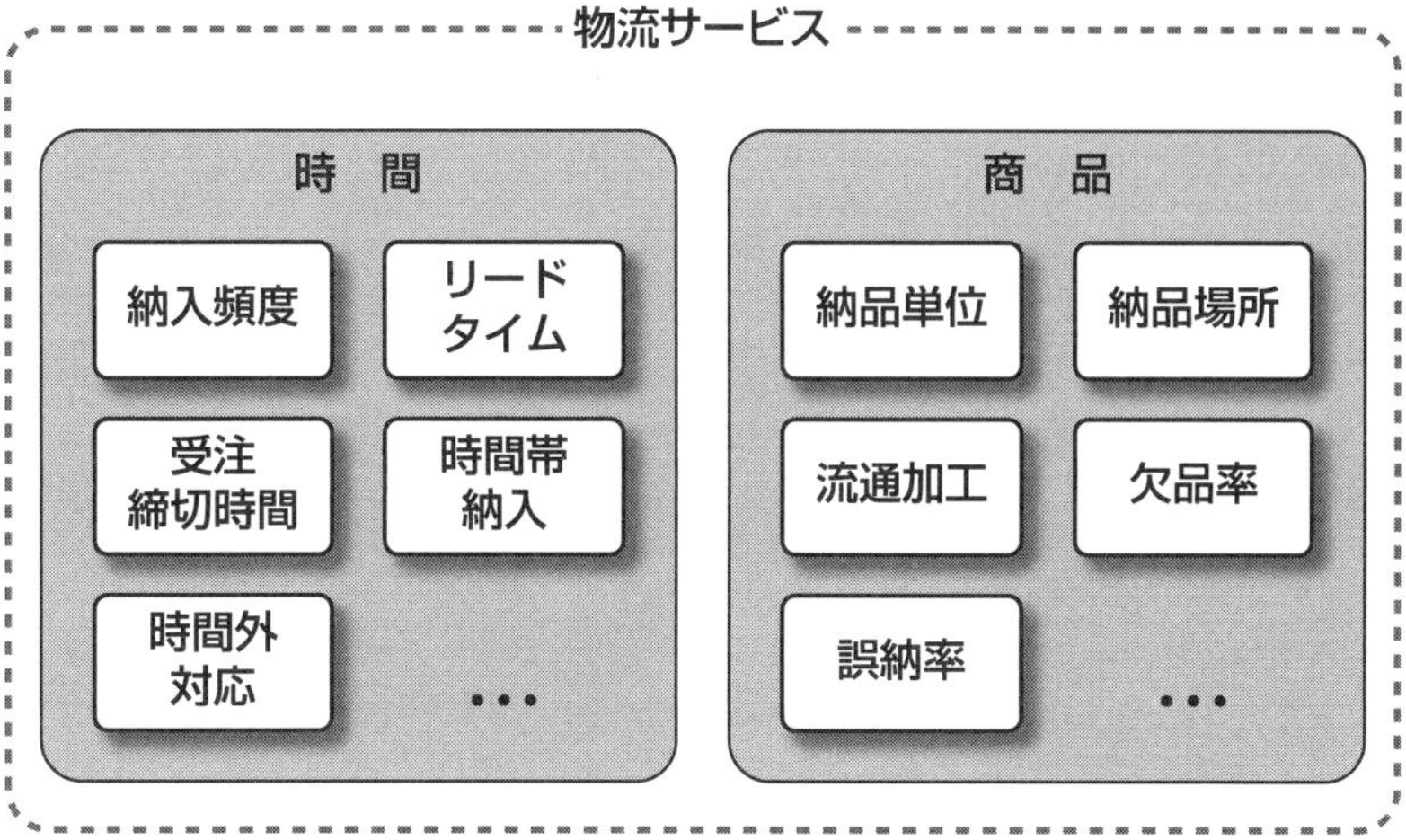
物流サービス
時　間
納入頻度
リード
タイム
受注
締切時間
時間帯
納入
時間外
対応
・・・
商　品
納品単位
納品場所
流通加工
欠品率
誤納率
・・・

◉サービス水準と物流コスト

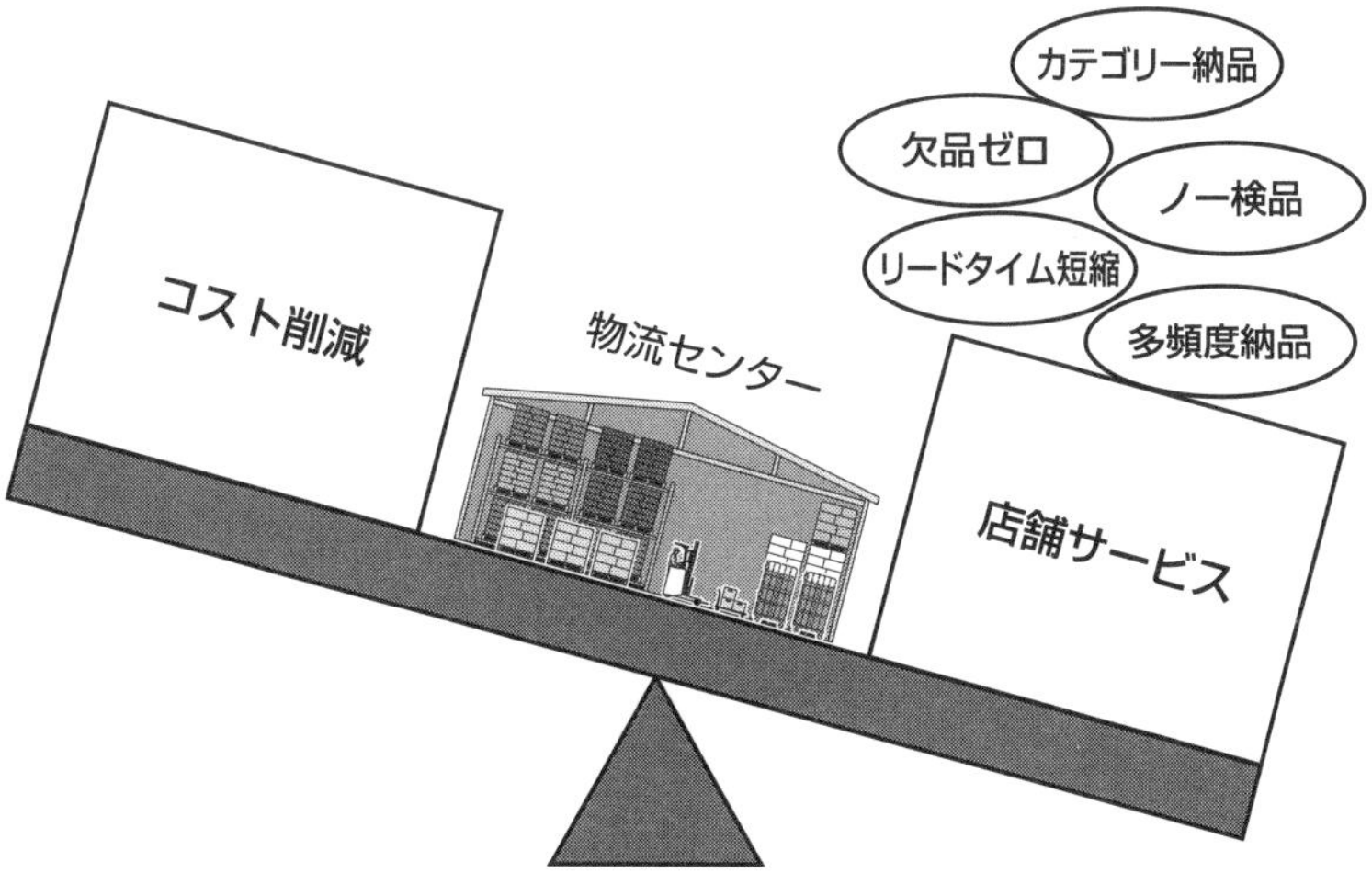
カテゴリー納品
欠品ゼロ
ノー検品
リードタイム短縮
多頻度納品
コスト削減
物流センター
店舗サービス

物流センターにおける店舗サービス向上とコスト削減はトレードオフ関係であり、
あまりにも店舗サービスを詰め込むと物流コストは上がってしまう

54 物流改善とは何か

❖物流改善とは

今日の厳しい経済環境下では、顧客は徹底してムダな在庫は保管しません。物流コストに対しても非常にシビアになってきています。その結果、コストが高く、低いサービス水準しか提供できない物流センターは淘汰されつつあります。顧客はコストが低く、高い物流サービス水準を提供してくれる物流センターを選びます。

高い物流サービス水準を実現するには、物流センターとしては徹底したムダの排除と同時に、品質を高めなくてはなりません。その方法が物流改善です。

物流改善はコスト削減と品質向上を目的に、物流業務や作業の改善に取り組むことです。単なるコスト削減ではありません。現状の作業内容を維持したままのコスト削減では品質やサービスが逆に悪くなってしまいます。

作業内容を見直し、必要人時数を少なくすることで物流コストを下げる。同時に品質も向上させ、新たな作業方法を確立し、維持し続ける体制を構築することが物流改善の目標です。

❖物流改善の項目

物流改善は、物流センターの業務及び管理全般が対象になるため、内容は多岐にわたります。

主な改善項目は「作業」「在庫」「情報」「配送」「道具」「人」などです。「作業」は作業工程や動線においてムダがないか。また正しい手順で作業は行なわれているか。動作は適正化か、など様々な視点から検討し、改善を行なっていきます。「在庫」は在庫誤差に加え、数量や金額などボリュームを対象に改善を行ないます。配置も含まれます。「情報」はＷＭＳ（１９０ページ参照）をはじめとするシステム面から、効率化に必要で正しい情報の明示と、作業者全員への伝達が改善の視点です。

「配送」は、物量に応じた適正な配車の実施具合で、配送ルートやトラック台数に関してムダがないか検討します。「道具」は作業に応じた正しい道具を使っているか。また道具の使い方などが改善のポイントです。「人」は作業量と配置のバランス、モチベーションが上がるようなマネジメントなどが、改善の対象になります。

物流改善の構図

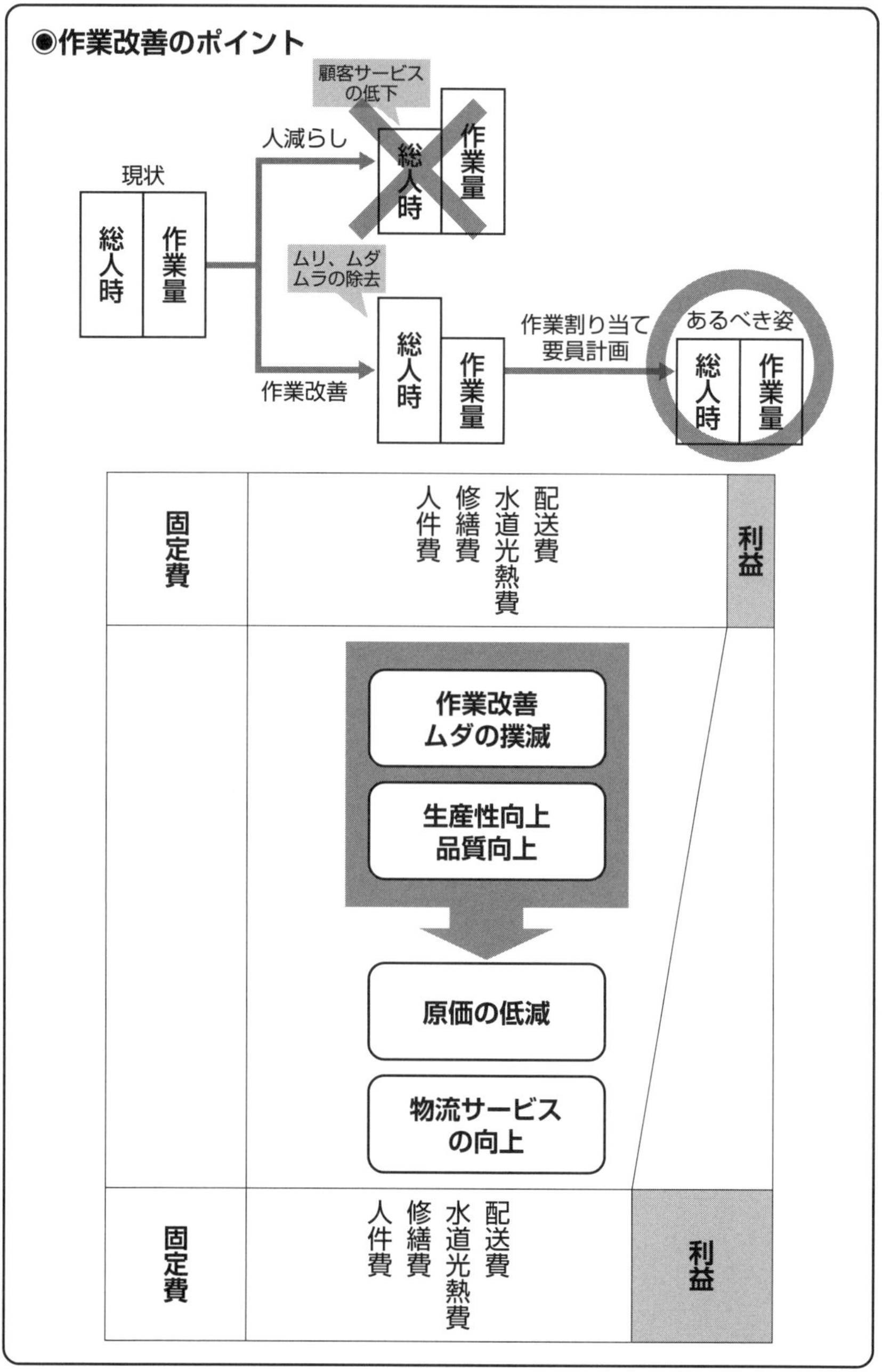
◉作業改善のポイント
現状
総人時
作業量
人減らし
顧客サービスの低下
総人時
作業量
ムリ、ムダムラの除去
作業改善
総人時
作業量
作業割り当て要員計画
あるべき姿
総人時
作業量
固定費
配送費
水道光熱費
修繕費
人件費
利益
作業改善
ムダの撲滅
生産性向上
品質向上
原価の低減
物流サービスの向上
固定費
配送費
水道光熱費
修繕費
人件費
利益

55 物流改善のステップ

❖物流（作業）改善のための問題点の発見

物流改善を行なうといっても、何をどう進めていいのかわからないケースも多いと思います。必ずしも進め方が決まっているわけではありません。しかし問題点を発見することに関しては共通しています。

はじめから、生産性や品質などの重要な指標をテーマに絞ってもいいと思います。気づいた項目をランダムに挙げてもいいでしょう。必要なのは優先順位や改善の予想効果を明確にすることです。

また、問題点が発生している原因が、作業なのか管理なのか、入荷から出荷までの段階のどの工程で発生しているのか、関連部署がどこか、を特定することはとても重要です。物流センター単独の問題でなく、営業や顧客に問題の原因があることもあります。

❖改善のステップ

物流（作業）改善は問題点の発見から出発し、次の工程は原因の究明です。問題点に関する情報を収集し、できるだけ定量的に、わかりやすく問題点を把握することが大切です。「やめられないのか」「もっと簡単にならないか」「2つ以上の工程をまとめてできないか」「工程の順序を入れ替えられないか」など、改善の4原則に沿って原因の真相を追究し、改善方法の仮説を立案します。

次は物流分析のフェースです。問題点を、データを用いて可視化し、必要に応じて作業を調査することもあります。作業が速い人、遅い人などの特徴をつかんで選び出し、ビデオ等で撮影、これを統計的な有用性を確保する目的で複数回行ないます。撮影したビデオ映像から工程を分析します。動作自体のムダを見つけるための動作分析など、**物流IE**を用いた分析を行なうケースもあります。付加価値のある正味作業（主体作業）や、ムダな作業とされる歩行やアイドリングなどの割合を調査し、改善案を検討していきます。

こうして改善後の新たな作業を構築します。誰もがルールどおりにできれば、可能な作業時間（標準時間）を算定し、マニュアルに落とし込みます。最後は現場に定着するよう「みえる化」「管理指標」などを導入します。

物流（作業）改善のステップ

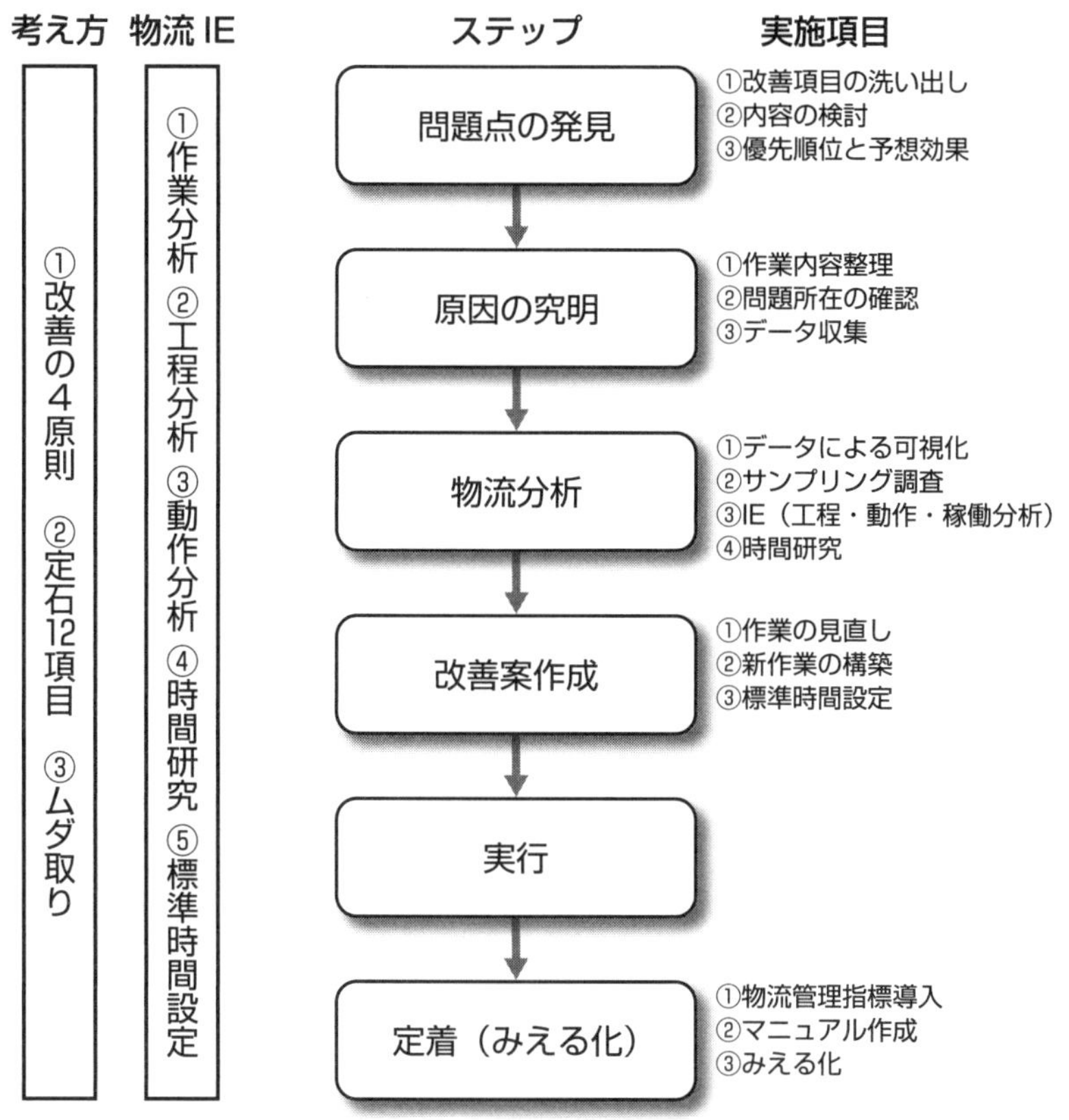
考え方
①改善の4原則 ②定石12項目 ③ムダ取り
物流 IE
①作業分析 ②工程分析 ③動作分析 ④時間研究 ⑤標準時間設定
ステップ
実施項目
問題点の発見
①改善項目の洗い出し
②内容の検討
③優先順位と予想効果
原因の究明
①作業内容整理
②問題所在の確認
③データ収集
物流分析
①データによる可視化
②サンプリング調査
③IE（工程・動作・稼働分析）
④時間研究
改善案作成
①作業の見直し
②新作業の構築
③標準時間設定
実行
定着（みえる化）
①物流管理指標導入
②マニュアル作成
③みえる化

改善の４原則

作業改善を行なう上での基本的な考え方

	狙い	例
排除	やめられないか やめたらどうなるか	・検査の省略 ・レイアウト変更による運搬省略
簡素化	もっと簡単にならないか	・作業の見直し ・自動化
結合	2つ以上の工程をまとめてできないか	・2つ以上の加工の同時作業 ・加工と検査の同時作業
交換	工程を入れ替えられないか	・加工の順序を変えて能率アップ

定石12項目

作業改善を行なう上での12の着目点

排除	それはやめられないか
正と反	逆にしたら
正常と例外	例外にしたら
定数と変数	変わるモノと変わらないモノ
拡大と縮小	大きくしたら、小さくしたら
集約と分散	集めたら、分散したら
結合と分散	結合したら、分散したら
付加と削除	加えたら、削除したら
平行と直列	平行にする、直列にする
入れ替え	順序の入れ替え
差異と共通	違うところ、共通なところ
充足と代替	手待ちの利用

物流IE(Industrial Engineering)…作業分析·工程分析などで現場のムダを摘出し、生産効率を上げる科学的手法

56 物流改善と「ムダ」の排除

❖作業改善とムダの内容

作業改善の大きなポイントは、「ムダ」をいかに潰していくかです。ムダとは、作業をする上で何ら必要のないもので、ムダをなくすことは原価低減に直結します。

トヨタ生産方式では、７つのムダとして①作り過ぎのムダ②手待ちのムダ③運搬のムダ④加工のムダ⑤在庫のムダ⑥動作のムダ⑦不良を作るムダ、と指摘しています。

物流センターの作業でいえば、①は出荷作業は進んでいるものの、入荷格納が遅く在庫の引き当てが完了しておらず同期がとれていないため、人の配置などにムダが生じる。②はピッキング作業でひとつのラインに作業者が集中することで、手待ちが発生する。

③は商品の配置が悪い場合、必要以上の運搬、仮置き、積み替え作業などが発生する。④は繰り返し作業、不要の作業など意味のない作業が発生する。⑤は在庫が必要以上にストックされていることにより、意味のない作業が発生する。⑥は探す、歩きすぎなど付加価値のない作業が発生する。⑦はピッキング間違いなどで、再度同じ作業を繰り返すこと、などです。

❖物流センターにおけるムダの具体例

図1は作業処理量と投入人員数を表わしたグラフです。一人当たりの処理量は1時間１０００です。物流センターには6名の人員を投入、時間当たり６０００の処理が可能です。しかし午前10時には３０００の物量しかありません。明らかにムダが発生しています。14時には6名の配置に８０００の処理量があります。こちらは、逆にムリが発生し、不良手直しなどのムダが発生する可能性があります。こうしたムダを発生させないためには、物量に応じた人員配置を行なうことが大切です。

図2は時間帯別のトラックの入荷台数のグラフです。Aは入荷時間帯を指定していない結果、台数は多い時間帯で14台、少ない時間帯では2台です。これでは入荷の作業人員にもムダが発生してしまいます。入荷バースなどの稼働率にも大きな影響を及ぼします。ムダを発生させないためには各取引先に入荷時間を指定し、毎時間8台の入荷となるよう平準化させることです。

物流（作業）改善の例

図1

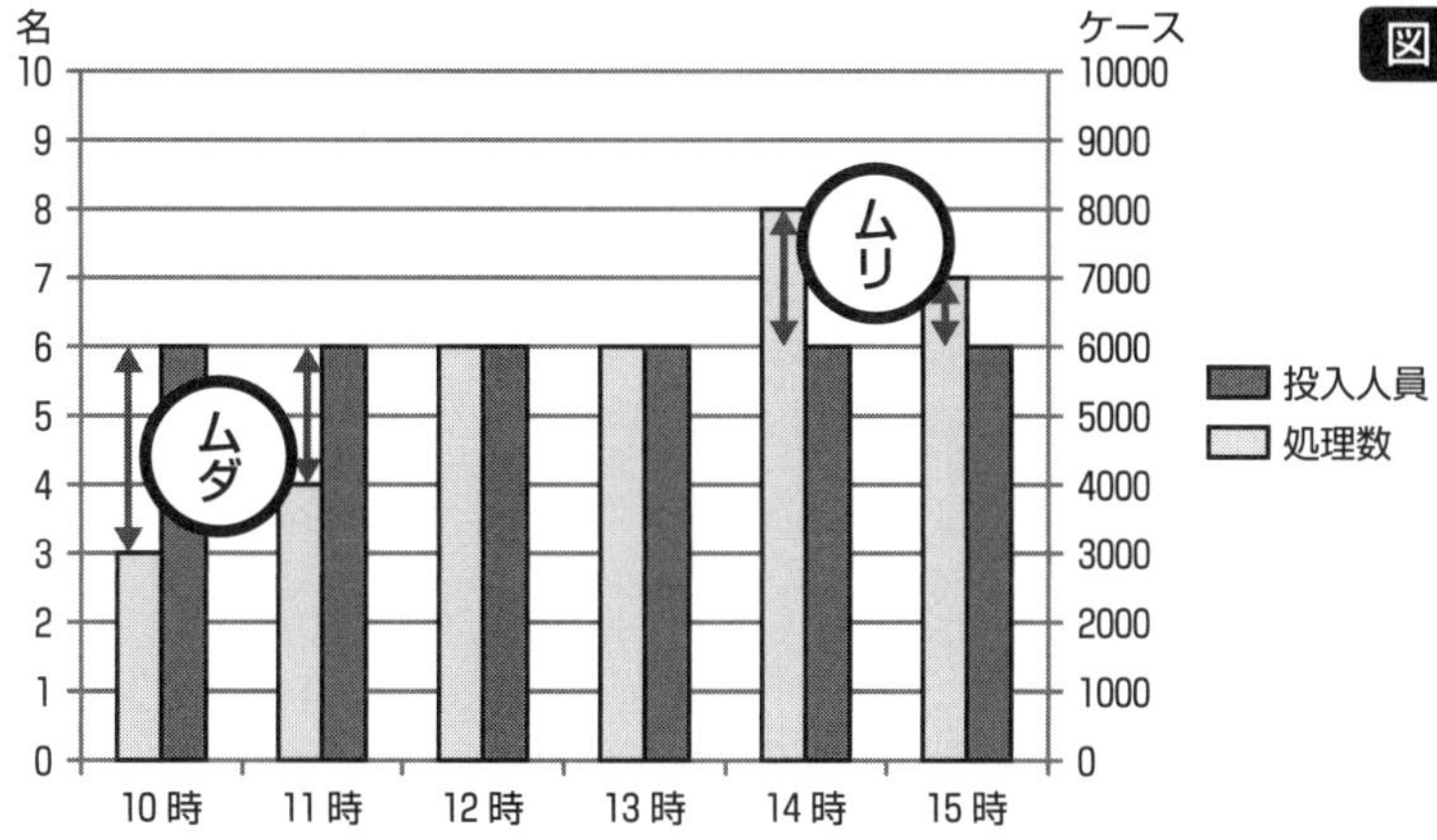
名
ケース
10
9
8
7
6
5
4
3
2
1
0
10000
9000
8000
7000
6000
5000
4000
3000
2000
1000
0
ムダ
ムリ
投入人員
処理数
10 時
11 時
12 時
13 時
14 時
15 時

図2

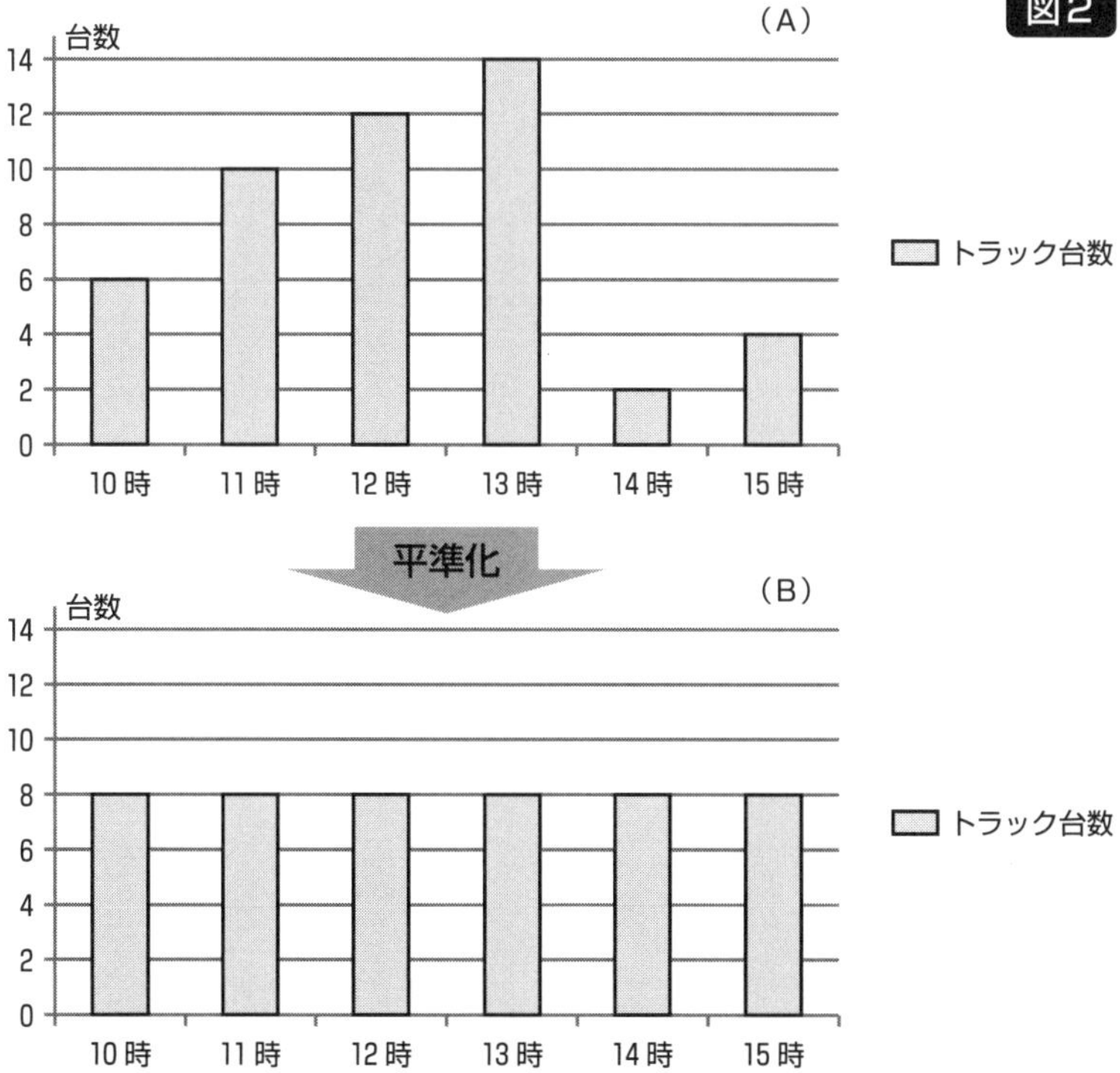
(A)
台数
14
12
10
8
6
4
2
0
トラック台数
10 時
11 時
12 時
13 時
14 時
15 時
平準化
(B)
台数
14
12
10
8
6
4
2
0
トラック台数
10 時
11 時
12 時
13 時
14 時
15 時

57 物流管理指標の使い方

❖物流管理指標とは

物流管理指標とは、物流センターの管理状況を表わす指標です。管理水準レベルを定量的に把握し、効率的な物流センター管理を行なう目的で、物流改善の体系に沿って設定されています。

物流管理指標は「コスト改善」「サービス改善」に分けられます。コスト改善は経費削減を、サービス改善は売上高拡大を目的とします。コスト改善はさらに、「作業改善」「輸配送改善」に分かれます。作業改善は作業の内容や方法を見直し、生産性を向上させることです。輸配送改善は配送費にスポットを当てた改善で、車両の有効活用レベルを表わす指標です。作業改善や輸配送改善が進み、生産性や稼働率が高まれば、ケース当たりの作業費や配送費は下がります。

一方、売上高拡大を目的としたサービス改善は「物流品質改善」になり、物流品質に関する内容を指標化しています。品質を表わす指標がアップすれば顧客の満足度が向上して売上高は拡大します。

❖物流管理指標の展開例

コスト改善の中で、もっとも効果が高いのが作業生産性の向上です。物流生産性の指標では、①単位当たりの入荷数、②同ピッキング数、③同出荷数などがあります。

また、該当する作業の総時間をケースやピースといった物量で割り、単位当たりどの程度の時間を費やしているかを計測します。１日2万ケース出荷する物流センターの場合で考えてみましょう。時間給１０００円の作業員がケース当たりの生産性を30秒高めることができれば、１日で16万６０００円、月に換算すると約５０００万円のコスト削減になります。

物流品質の改善指標は、①ピッキングミス率、②定時定配送率、③在庫引き当て率、④破損率が挙げられます。ピッキングミス率は1日のピッキング数にどれほど間違いがあったか、定時定配送率は納品指定時刻にどれほど正しく配送されたか、在庫引き当て率は受注オーダーに対して、どれだけ出荷できたか、破損率は全出荷数に対して、どの程度破損があったかを表わす指標です。

物流管理指標の体系と計算例

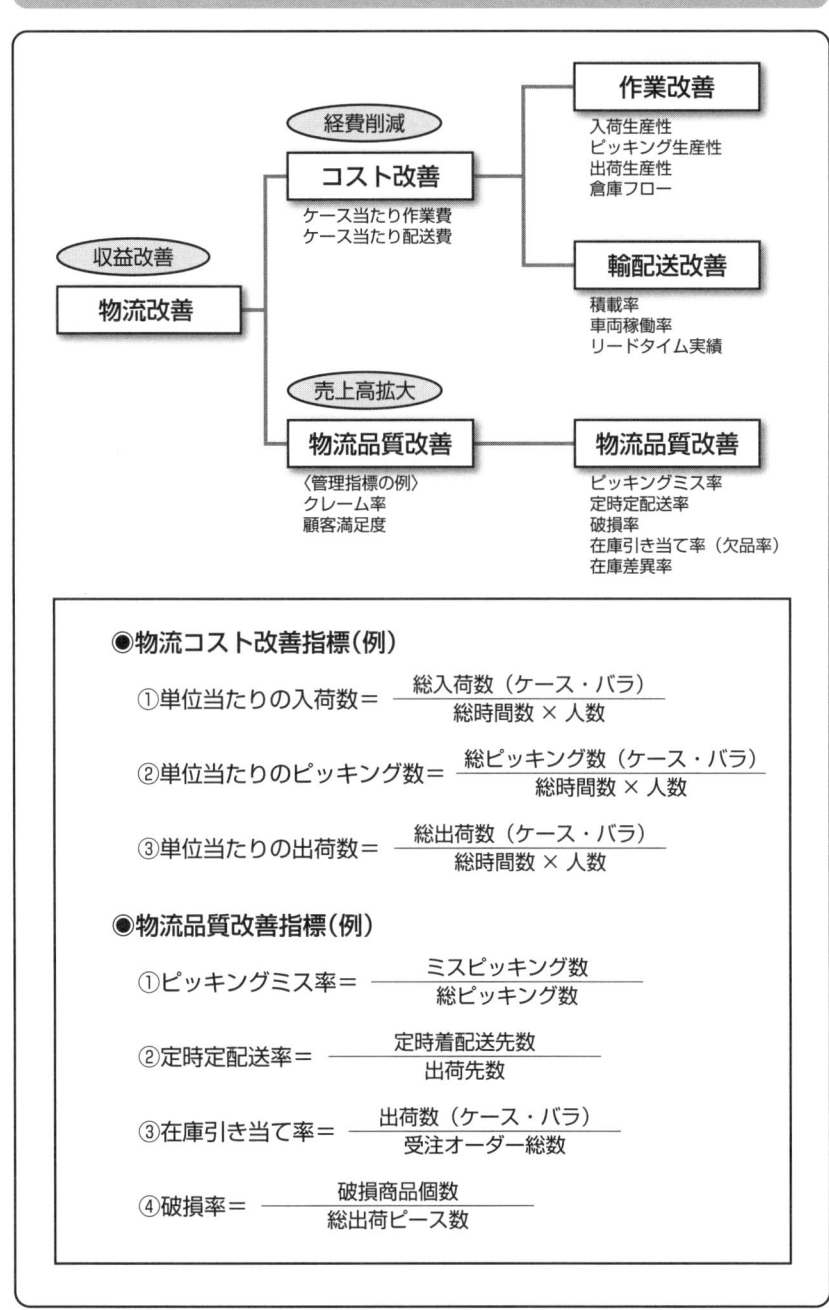

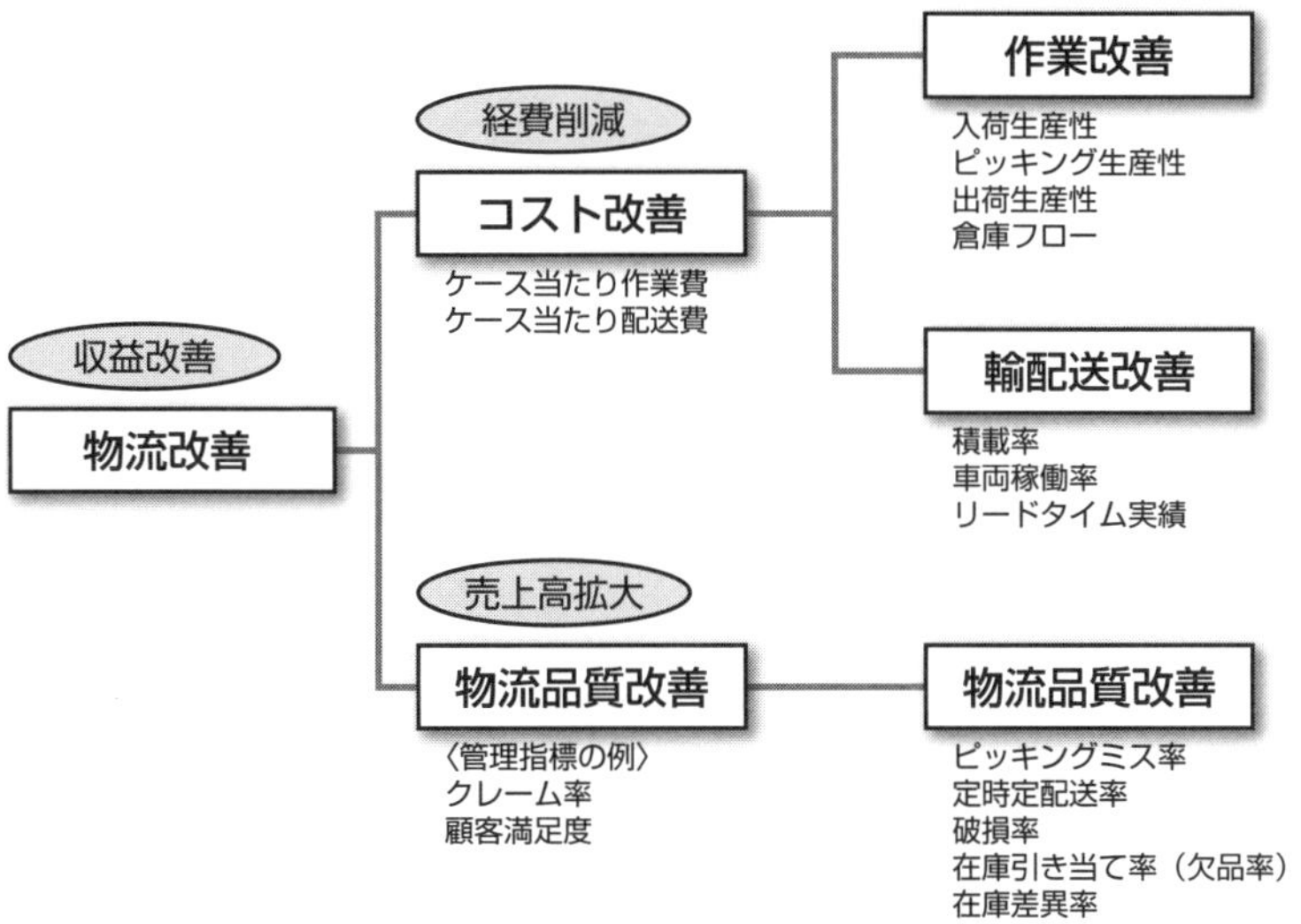
収益改善
物流改善
経費削減
コスト改善
ケース当たり作業費
ケース当たり配送費
作業改善
入荷生産性
ピッキング生産性
出荷生産性
倉庫フロー
輸配送改善
積載率
車両稼働率
リードタイム実績
売上高拡大
物流品質改善
〈管理指標の例〉
クレーム率
顧客満足度
物流品質改善
ピッキングミス率
定時定配送率
破損率
在庫引き当て率（欠品率）
在庫差異率

◉物流コスト改善指標（例）

①単位当たりの入荷数＝ $\dfrac{\text{総入荷数（ケース・バラ）}}{\text{総時間数} \times \text{人数}}$

②単位当たりのピッキング数＝ $\dfrac{\text{総ピッキング数（ケース・バラ）}}{\text{総時間数} \times \text{人数}}$

③単位当たりの出荷数＝ $\dfrac{\text{総出荷数（ケース・バラ）}}{\text{総時間数} \times \text{人数}}$

◉物流品質改善指標（例）

①ピッキングミス率＝ $\dfrac{\text{ミスピッキング数}}{\text{総ピッキング数}}$

②定時定配送率＝ $\dfrac{\text{定時着配送先数}}{\text{出荷先数}}$

③在庫引き当て率＝ $\dfrac{\text{出荷数（ケース・バラ）}}{\text{受注オーダー総数}}$

④破損率＝ $\dfrac{\text{破損商品個数}}{\text{総出荷ピース数}}$

58 物流ＫＰＩで問題点を明らかにする

❖物流ＫＰＩとは何か

ＫＰＩ（Key Performance Indicator）とは、重要業績評価指標のことです。前項で説明した物流管理指標は物流センターの改善を主眼としたものですが、ＫＰＩは自社の物流レベル全体を把握する目的で使われます。

物流センターの問題点を明らかにすることは、以前からデータ解析を行ない、「物流指標管理」「みえる化」などで実践されてきました。しかし最近は、より経営的な視点で、横断的に問題点を明らかにすることの重要性が高まり、物流ＫＰＩがクローズアップされてきました。ビジネスの視点から業務内容にムダや改善要素がないかどうか、常にモニタリングが可能なように定量化する指標です。モニタリングすることにより、常に目標に対するパフォーマンスレベル（達成度）が計れます。

❖物流ＫＰＩの各指標

物流ＫＰＩは物流業務のプロセスを監視・改善するための指標になります。コスト、生産性、品質、納期、在庫など物流を取り巻く諸問題が、受注、調達、物流センター、配送などのどの段階で発生しているのかを明らかにすることができます。

物流センターの収益向上、生産性アップ、顧客満足の向上といっても、何を示すかが具体的ではありません。そこで物流ＫＰＩを作成し、定量的に物流センターの状況を把握し、具体的な改善を実践していきます。

コストＫＰＩは作業ごとのコストを把握し、問題点を明らかにする指標、生産性ＫＰＩは作業の人時生産性を把握し、具体的な作業改善を行なうための指標、品質ＫＰＩは誤納率や事故率など物流品質のレベルを把握し、顧客サービスを向上させる指標です。

納期ＫＰＩは、受注から納品までのリードタイムを測定し、顧客満足を高める指標です。在庫ＫＰＩは在庫精度、適正在庫の状況を把握し、スペースのムダや顧客の要求度を把握する指標。環境ＫＰＩはCO_2削減など環境面にどの程度貢献しているかを表わす指標です。

こうして得られたＫＰＩ指標で、物流レベルを診断、他社比較などを通じて、改善していきます。

物流センターのKPI(重要業績評価指標)

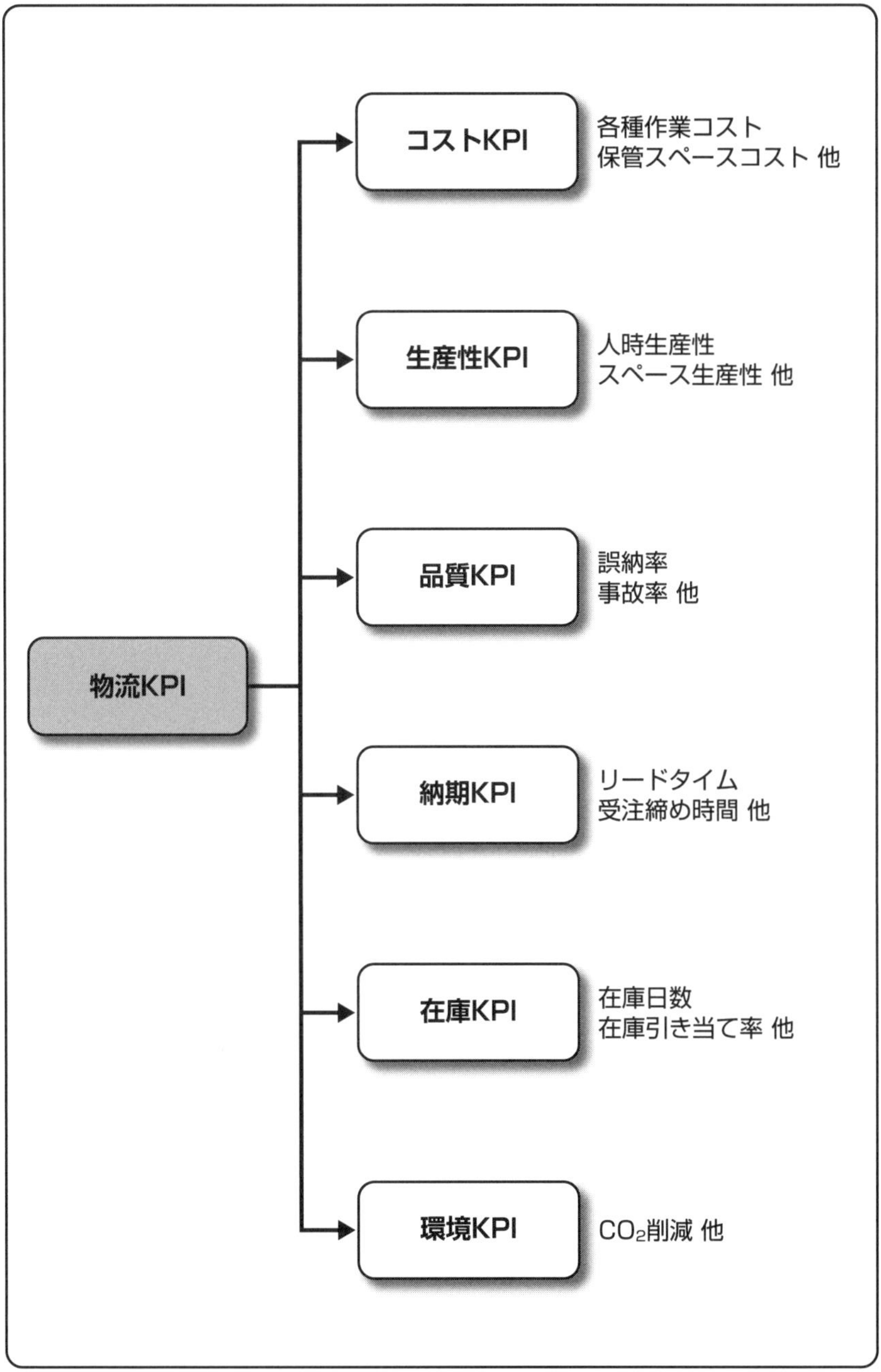
物流KPI
コストKPI
各種作業コスト
保管スペースコスト 他
生産性KPI
人時生産性
スペース生産性 他
品質KPI
誤納率
事故率 他
納期KPI
リードタイム
受注締め時間 他
在庫KPI
在庫日数
在庫引き当て率 他
環境KPI
CO_2削減 他

59 物流センターの「みえる化」

❖物流センターの「みえる化」の重要性

物流改善を行なったとしても、気を許すと、すぐにもとの非効率な状態に戻ってしまいます。重要なことは改善した姿を維持し、さらに一歩進んだ改善活動を続けることなのです。

それには物流センターの管理者だけでなく、働く人たち全員が、その重要性を理解していなくてはなりません。物流管理指標や物流ＫＰＩをいくら作成しても、一部の人しか知らなくては意味がありません。

そのために物流センターの状況を誰でもわかるように「みえる化」をすることが大切になってきます。全員が数値の意味を理解し、次のアクションにつなげていける体制を維持・構築することが重要なのです。

❖「みえる化」の狙い

物流センターで日々仕事をしている場合、今起きている現実が正しいのか（正常）、間違っているのか（異常）を正確に判断できません。「みえる化」はその正常、異常の判断を誰でもわかるようにしてくれます。

異常とは、①作業の進捗状況、②人の動き、③作業状況の結果、④モノの置場などが明確になっていないことです。その異常を全員に対してわかるように知らせる役目をはたすのが「みえる化」です。

誰でもすぐに異常に気づくことで、即座に対応策を講じることができます。それが狙いです。そういった意味では「みえる化」の「みる」は、「見る」ではなく「視る」ということができるでしょう。

❖「みえる化」の例

進捗状況の「みえる化」は、作業の進み具合を誰でもわかるようにした管理数値です。進捗状況を定量的に把握することで、人の投入バランスの調整が可能になり、ムダな作業費の削減や納期遵守にも役に立ちます。

生産性やミス率などの管理状況の「みえる化」では、目標に対しての達成度がすぐにわかるようになります。レベルを把握することで、達成に向けた具体的な改善策が講じられます。商品置場などを明示する「みえる化」では、その配置が正常か異常か誰でも判断できます。

物流センターの「みえる化」の例

◉進捗状況のみえる化（進捗管理ボード）

作業VOL	15,000点	人員	12名	作業終了予定	17：00

リスト枚数	進捗状況			
	11：00	12：30	14：30	16：00
500 枚	150 枚	260 枚	350 枚	450 枚
	30 %	52 %	70 %	90 %

◉管理状況のみえる化（日々管理ボード）

昨日の物量	25,000ピース
本日の物量	28,500ピース

目標生産性 75.0ピース/MH	目標ミス率 1万分の1/0.01%以下
昨日生産性 73.0ピース/MH	昨日ミス率 2ピース/0.008%
本日生産性 74.0ピース/MH	本日ミス率 10ピース/0.035%

◉置場のみえる化（区画線引き）

60 物流改善の実際例

❖物流改善前のピッキング作業

物流センターの中でもっとも人時を費やしているのがピッキング業務です。全体作業の約50％を占めます。併せてピッキング業務は、絶対にミスが許されません。ピッキング業務のあり方は物流センターのよし悪しを左右し、収支に影響を及ぼします。

左ページの表はピッキング作業の改善を行なった例です。既存のピッキング作業の工程分析で、フローを表わしています。現在のピッキング作業はＢＣ（バーコード）シール読み込みからはじまって、カゴ車移動まで10の工程で成り立っています。

各工程は付加価値を生む本来の作業である「主体作業」、主体作業を行なう上で必要な「付帯作業」、限りなく少なくしたい動作である「歩行・移動」、何ら意味のないムダな「アイドリング」に分類しています。

作業構成をよく見てみると、本当にピッキングを行なっている時間は全体の24・2％しかありません。その他は、ピッキングをするために必要な関連作業（付帯作業）の「ＢＣシール読み込み」「製造コンテナ準備」、歩行や移動で、何の動きもしていない待ち時間も8・1％あります。

❖物流改善の内容と効果

現状の作業を素早く行なうことは改善の切り口ではありません。いくら動作を俊敏に、歩行を速くしても、方法論自体が変わらなくては生産性の向上に限界があります。切り口は、何もしてない待ち時間に加え、歩行の時間や探している時間を少しでも減らせないか、です。次にピッキングの準備作業を少なくできないかと考えていくのがセオリーです。それには当然、ピッキングのしくみや作業方法の変更を検討しなくてはなりません。

改善前はケース、ピースと別々にピッキングしていました。それを改善後は、両方を一緒にピッキングするようにしました。結果は全アイテムを同時にピッキングすることで、仕分作業は増加したものの、ピース品の一次仕分作業がなくなったことで、全体人時は26・1時間から17・1時間に削減されました。

ピッキング作業の改善例

●工程分析

	カテゴリー	作業工程	ワークサンプリング	
			計測回数	%
1	付帯作業	BCシール読み込み	31	3.1
2	付帯作業	製造コンテナ準備	27	2.7
3	主体作業	ピッキング	239	24.2
4	付帯作業	完了釦押下	75	7.6
5	付帯作業	コンテナ整理	156	15.8
6	歩行･移動	移動	192	19.4
7	付帯作業	在庫整理	13	1.3
8	アイドリング	待ち	80	8.1
9	付帯作業	コンテナカゴ車積み	55	5.6
10	歩行･移動	カゴ車移動	121	12.2

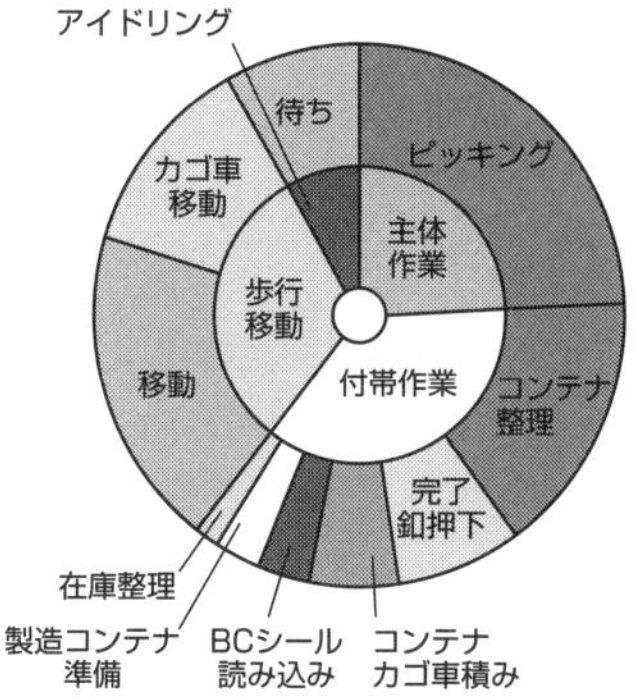

◉改善前と改善後の比較

冷凍品仕分業務				改善前		改善後		効果		備考
					人時		人時		人時	
1001	DPS仕分（小物）	01	準備（冷凍小物）	○	1.2	○	1.2	→	0.0	
		02	一次ピック（中2階）	○	1.7	○	1.2	DOWN	−0.5	バッチが集約される分削減
		03	一次ピック（1ゾーン）	○	1.7	○	1.2	DOWN	−0.5	バッチが集約される分削減
		04	棚入れ	○	3.3	×	0.0	0	−3.3	DAS集約のため廃止
		05	仕分け	○	4.3	×	0.0	0	−4.3	DAS集約のため廃止
		06	カゴ車積み	○	1.8	×	0.0	0	−1.8	DAS集約のため廃止
		07	検品	○	2.7	○	0.9	DOWN	−1.8	精度向上のため、削減可
1002	DAS仕分（ケース）	01	準備（冷凍ケース）	○	1.5	○	1.5	→	0.0	
		02	一次ピック（8ゾーン）	○	1.0	○	0.7	DOWN	−0.3	バッチが集約される分削減
		03	一次ピック（移動ラック）	○	1.3	○	0.9	DOWN	−0.4	バッチが集約される分削減
		04	仕分け	○	2.0	○	6.3	UP	4.3	全アイテム仕分けのため増加
		05	カゴ車搬出	○	1.7	○	1.7	→	0.0	
1004	積み合せ	01	積み合せ（小物+シールピック）	○	1.0	○	1.0	→	0.0	
		02	積み合せ（小物･シール+ケース）	○	0.3	×	0.0	0	−0.3	精度向上のため、削減可
		03	検品	○	0.3	○	0.2	DOWN	−0.1	
		04	格納	○	0.3	○	0.3	→	0.0	
合計					26.1		17.1		−9.0	

削減　廃止　増加

7章

物流センターと在庫管理

61 実在庫・理論在庫とは

❖在庫とは

工場には、原材料や仕掛品、出荷待ちをしている商品などがあります。卸や小売りの物流センターには、販売のために仕入れた商品が保管されています。こうした原材料や仕掛品や商品など、生産や販売のために一時的に備えておくものを「在庫」といいます。

在庫は、量と金額の二通りの表わし方があります。物流センターにおける入出庫や保管の際には、商品Aを1ケース、商品Bを2個など、在庫を量で捉えます。一方、経営や経理部門では在庫を金額で把握します。これは、物流部門は作業上の観点から、経営や経理部門は資産価値の観点から在庫を捉えているからです。

在庫を金額で捉える場合、「単価×数量」で求めます。単価は左ページのように、いくつかの算出方法があります。数量は、棚卸による実際の在庫数を使用します。

❖実在庫と理論在庫

棚卸とは、情報と現物の一致を図るための作業です。前期末の在庫高情報、入庫情報、出庫情報から、現在の在庫数を算出することができます。このように情報から求められた在庫数を「理論在庫（帳簿在庫）」といいます。

しかし、データの入力ミスやスキャンミス、盗難や紛失などにより、「理論在庫」は「実在庫」（実際の在庫数）と必ずしも一致しません。たとえば理論在庫は10ケースなのに、実際には在庫がないというようなことです。

実在庫と理論在庫が一致しないと、さまざまな影響が生じます。たとえば、理論在庫をもとにシステムが自動的に発注する場合を考えてみましょう。理論在庫が5ケースになったら自動発注するとします。実際には在庫がないにもかかわらず、理論在庫は10ケースあると見なされると自動発注されないので、川下の企業から1ケースでも受注があったら、欠品になってしまいます。

そこで、現物を実際に調べる棚卸が大切になります。理論在庫と実在庫が異なる場合、原因を調査する必要があります。棚卸の方法には、期末などに全品目の棚卸を一斉に行なう「一斉棚卸」と、範囲を限定して時期をずらしながら行なう「循環棚卸」があります。

在庫金額の求め方

単価
×
数量
=
在庫金額

1．単価

単価の求め方：原価法と低価法がある

①**原価法**（仕入れ時の原価で評価する方法）

個別法、先入れ先出し法、後入れ先出し法、移動平均法、総平均法、売価還元法がある

②**低価法**（仕入れ時の原価と時価の低いほうの価格で評価する方法）

2．数量

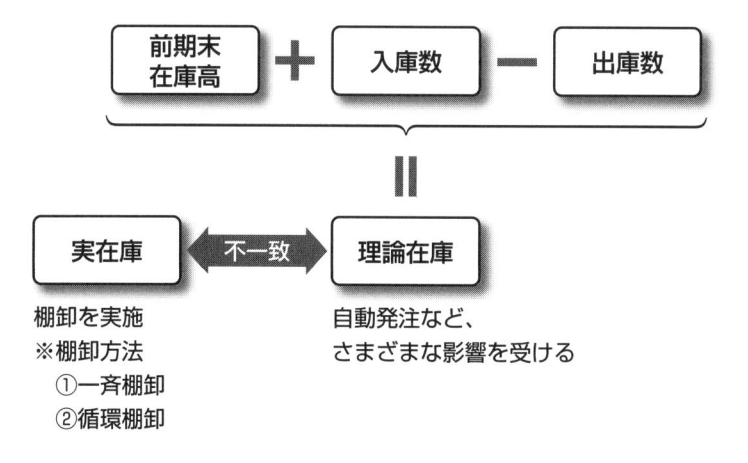

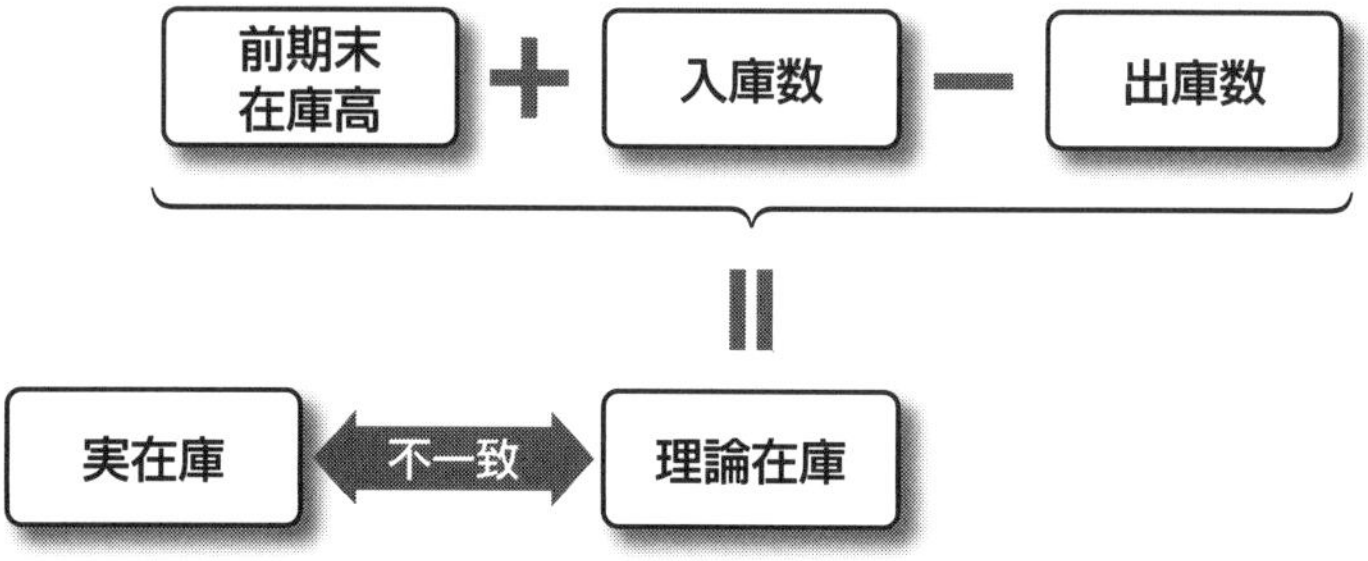
前期末
在庫高
+
入庫数
−
出庫数
=
実在庫
不一致
理論在庫

棚卸を実施

※棚卸方法

①一斉棚卸

②循環棚卸

自動発注など、

さまざまな影響を受ける

62 在庫視点の経営とは

❖在庫と財務諸表

企業は手許資金を用いて、原材料や部品、商品などを購入します。そして何らかの価値を付加した上で販売し、売上げを計上します。売上げから原材料費や人件費、広告費などの費用を差し引いたものが利益です。利益が生じると手許資金が増えます。企業は、これを元手に再び部品や商品を購入し利益をあげていきます。

ところで、在庫は保管されたままの状態では利益を生みません。また、手許資金も仕入れに費やしたままなので、減少した状態です。これを「資金が寝ている」と表現します。手許資金は、仕入れ→在庫→販売→利益→仕入れ→在庫→販売→利益…というように在庫が回転することで増加していくのです。

❖在庫と経営指標（ＲＯＡ）

企業は一般的に「売上高」や「シェア」といった「量（絶対額）」を表わす指標で自社を評価していますが、これだけでは薄利多売や採算を度外視した値引きなどにつながり、企業の収益力の悪化をもたらします。そこで、「営業利益」「経常利益」といった「利益」も捉えます。

しかし利益追求も度がすぎると、必要以上のコスト削減につながり、顧客離れや従業員の士気にも悪影響を与えかねません。そこで企業の経営者は損益計算書に関する指標に加え、貸借対照表の指標にも注意を向けます。それが「事業の効率性」です。これは、事業に投下した資本に対して、どれだけの利益をあげたかを判断する指標です。「ＲＯＡ」「ＲＯＥ」「ＲＯＩ」「ＲＯＩＣ」など、さまざまな指標があります。

ここでは在庫と「ＲＯＡ」の関係を考えてみます。ＲＯＡ（総資本利益率：Return on Asset）とは、企業が事業に使用する総資本（負債と株主資本の合計）に対してどのくらいの利益をあげているかを示す指標です。ＲＯＡは利益を総資本で割った値で、利益が一定ならば総資本を減らせばＲＯＡは向上します。貸借対照表上で「資産」は総資本と裏表の関係です。つまり「資産」を圧縮すればＲＯＡは向上します。そのため資産の一項目である在庫を、適切な量まで減らすことが重要になります。

在庫に着目した経営指標

◉在庫の回転とは？

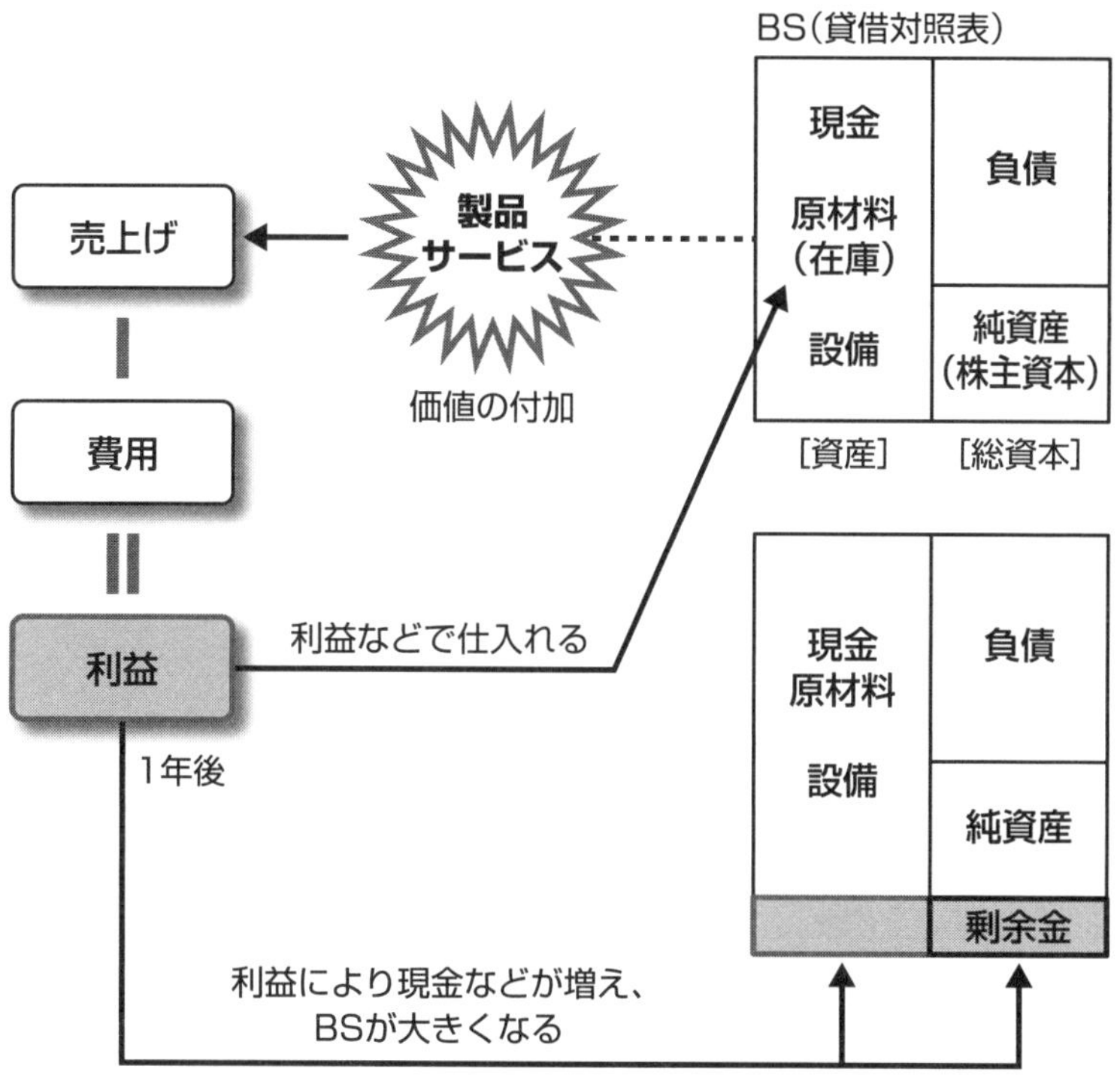
BS(貸借対照表)
現金
原材料
(在庫)
設備
負債
純資産
(株主資本)
[資産]
[総資本]
製品
サービス
価値の付加
売上げ
費用
利益
利益などで仕入れる
1年後
現金
原材料
設備
負債
純資産
剰余金
利益により現金などが増え、
BSが大きくなる

◉在庫とROA

$$ROA=\frac{利益}{総資本}$$

ROAをあげるには　利益↑　総資本↓

$$=\frac{利益}{売上高}\times\frac{売上高}{総資本}$$

総資本回転率
…仕入れ、在庫、販売
の回転を速くすること

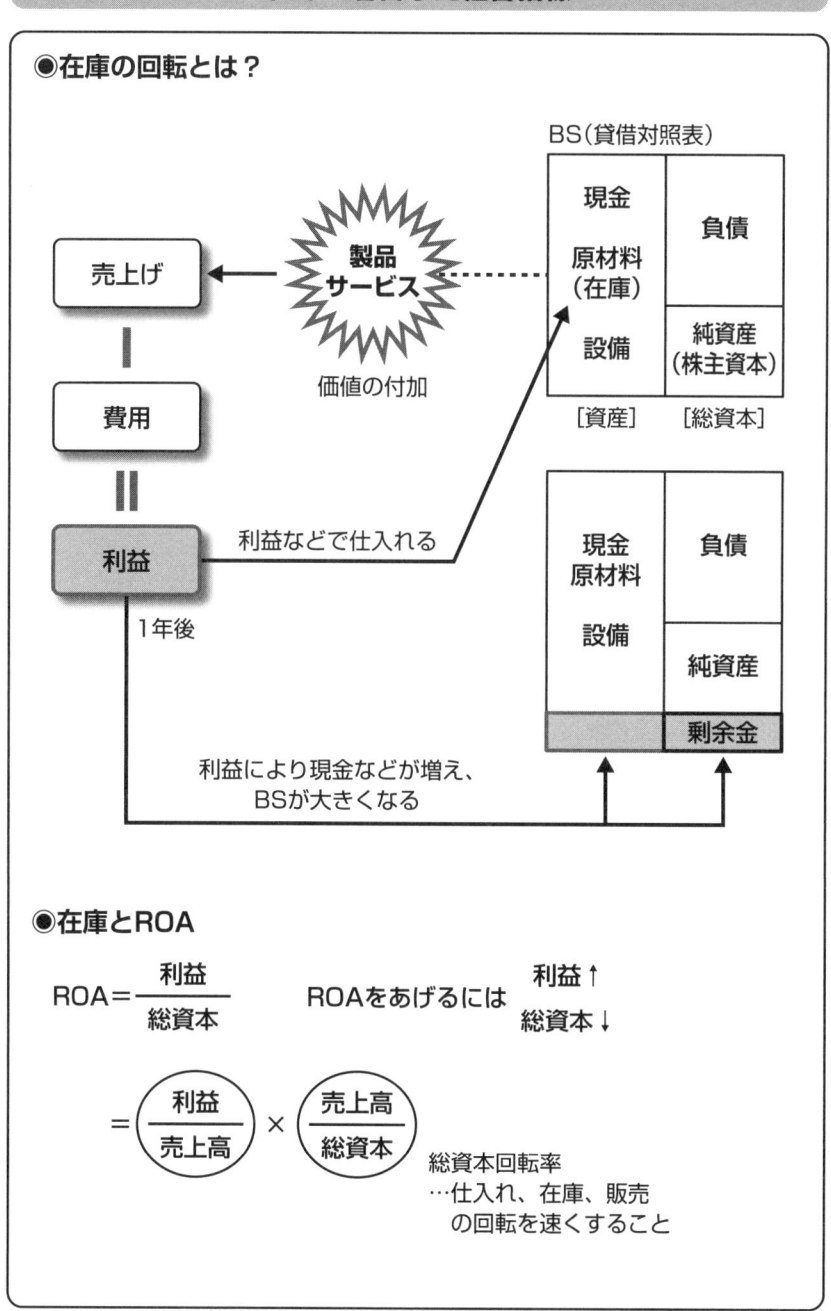

63 在庫関連指標の求め方

❖在庫とキャッシュフロー

在庫にかかるコストは、在庫そのものと保管に関わるものの二つがあります。在庫には資金を寝かせている側面もあるので、キャッシュフローの観点からは在庫の回転を速めて、資金が寝ている時間を短くすることが重要です。また在庫の保管においては、在庫スペースの費用、管理にかかる費用などが発生します。

以上のことから、在庫はなるべく必要な量だけを保有して、回転を速めることが大切だといえます。また、取扱品目についても定期的に整理し、回転が遅く重要度の低い商品の入れ替えをすることも必要です。

❖在庫指標とキャッシュフロー

在庫量を判断する指標として、在庫回転率があります。在庫回転率とは、一定期間における在庫回転数のことで、ある一定期間の出荷金額を同期間中の平均在庫金額で割って求めます。平均在庫金額は、簡便的に、期首在庫金額と期末在庫金額の合計を2で割って求めます。在庫回転率の数値が大きい（「在庫回転率が高い」と表現する）ことは、入庫から出庫までの期間が短く、資金を短期間で回収できることを意味します。

在庫回転率は、経営指標として物流センター全体で考えることも、個別戦略として商品ごとに捉えることもあります。たとえば商品ごとに在庫回転率を捉える場合、在庫回転率が低いとキャッシュフローが効率的とはいえません。しかし、メーカー側の品切れが予想され、再注文がむずかしいためにあえて在庫を多く保有するなど政策的な面もあります。したがって、数値を判断する場合には個別の事情も勘案する必要があります。

在庫回転率と裏表の関係にある指標として「在庫回転日数」があります。これは現在の在庫が何日分の出荷額に相当するかを示す値で、在庫回転率を使用して算出します。一定期間を1年として在庫回転率を求めた場合には、３６５日を在庫回転率で割ります。月の場合には、３６５日の部分を月の日数（30日、31日）にして求めます。在庫回転率も在庫回転日数も、時系列での比較や競合他社との比較により評価をすることが大切です。

在庫回転率と在庫回転日数の求め方

◉在庫回転率 $= \dfrac{\text{一定期間の出荷額}}{\text{平均在庫金額}}$

在庫回転率とは、一定期間内の在庫回転のスピードで、
これが高いと資金が効率的に回っていることを示す

◉在庫回転日数 $= \dfrac{365}{\text{在庫回転率}}$

在庫回転率を月で求めた場合には、365日を月の日数
にして求める

（例題）

出荷金額	1億円
期首在庫金額	1000万円
期末在庫金額	3000万円　とするとき、

①在庫回転率は、

$$\frac{\text{1億円}}{(\text{1000万円}+\text{3000万円})\div 2} = \text{5回転}$$

②在庫回転日数は、

$$\frac{\text{365日}}{\text{5回転}} = \text{73日}$$

64 サプライチェーンと在庫管理

サプライチェーンにおける在庫

在庫は、サプライチェーンの各段階で存在しています。この各段階において、企業は自社にとって適切な在庫管理をしていますが、サプライチェーン全体では必ずしも適切な状況とはいえないことがあります。それは川上の企業は消費者の動向を入手しにくいため、流通段階における直前の業態からの受注量を基に在庫水準を決めていることに起因します。小売りは欠品を避けようとして卸に対して多めに発注し、卸はその上振れした発注量を真の需要動向として捉え、しかもメーカーに対して安全を見てより多めの発注をします。メーカーは余裕を見てさらに多めの生産をし、その結果としてサプライチェーン内で余分な在庫が発生してしまいます。

この現象を「ブルウィップ効果」といいます。これは、小売業が捉えている最終消費者の需要の変化が、川上の企業に正しく伝達されていないことで生じます。したがって、川上の企業が川下の需要動向に関わる情報を共有することが大切といえます。

サプライチェーンにおける在庫削減のために

商品があるしくみにより、自動的に連続して補充される概念をＣＲＰ（Continuous Replenishment Program）、日本語では「連続補充方式」といいます。たとえば、メーカーが卸や小売業の専用センターの在庫量や販売動向の情報を共有し、メーカー自身の判断で商品を適宜納入していくものがこれに当たります。メーカーが日常的に卸や小売業の専用センターに出入りし、彼らと同じ情報を共有していれば、商品発注量の決定はメーカーでも可能であるとの発想に立っています。また多数のアイテムを管理している卸や小売りよりも、メーカーが自社商品について責任を持って管理することで、在庫削減や欠品率の向上が図れるという利点もあります。

この取り組みは、川上と川下の双方の企業にとってメリットがあります。メーカーは、共有した情報を基に生産計画や配送計画を立てられ、効率的な生産や輸送を行なうことができます。小売りは煩雑な発注作業から解放され、別の作業に注力することができます。

サプライチェーンの在庫管理の方法

◉サプライチェーンにおける在庫（ブルウィップ効果）

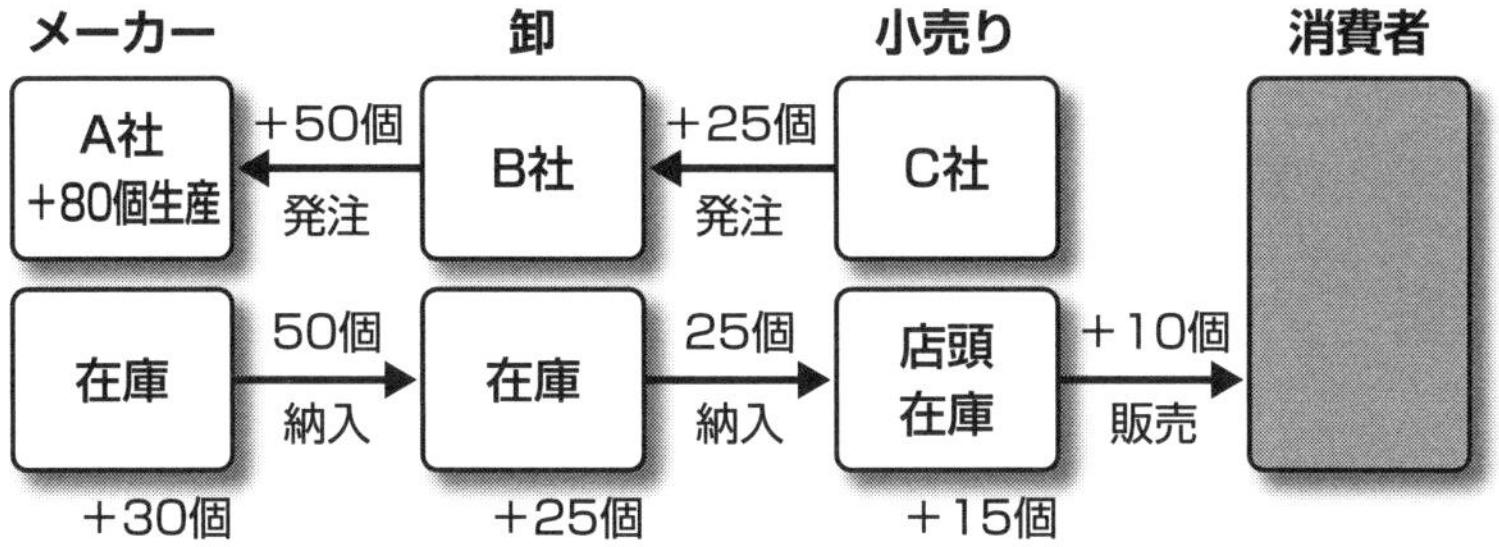
メーカー
卸
小売り
消費者
A社
+80個生産
+50個
発注
B社
+25個
発注
C社
在庫
50個
納入
在庫
25個
納入
店頭
在庫
+10個
販売
+30個
+25個
+15個

普段より10個余分に売れた場合、各段階で念を入れて余分に注文することで、サプライチェーンでは在庫が70（30+25+15）個増加する

◉CRPの考え方とは？

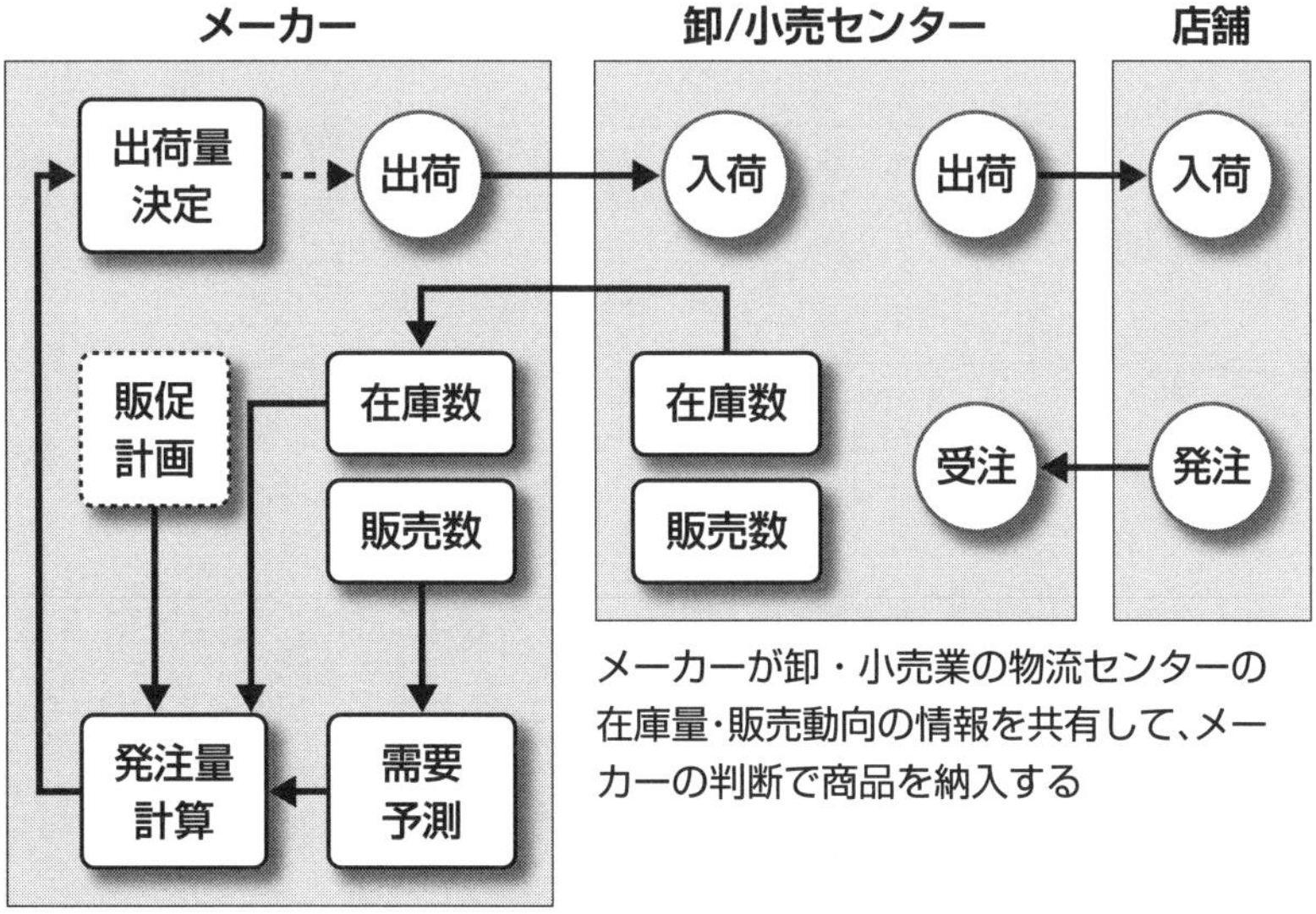
メーカー
卸/小売センター
店舗
出荷量
決定
出荷
入荷
出荷
入荷
販促
計画
在庫数
販売数
在庫数
販売数
受注
発注
発注量
計算
需要
予測

メーカーが卸・小売業の物流センターの在庫量・販売動向の情報を共有して、メーカーの判断で商品を納入する

65 「適正在庫」の考え方とは

❖在庫はなぜ増えるのか

ここでは在庫が増える理由を三つの視点でお話しします。

一つ目は、企業全体で在庫削減をめざしていても、各部門では在庫を抱えることが、自部門のコスト削減につながるためです。生産部門では、一度に大量生産をすれば生産コストが下がります。そのため必要以上に生産し、余った分は在庫となります。調達部門では、大量購入により仕入れコストが下がるので、余分に仕入れて余った分は在庫になります。物流部門では、トラックを満載にして輸送すれば輸送コストが下がります。そのため、輸送待ちの在庫が生じてしまいます。

二つ目は、商品の特性によるものです。新商品が日々誕生し取扱品目が増えると管理が煩雑になり、在庫が増加します。また商品のライフサイクルの短期化に伴い、流行遅れの商品はもはや売れない在庫になります。

三つ目は、販売機会の損失回避によるものです。卸は小売りからの受注に対し欠品すると、信頼を失ってしまいます。そのため販売機会のロスを恐れ、必要以上に在庫を持ってしまいます。

物流センターでは、放っておくと増えてしまうこうした在庫を、いかに適切に管理するかが大切になります。

❖適正在庫とは

では、在庫をどのくらいの量で管理すればいいのでしょうか。その一つに、「適正在庫」という考え方があります。前述のとおり、在庫を余分に持ちすぎるとキャッシュフローを圧迫します。かといって、少なくては受注に対して欠品し、顧客の信頼を失います。「適正在庫」とは、欠品も起こさず、多すぎることもない状態です。なお適正在庫を基準に、それよりも多すぎる在庫を「過剰在庫」、少なすぎる在庫を「過少在庫」といいます。

適正在庫は左の図のように、サイクル在庫と安全在庫から成り立ちます。サイクル在庫は、発注に変動がないと仮定した場合に、平均的に持つ在庫量です。安全在庫は、川上に商品を発注してから入荷するまでの間に、川下から受注があっても欠品しないように安全のために持つ在庫で、過去の受注動向から統計的に算出します。

適正在庫を求めるための考え方

◉発注に伴う変動がない場合

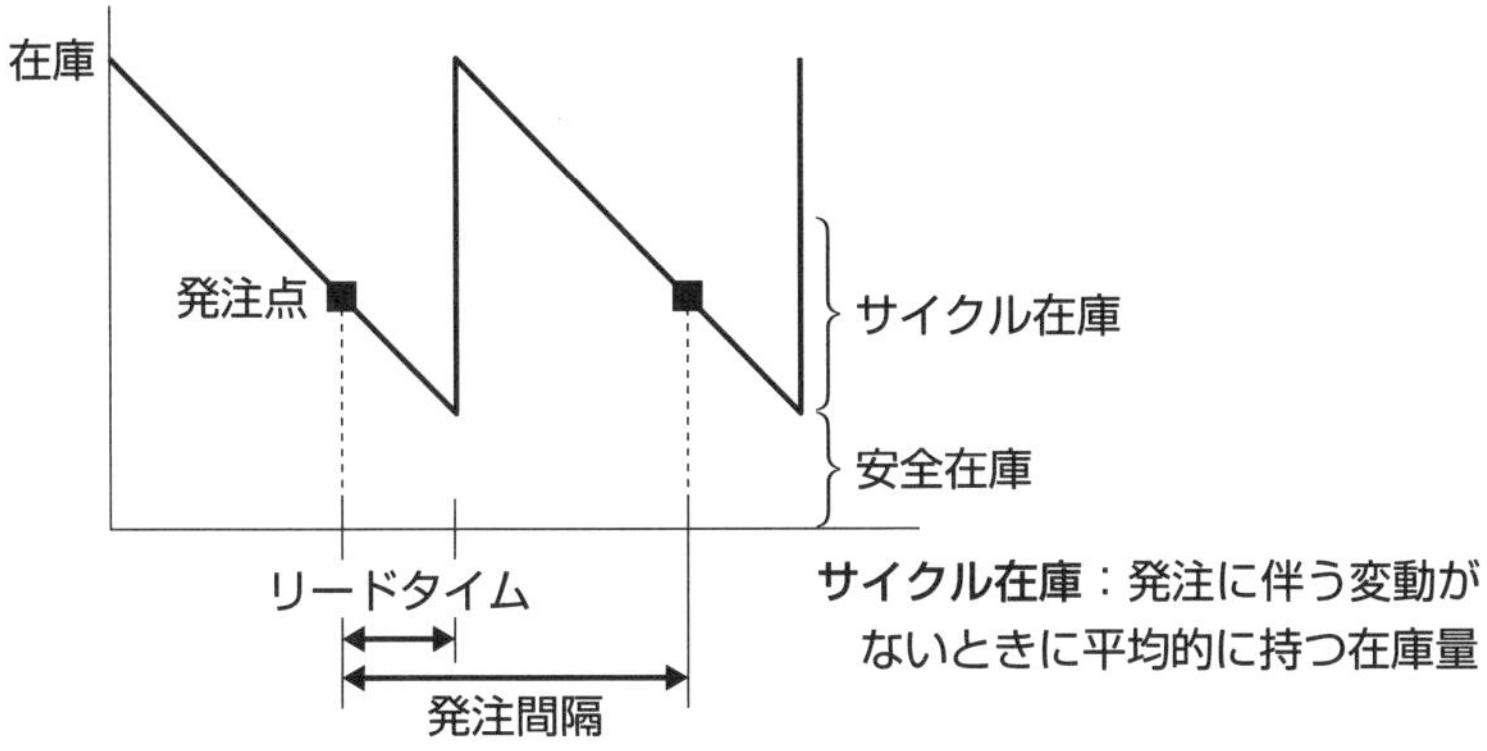
在庫
発注点
サイクル在庫
安全在庫
リードタイム
発注間隔
サイクル在庫：発注に伴う変動がないときに平均的に持つ在庫量

◉リードタイム（発注してから届くまで）に急に売れた場合

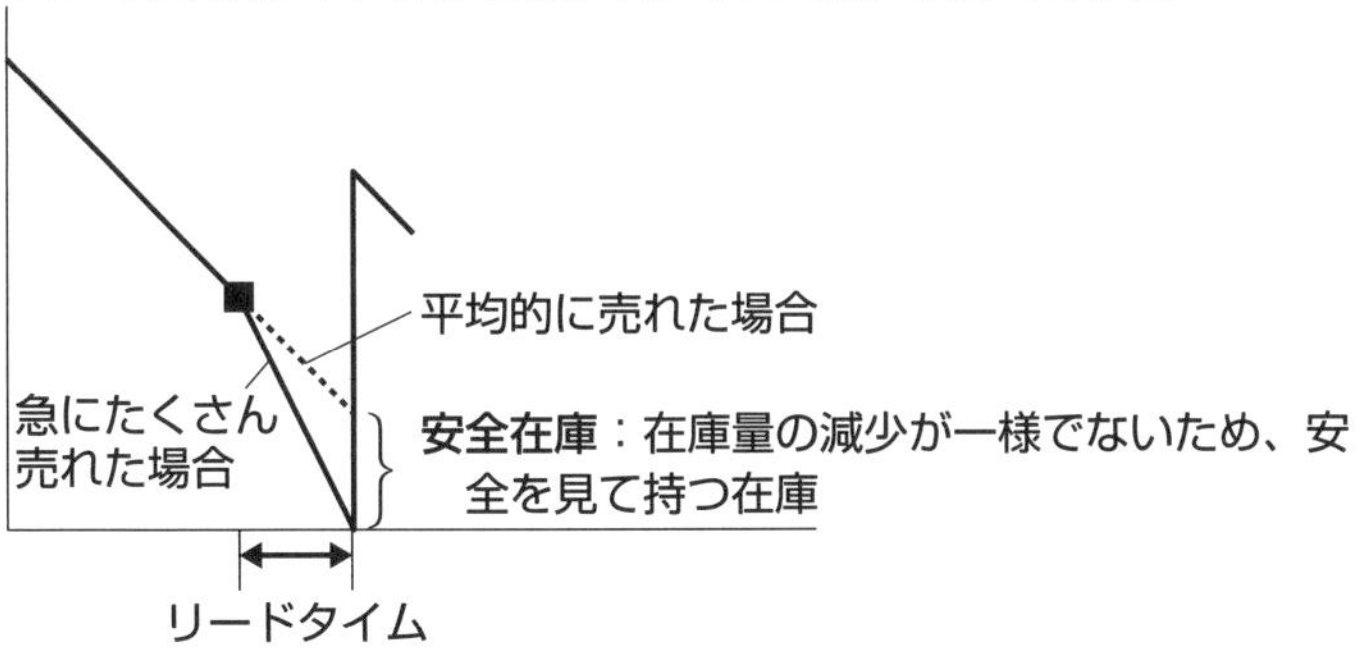
平均的に売れた場合
急にたくさん売れた場合
安全在庫：在庫量の減少が一様でないため、安全を見て持つ在庫
リードタイム

◉リードタイムにもっと急に売れた場合（欠品が生じる場合）

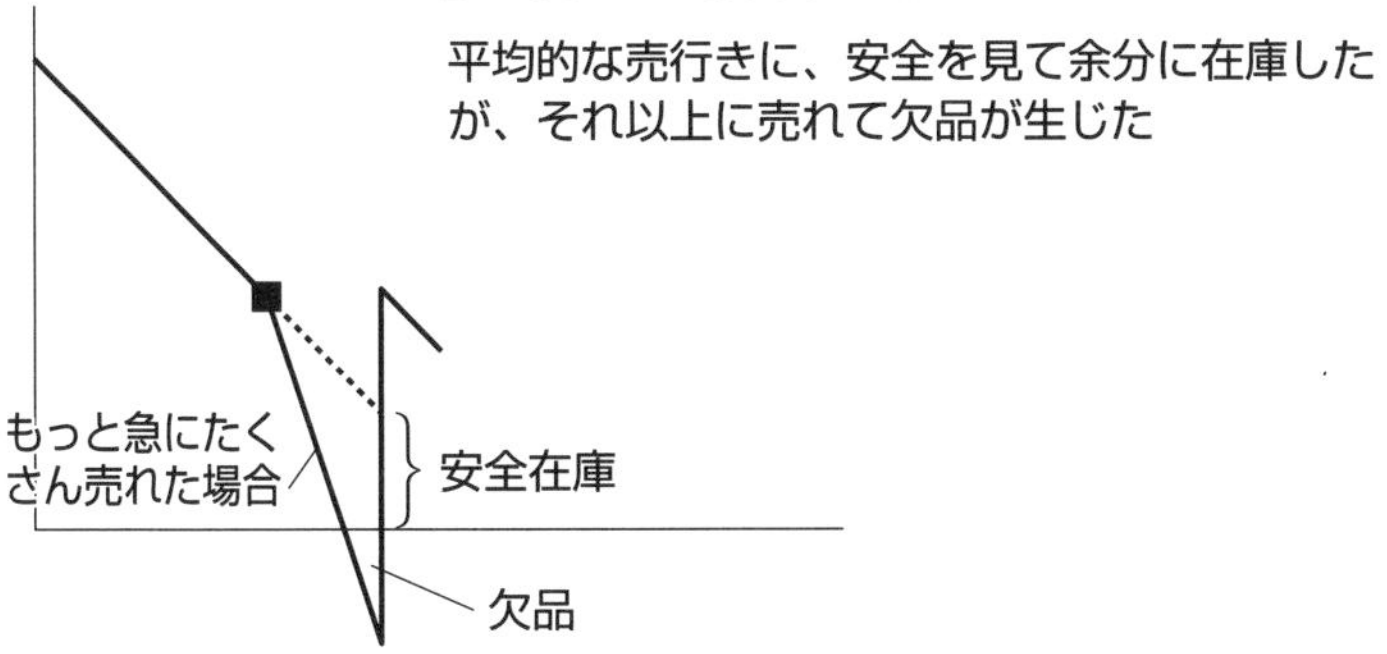
平均的な売行きに、安全を見て余分に在庫したが、それ以上に売れて欠品が生じた
もっと急にたくさん売れた場合
安全在庫
欠品

66 物流センターの在庫管理

❖適正在庫の把握と維持

「物流センターにおける在庫管理」とは、放っておくと増えてしまう在庫について、その適正在庫を把握し、維持するためのセンター運営といえます。

適正在庫の把握のしかたは前項のとおりですが、現実には、商品を安く仕入れることや品切れを起こさずに受注対応できるといったメリットを求め、適正在庫を多めに設定する物流センターが見られます。この場合、在庫増による資金負担、商品の陳腐化や死に筋商品の増加による在庫の価値低減が生じることがあります。

適正在庫の維持については、日々、正面から向き合う必要があります。それは、適正在庫になったからといって安心して管理を怠ると、在庫はすぐに増加してしまうからです。さらに商品の売行きの変化や、季節ごとに見られる売行きの特性（波動）により、適正在庫量は常に変化しています。絶えず変化する適正在庫量に対して、物流センターでの在庫管理をきちんと行なうことで、資金負担の増加や在庫の価値低減、加えて売れ筋商品の欠品の防止を図ることができます。

❖物流センターの在庫管理

物流センターの在庫管理を考える上で、在庫の何をどのような方法で管理するかが重要になります。つまり、在庫の何をという①管理面と、どのような方法（②運用面、③システム面）の三つの視点が大切になります。

まず管理面として、在庫のリアルタイムでの把握、在庫の品質維持（毀損や劣化の防止）、在庫の将来予測（売れ筋商品の欠品や死に筋商品の増加防止）が挙げられます。実在庫と理論在庫が一致していないと、システム上では商品が足りていても欠品になることもあります。また、傷んだ商品や賞味期限切れが起きている商品を出荷してしまうと、顧客に迷惑をかけてしまいます。

そのための運用面として、商品に合った適正な環境下での保管、ロケーション管理、棚卸、ＡＢＣ管理、日付管理、先入れ先出しなどの方法をとることが考えられます。システム面では、需要予測、自動発注、ＷＭＳ（１９０ページ参照）などがこれを下支えしています。

物流センターの在庫管理

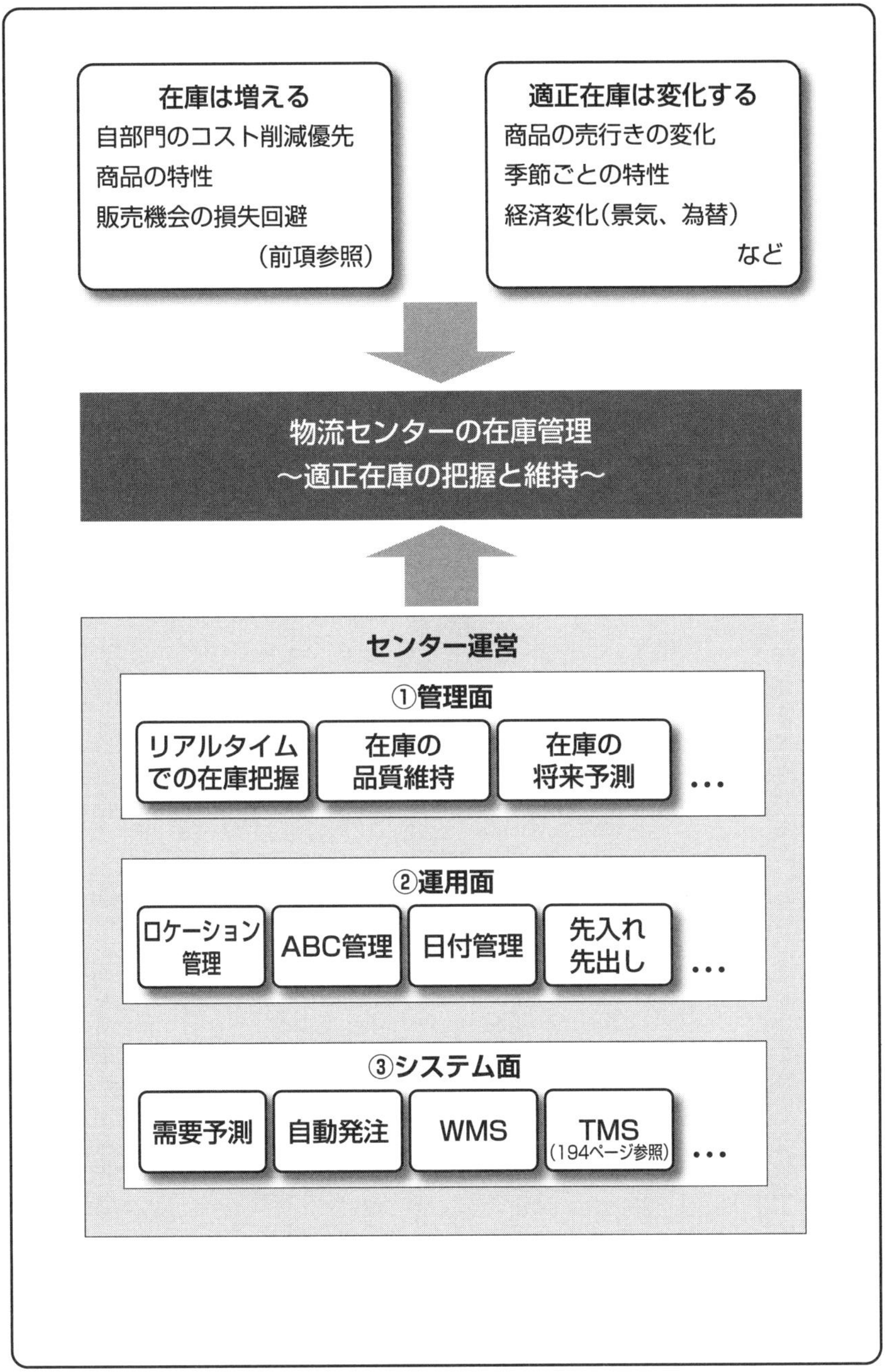
在庫は増える
自部門のコスト削減優先
商品の特性
販売機会の損失回避
（前項参照）
適正在庫は変化する
商品の売行きの変化
季節ごとの特性
経済変化（景気、為替）
など
物流センターの在庫管理
～適正在庫の把握と維持～
センター運営
①管理面
リアルタイムでの在庫把握
在庫の品質維持
在庫の将来予測
…
②運用面
ロケーション管理
ABC管理
日付管理
先入れ先出し
…
③システム面
需要予測
自動発注
WMS
TMS
（194ページ参照）
…

67 需要予測と自動発注の活用

❖適正在庫と需要予測

物流センターにおいて現在の在庫量をきちんと把握した上で、①商品がどれだけ売れるかが明確で、②それに見合う商品をタイミングよく仕入れられれば、適正在庫をより維持しやすくなります。そこで、まず需要予測の精度を高めることが重要になります。需要予測は通常、過去の販売データに統計的な手法を用いて将来の売行きを予測します。さらに天候データ、販売促進データ、自社商品の改廃情報などの商品データの要因も合わせて活用できれば、精緻に過去の傾向を捉え、より精度の高い予測が可能になります。また、リードタイムを短くすることで需要予測の精度を高めることができます。これにより、商品がどれだけ売れるかが明確になります。

しかし予測の精度を高めるためといって、需要予測システムやデータの入手に多大な費用や労力を費やすことは得策ではありません。企業にとって大切なのは、どの程度の誤差ならば有効な需要予測かの基準を持つことです。なぜなら需要予測の本質は、ある程度の誤差を受け入れながら、いかに在庫量を適正な水準に保ち、今後の経営に活かすか、にあるからです。

❖適正在庫と発注業務

需要予測の精度が高くても、タイミングよく仕入れられなければ（商品が川上から入ってこなければ）、川下からの受注に対して欠品してしまいます。したがって、商品の発注の「時期」と「量」の決定が重要になります。時期は「定期」か「不定期」か、量は「定量」か「不定量」かで左上表のように4つのマトリクスに分かれます。

しかし、人間がすべての取扱商品にこうした発注作業をするのは、大変な手間や労力を要します。そこで、コンピュータが発注を管理する「自動発注システム」を導入する企業も多く見られるようになりました。

ところで、適正在庫の維持の観点では、必要な量のみを発注することが望ましいことはいうまでもありません。しかし現実には、大口取引での割引が適用される場合や、流行品や季節品など、時期を逃すと発注しても入荷しにくい商品には、必要量を超えて発注することもあります。

適正在庫のための発注パターン

◉発注方式のパターン

		量	
		定量	不定量
時期	定期	①	②
	不定期	③	④

区分	内容	商品
①定期定量	定期的に一定の量を発注する	雑誌など
②定期不定量	定期的に必要な量を発注する	高額商品、A商品など
③不定期定量	ある一定量(発注点)になったら、一定の量を発注する	低額商品、BC商品など
④不定期不定量	需要に合わせて発注する	特売商品、季節商品など

◉発注方式のイメージ

定期不定量発注

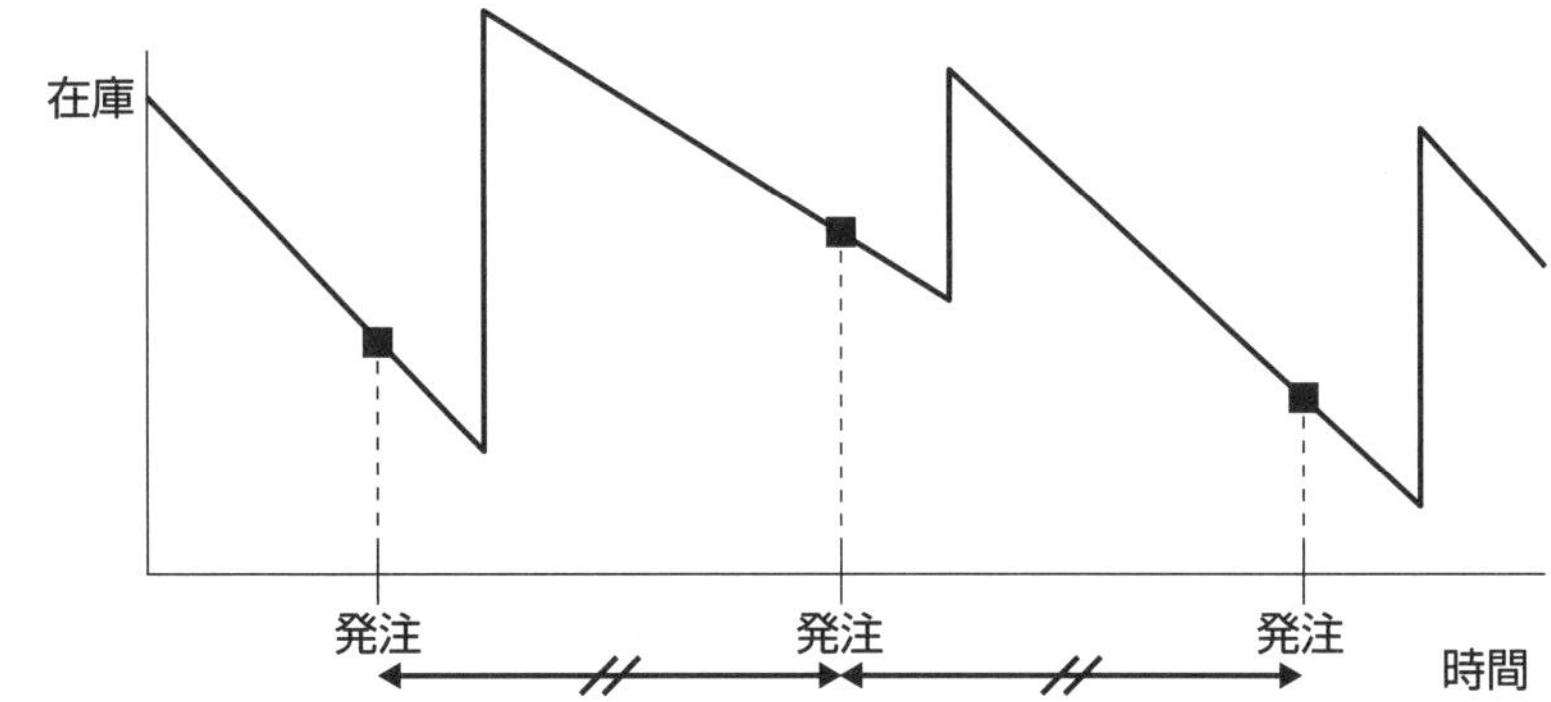

不定期定量発注

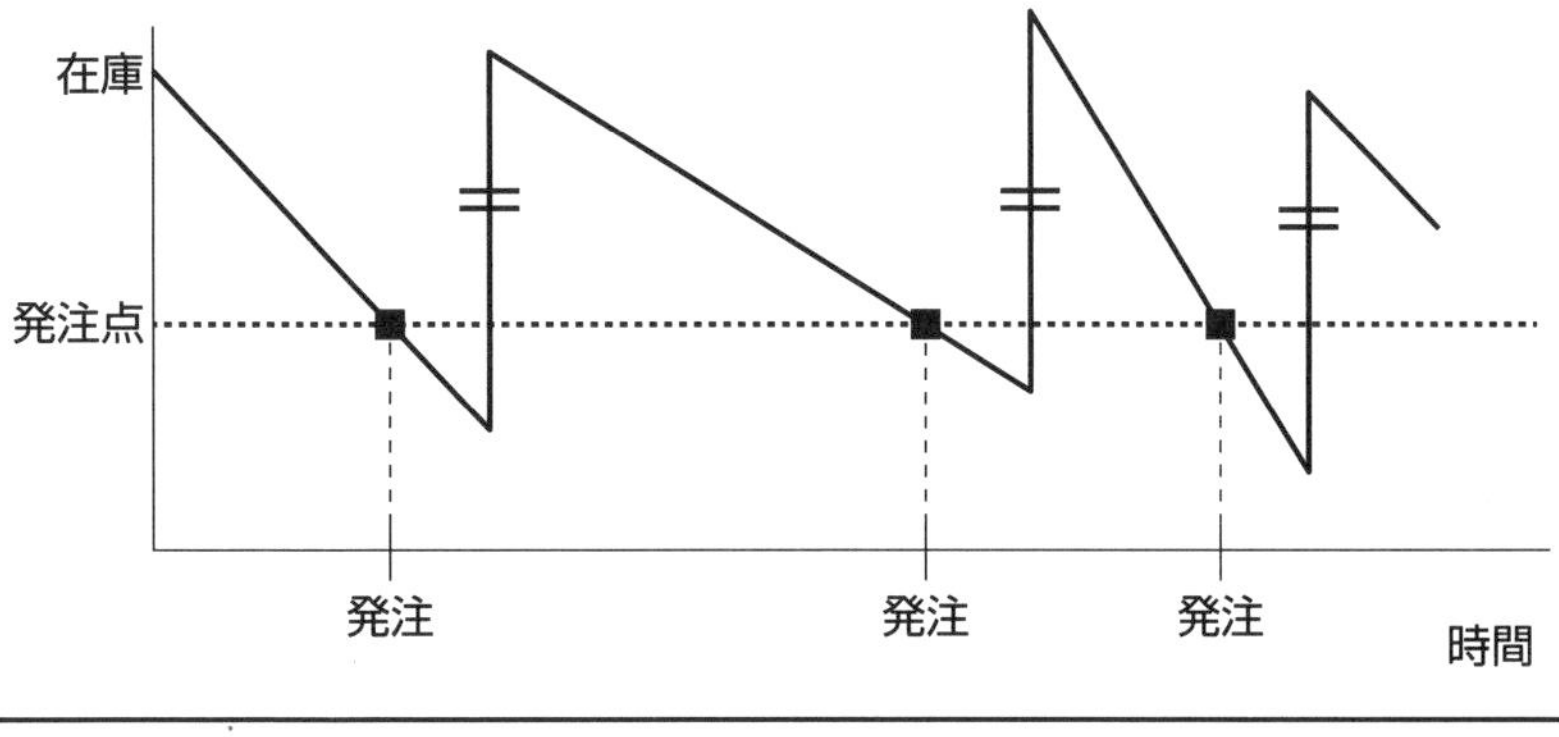

68 物流センターの在庫削減とABC分析の活用

❖物流センターと在庫削減

一般的に物流センターの在庫は○日分と表現します。月間の平均在庫数が10万ピースで、1日の平均出荷量が10万ピースなら1日分です。1万ピースなら10日分の在庫を抱えているということです。

物流センターに必要以上の在庫があると、余分な作業コストがかかります。また過剰在庫は経営効率も悪化させます。在庫日数は少ないに越したことはありません。

物流センターではアイテムごとに何日分の在庫を抱えているか調査します。中には欠品すれすれの在庫日数のものもあれば、年単位の在庫があるものもあります。これらを出荷特性に応じて、あるべき在庫日数に整えることが物流センターの在庫管理です。ただし、物流センターには数千から数万のアイテムが保管されています。そのすべてを単品別に管理することは容易ではありません。そこで物流センターでは、出荷ランク別にABC分析を行ない、出荷頻度の高い商品を中心に在庫マネジメントを実施します。

❖在庫削減とABC分析

ABC分析では、まず累積で出荷量の多いアイテム順に並べます。たとえば出荷量上位50％までの商品をS、80％までをA、90％までをB、96％までをC、それ以下をDとした場合、商品数ではSは5％程度、Aは約15％、Bは約20％、Cは約30％。Dは約30％になります。全体の20％のアイテムで80％の出荷量を占めています。

物流センターのスペースや作業料は総在庫量に比例するので、最終的には在庫全体の日数を削減しなくては効率化になりません。同じ在庫日数のS商品とD商品では、たとえ1日でも何倍も在庫量は異なります。

S商品は物流センターの中でもっとも出荷量が多いアイテムで、全納品先に毎日のように出荷されているイメージです。在庫日数はより少ないのが理想ですが、現実にはS商品でも必ずしも在庫日数が少ないとは限りません。仕入条件の関係で平均在庫日数を上回っていることもあります。そこでS商品やA商品のような出荷頻度の高いアイテムを中心に在庫削減に努めることが大切です。

物流センターのABC分析

◉ABC分析の行ない方

①商品ごとに出荷量を調べ、出荷量の多いアイテム順に並べる

②出荷量全体に占める、個々の商品の出荷量の割合を求める

上位50%の出荷量の商品を	S商品
上位51～80%の出荷量の商品を	A商品
上位81～90%の出荷量の商品を	B商品
上位91～96%の出荷量の商品を	C商品
それ以下を	D商品とする

（この割合は企業の考え方で異なる）

③縦軸に出荷量の割合（累積）、横軸に商品名（出荷量の順位）のグラフを作成する

例（簡便化のため、物流センターに10000アイテムあるとした場合）

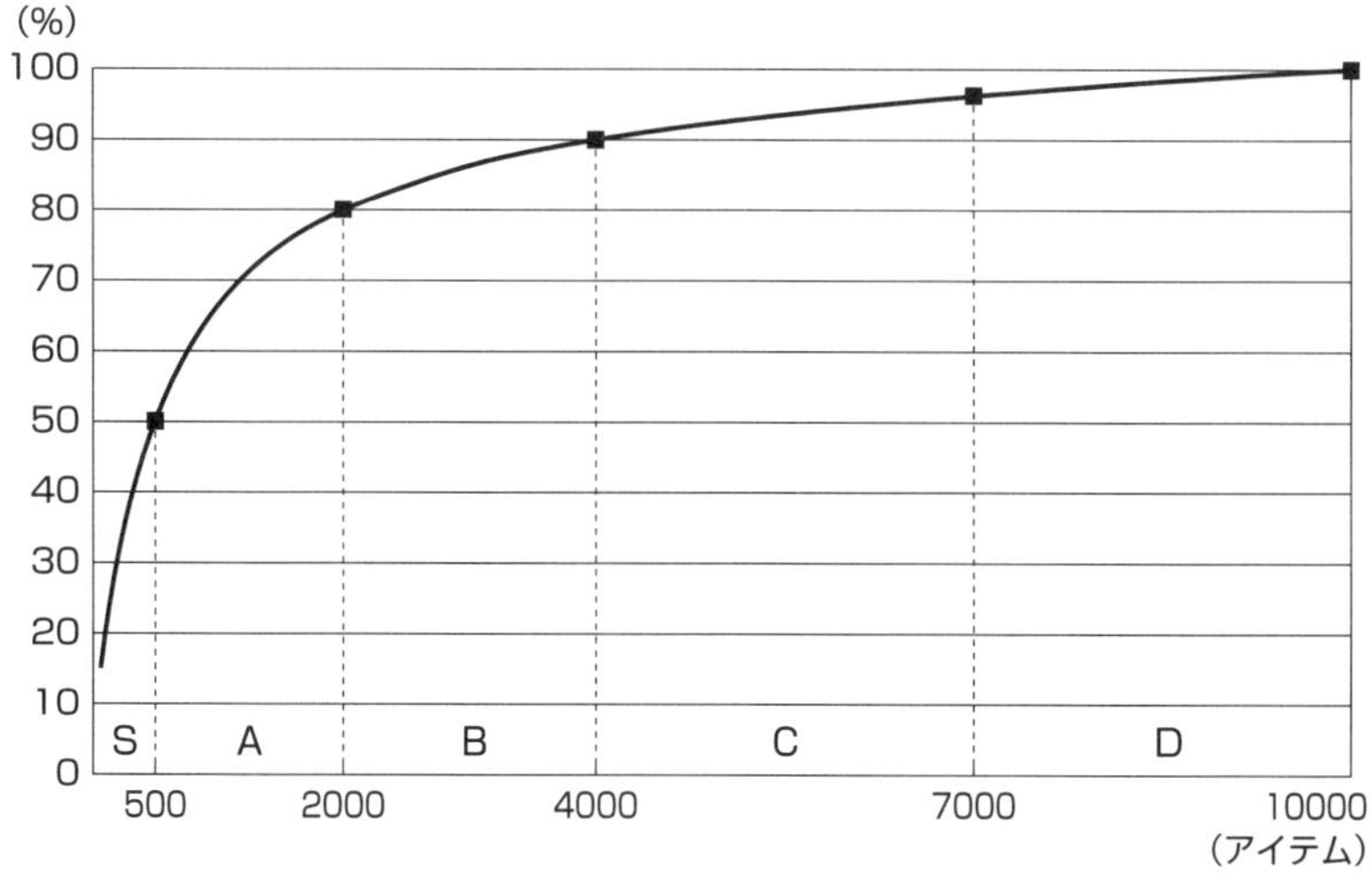

69 物流センターの在庫管理システム

❖在庫管理とWMS

物流センターにおける在庫管理は、適正在庫の把握と維持が鍵になります。物流センターの作業において、入出荷時のデータ入力間違いや誤出荷などは、理論在庫と実在庫が不一致となる原因になるからです。

そこでＷＭＳ（Warehouse Management System：倉庫管理システム）と呼ばれる、物流センターにおける入荷から出荷までの工程を総合的に管理するシステムを活用し、在庫の的確な把握をめざす企業が多く見られます。

❖在庫管理システム

ＷＭＳは、様々な管理機能を実現するためのシステムから成り立っています。ここでは、その中の在庫管理システムを見ていきましょう。

物流センターに入荷された商品は、検品後すみやかに格納されます。このときに在庫管理システムは入荷される商品の格納場所をあらかじめ登録して、ハンディターミナルなどで読み取った段階で格納場所を指示します。

次に顧客から受注を受けると、物流センターでは出荷作業に入ります。在庫管理システムには、在庫されている商品の入荷日、出荷期限、保管位置などの情報が登録されているので、先入れ先出しによってどの在庫を引き当てるかの出荷指示が出されます。

ところで在庫管理システムは、基幹システムと連携することで、効率的なセンター運営を行なうことができます。たとえば、入出荷により日々変動する在庫数を在庫管理システム側で捉え、これを基幹システムに返しています。物流センターでは、この確定された在庫数の情報を基に発注業務を行ないます。また、出荷・配送処理が行なわれた後に、出荷確定情報が基幹システムに返されるので、顧客への請求や売上処理にも活用されます。

その他の例として、在庫管理システムでは、在庫区分を定義することで、良品、出荷期限切れ、不良品などを管理しています。たとえば出荷期限が間近な商品を一覧表でリストアップする、出荷期限を過ぎてしまった商品の区分を不良品に変更するなど、適切な管理を行なえるようにしています。

物流センターの在庫管理システム

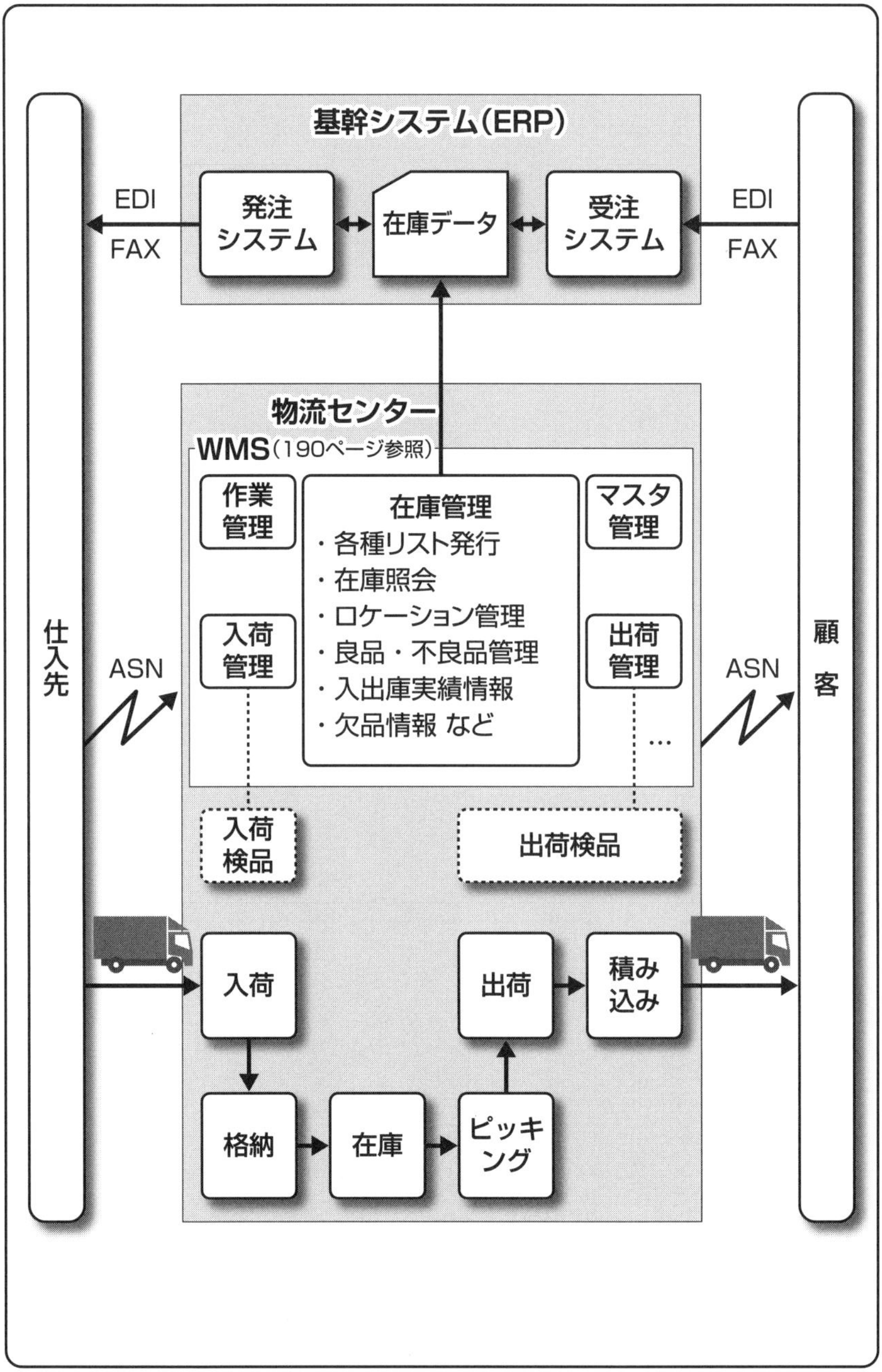
基幹システム(ERP)
EDI
FAX
発注
システム
在庫データ
受注
システム
EDI
FAX
物流センター
WMS(190ページ参照)
作業
管理
在庫管理
・各種リスト発行
・在庫照会
・ロケーション管理
・良品・不良品管理
・入出庫実績情報
・欠品情報 など
マスタ
管理
入荷
管理
出荷
管理
…
仕入先
ASN
ASN
顧客
入荷
検品
出荷検品
入荷
出荷
積み
込み
格納
在庫
ピッキ
ング

70 賞味期限管理の重要性とは

❖賞味期限管理の重要性

消費者は、賞味期限がより先のもの（製造日が最近のもの）を選ぶ傾向があります。そのため、物流センターが賞味期限が間近な商品を出荷すると、小売店では消費者からそうした商品の購入を敬遠されます。そのため、結果的に売れ残りを恐れるために価格を引き下げて売らざるを得ず、小売店の収益を圧迫することになります。

また物流センターから小売店に、たとえば昨日は賞味期限が4月8日のものを出荷したが、今日は4月1日のものを出荷したらどうなるでしょうか。こうした状況を「日付が逆転する」と表現します。小売店は日付を考慮して商品をバックヤードから店舗に陳列しているため、小売店の商品管理作業を複雑にして混乱が生じます。

つまり、物流センターでの日付管理がずさんだと、顧客に迷惑をかけ、信頼を失う恐れがあります。

❖入荷許容期限と先入れ先出しの徹底

入荷時の外箱のラベルやＩＴＦコードには、賞味期限の情報は入っていません。そのため物流センターでは、入荷時に商品の外箱に印字されている賞味期限の情報を、ハンディターミナルで入力し、その情報をコンピュータのマスターと照合します。

物流センターでは、商品の製造日と賞味期限をもとに、入荷許容期限と出荷許容期限を定めています。たとえば製造日から賞味期限までが１２０日の菓子があるとします。これに対し、入荷は3分の１（製造日から40日）まで、出荷は半分（同60日）まで許容するといった鮮度管理基準を設定します。そこで入荷許容期限を超えての入荷や、出荷許容期限を超えての出荷の場合には、ハンディターミナルでストップがかかるしくみが必要になります。出荷許容期限切れの商品は、システム在庫上の区分の「良品在庫」から「不良品在庫」に変更します。

また併せて、「先入れ先出し」のしくみも大切です。先入れ先出しとは、「先に入荷したものから先に出荷する」ことです。これにより、日付の逆転を避けることができます。このほか最近は、トレーサビリティ（履歴管理）も賞味期限管理に関わる重要な話題となっています。

賞味期限管理の方法

◉入荷許容期限と出荷許容期限

菓子の事例

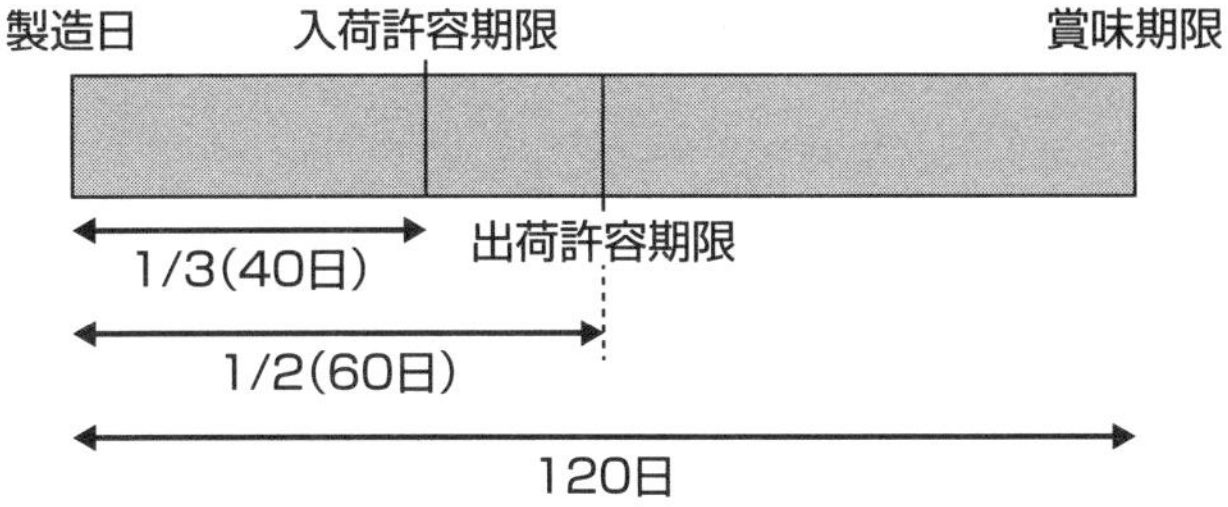
製造日
入荷許容期限
賞味期限
出荷許容期限
1/3(40日)
1/2(60日)
120日

◉先入れ先出し

11月21日現在の在庫(110ケース)

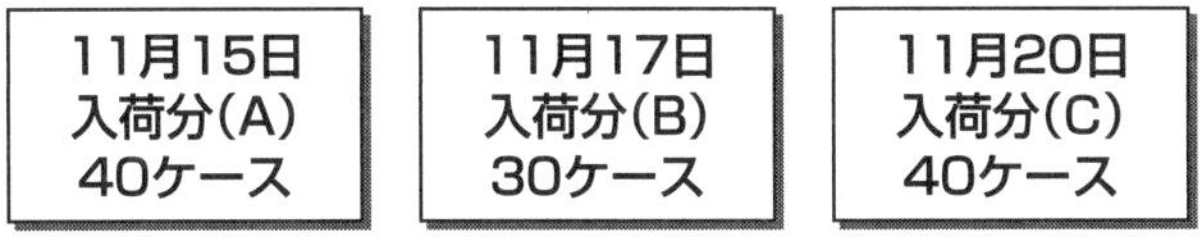
11月15日
入荷分(A)
40ケース
11月17日
入荷分(B)
30ケース
11月20日
入荷分(C)
40ケース

11月21日に80ケースを受注

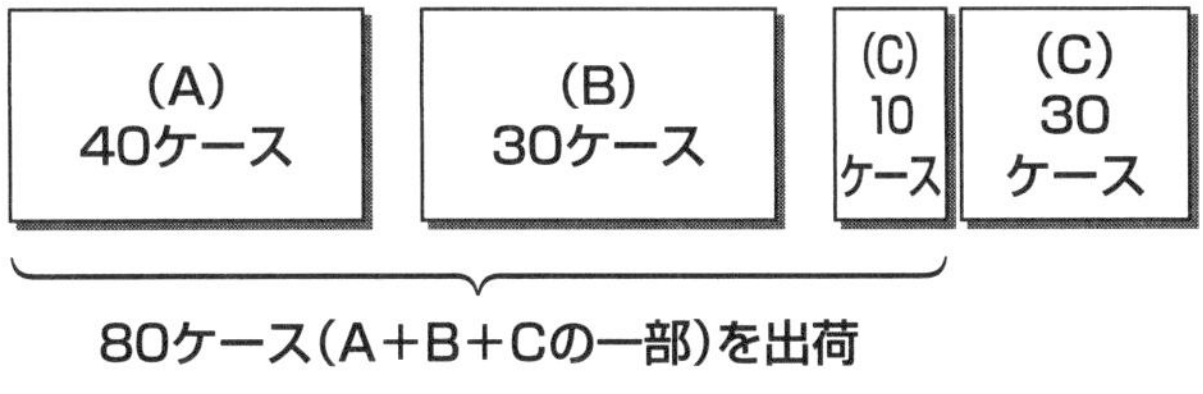
(A)
40ケース
(B)
30ケース
(C)
10
ケース
(C)
30
ケース
80ケース(A+B+Cの一部)を出荷

※AとCで80ケースになるからといって、Bを飛ばしてはならない

71 物流コストへのアプローチ
72 物流センターのコスト体系
73 物流センターコストの構成と配送コスト
74 物流ABCによるコスト分析
75 物流センター料金の決め方とセンターのコスト
76 物流センター投資のコスト計算例
77 物流コスト削減の切り口
78 物流センターの作業人時とコスト削減策
79 物流サービス水準とピッキングコストの関係
80 新たな物流利益「センターフィー」

8章

物流センターとコスト管理

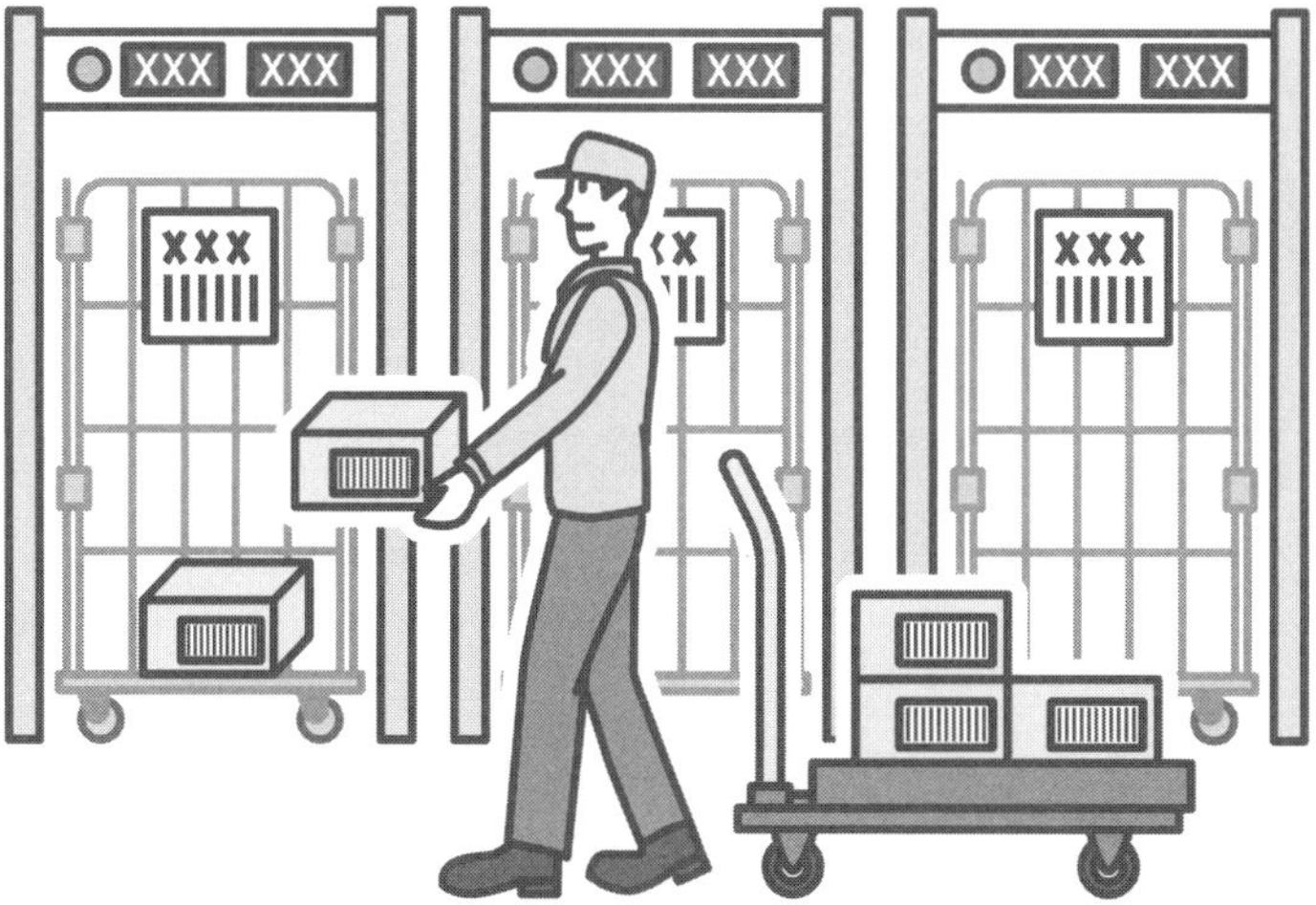

71 物流コストへのアプローチ

❖一角しか見えない物流氷山説

物流センターのコストといっても、決算書を見ただけでは正しいコストをつかむことはできません。損益計算書の販売管理費を見ても、人件費をはじめとする経費は全体として表記されています。物流に関係する数値だけが列記されているわけではありません。商品を調達するために要した物流コストは、商品原価に含まれています。財務諸表を見ても把握できるのは、業者などに支払っている物流経費にしかすぎないのです。

物流センターのコスト計算は管理会計になります。法律に基づく財務会計と違い、絶対といったルール書式が存在するわけではありません。物流コストの把握は、企業によって様々なアプローチをしているのが実態です。

❖物流コストの体系

１９７７年、旧運輸省から「物流コスト算定統一基準」が出され、物流コスト算出の基礎になっています。同資料では物流コストを「領域別」「支払い形態別」「機能別」の三つに分類しています。

領域別は「調達物流費」「生産物流費」「社内物流費」「販売物流費」「返品、回収物流費」など、発生する領域に分類して物流コストを把握する手法です。

支払い形態別は「自社払物流費」「他社払物流費」、自社払物流費を「自社物流費」と「委託物流費」など、物流コストの支払先に着目し、物流コストを分類しています。自社物流費は「材料費」「人件費」「用役費」「維持費」「一般経費」「特別経費」に分解されます。

機能別は「物資流通費」「情報物流費」「物流管理費」など、物流センターに関わる機能に注目し、コストを分類しています。物資流通費は「包装費」「輸送費」「保管費」「荷役費」「流通加工費」にさらに分類しています。

１９９２年には旧通産省から「物流コスト算定活用マニュアル」が出され、物流コストをアウトプットと関連づけるなど、ブラッシュアップした内容を発表しています。２００３年には中小企業庁から「ＡＢＣ（Activity-Based Costing＝活動基準原価計算）」と活動別に物流コストを把握する方法が策定されています。

旧運輸省「物流コスト算定統一基準」による物流コスト分類

◉物流コストの領域別分類

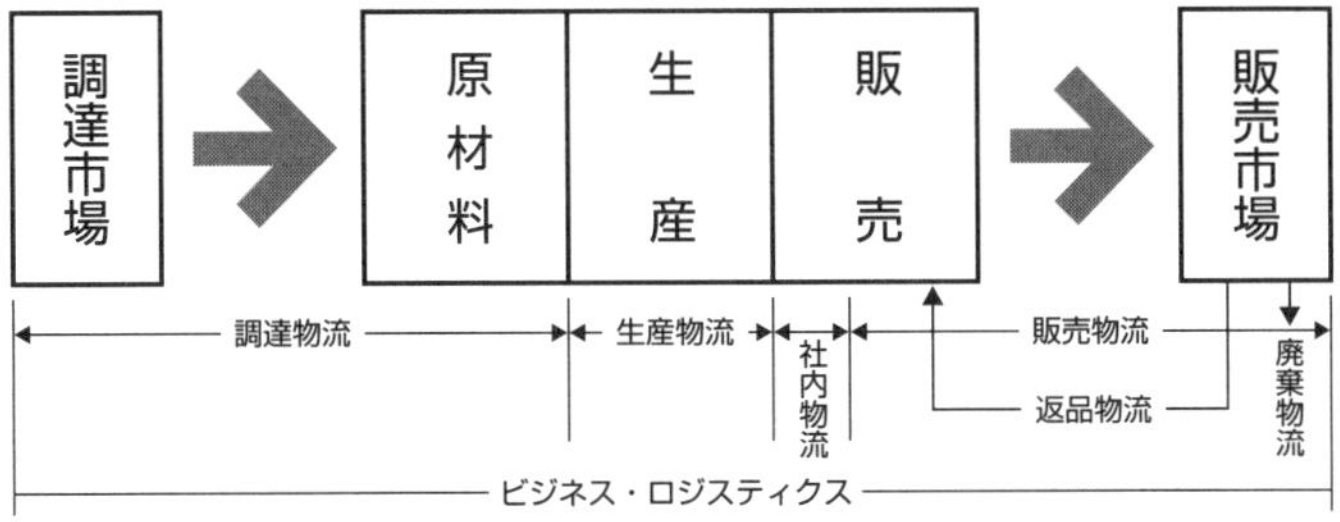
調達市場
原材料
生産
販売
販売市場
調達物流
生産物流
社内物流
販売物流
返品物流
廃棄物流
ビジネス・ロジスティクス

◉物流コストの支払い形態別分類

- 企業物流費
  - 自社払物流費
    - 自社物流費
      - 材料費
        - 包装材料費
        - 燃料費
        - 消耗工具器具備品費
        - その他
      - 人件費
        - 賃金
        - 給料
        - 雑給
        - 賞与
        - 退職給与引当金繰入額
        - 福利厚生費
        - その他
      - 用役費
        - 電力料
        - ガス代
        - 水道料
      - 維持費
        - 修繕費
        - 消耗材料費
        - 租税公課
        - 賃貸料
        - 保険料
        - その他
      - 一般経費
        - 旅費、交通費、租税公課、雑費
        - 変質・破損・盗難・事故費
      - 特別経費
        - 減価償却費
        - 社内金利
    - 委託物流費
      - 包装梱包費、支払運賃
      - 事務手数料、保管料、入出庫料その他
  - 他社払物流費
    - 購入他社払物流費
    - 販売他社払物流費

◉物流コストの機能別分類

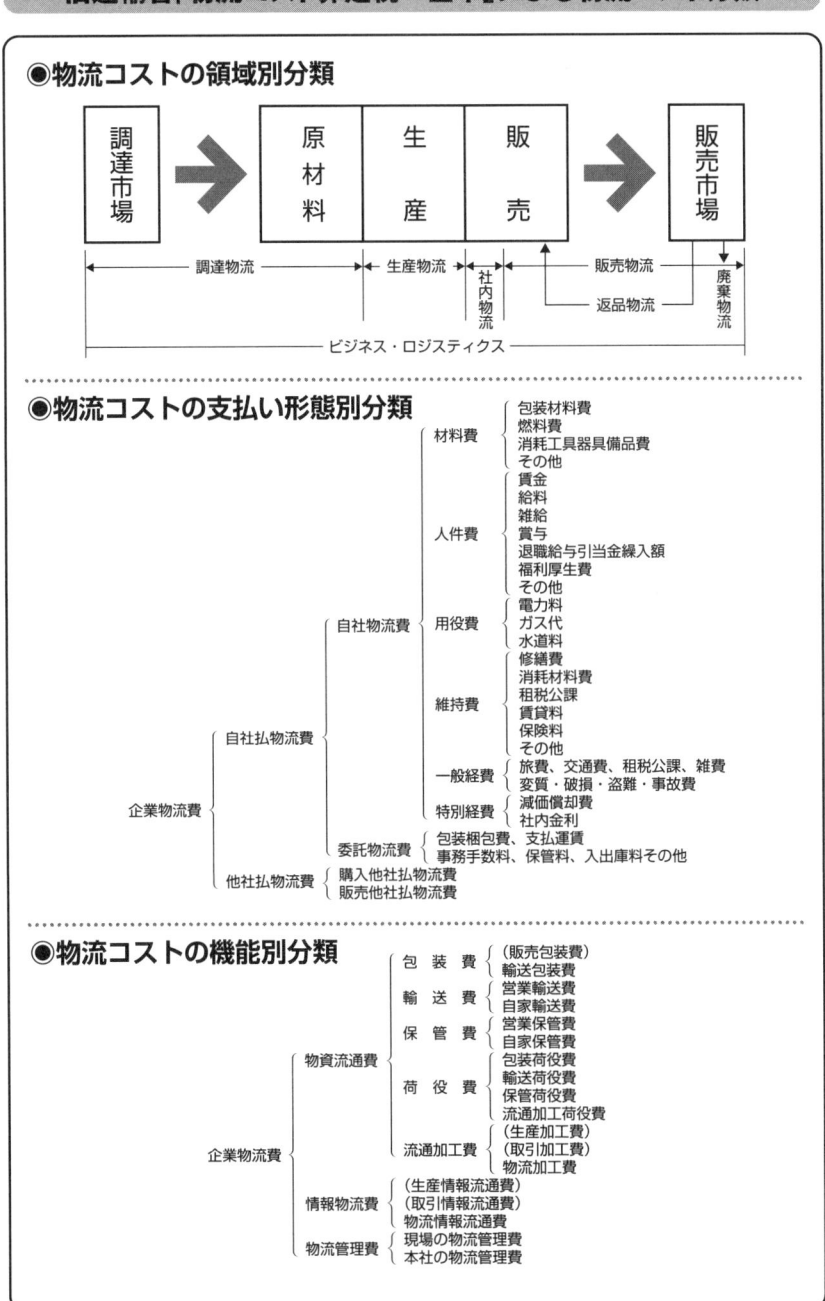

- 企業物流費
  - 物資流通費
    - 包　装　費
      - （販売包装費）
      - 輸送包装費
    - 輸　送　費
      - 営業輸送費
      - 自家輸送費
    - 保　管　費
      - 営業保管費
      - 自家保管費
    - 荷　役　費
      - 包装荷役費
      - 輸送荷役費
      - 保管荷役費
      - 流通加工荷役費
    - 流通加工費
      - （生産加工費）
      - （取引加工費）
      - 物流加工費
  - 情報物流費
    - （生産情報流通費）
    - （取引情報流通費）
    - 物流情報流通費
  - 物流管理費
    - 現場の物流管理費
    - 本社の物流管理費

72 物流センターのコスト体系

❖物流センターのコスト

物流コストの把握の方法としてもっともポピュラーなのは「支払い形態別」です。企業にとっては、いくら支払ったかは重要で、採算性と連動させる意味からも、支払いをベースに物流コストを計算しています。

物流コスト＝費用とし、「費用別」に捉えていきます。大きくは①物流センター施設関連、②作業関連、③配送関連に分類し、原価計算を行なっているのが実情です。ただし、企業によって費用の名称や、原価に対しての算入方法などは異なっています。

❖物流センターコストの費用項目

本書では、物流センターの費用項目を「スペース費」「人件費」「設備費」「システム費用」「運営維持費」「配送費」としました。上記項目をすべて加えた費用を、物流センターコストとします。配送費を除く場合もあります。

「スペース費用」はセンター建設の取得コストで土地や建物のコスト、税金や金利が含まれます。リースの場合はリース料、賃貸で借りている場合は賃借料がスペース費用に該当します。

「人件費」は、物流センター長をはじめとする管理者ならびに作業員のほか、アルバイトやパートの人件費も入ります。人件費には給与に加え、法定福利費、交通費も含まれます。

「設備費」は、物流センターで使用するマテハン設備全般のことを指します。フォークリフト、パレット、台車といった軽量マテハンから、自動倉庫、ケースソーターなど重量マテハンまで含まれます。

「システム費用」は、ＷＭＳ（倉庫物流管理システム）のソフトウェア開発ならびにサーバーやネットワーク機器などのハードウェア費用です。設備やシステムの保守料も含みます。

「運営維持費」は、センターを運営するに際しての必要経費で、水道光熱費、通信費、産廃処理費用などが対象になります。「配送費」はトラックの運賃ならびに運行管理者の費用で、運送会社などに業務を委託している場合は、業務委託料などを配送費として計上します。

物流センターコストの内容と計算例 （単位：円）

月間通過金額			1,500,000,000				
区分			ドライ				
項目			単価(円)	数量	総コスト	月間コスト	通過金額比率
スペース費	倉庫	賃料	3,000	6,000坪	18,000,000	18,000,000	1.20%
	合計				18,000,000	18,000,000	1.20%
人件費	固定人件費	センター長	700,000	1人／月	700,000	700,000	0.05%
		管理社員	500,000	5人／月	2,500,000	2,500,000	0.17%
		事務社員	300,000	2人／月	600,000	600,000	0.04%
		作業社員	400,000	12人／月	4,800,000	4,800,000	0.32%
		小計		20人／月	8,600,000	8,600,000	0.57%
	変動人件費	作業者（パート·アルバイト）	1,200	12,000人・H／月	14,400,000	14,400,000	0.96%
		小計		12,000人・H／月	14,400,000	14,400,000	0.96%
	合計				23,000,000	23,000,000	1.53%
設備費	保管機器	自動倉庫	300,000,000	1式	300,000,000	2,500,000	0.17%
		パレットラック	50,000,000	1式	50,000,000	416,667	0.03%
		フローラック／軽量棚	30,000,000	1式	30,000,000	250,000	0.02%
	仕分・搬送機器	ケースソーター	250,000,000	1式	250,000,000	2,083,333	0.14%
		ピッキング機器	15,000,000	1式	15,000,000	125,000	0.01%
		パレット、台車	30,000,000	1式	30,000,000	250,000	0.02%
		カウンターフォーク	2,500,000	10台	25,000,000	208,333	0.01%
	合計				700,000,000	5,833,333	0.39%
システム費用	WMS·TMS（共通）	ソフト	60,000,000	1式	60,000,000	1,000,000	0.07%
		ハード	60,000,000	1式	60,000,000	1,000,000	0.07%
	合計				120,000,000	2,000,000	0.13%
運営維持費	水道光熱費			1式	2,000,000	2,000,000	0.13%
	各種ラベル			1式	1,080,000	1,080,000	0.07%
	帳票類			1式	250,000	250,000	0.02%
	産廃処理			1式	200,000	200,000	0.01%
	通信費			1式	50,000	50,000	0.00%
	合計				3,580,000	3,580,000	0.24%
配送費	運賃	4トン月間ハーフチャーター	700,000	10台／月	7,000,000	7,000,000	0.47%
		10トン月間ハーフチャーター	1,000,000	10台／月	10,000,000	10,000,000	0.67%
		４トンレギュラー	26,000	312台／月	8,112,000	8,112,000	0.54%
		４トンスポット	15,000	255運行／月	3,825,000	3,825,000	0.26%
		小計			28,937,000	28,937,000	1.93%
	高速料金	地区	1,000,000	7.00週／月	7,000,000	7,000,000	0.47%
		小計			7,000,000	7,000,000	0.47%
	管理費	運行管理者	500,000	2人／月	1,000,000	1,000,000	0.07%
		事務パート	200,000	3人／月	600,000	600,000	0.04%
		小計		5人／月	1,600,000	1,600,000	0.11%
	合計				37,537,000	37,537,000	2.50%
総合計						89,950,333	6.00%

設備コストに関しては法定償却年数に関係なく１０年。システム費用は５年で試算
保守費用はすべて取得費に込みとして月間コストを算出

73 物流センターコストの構成と配送コスト

❖物流センターコスト

前項で物流センターのコスト表を掲載しました。配送費に関しては、たしかに倉庫内コストではありませんが、物流センター全体のコストといった場合、配送費を含めるのが一般的です。また、どの物流センターでも配送費の割合は多いのが当たり前です。

前項の表によると「スペース費」20・0％、「人件費」25・6％、「設備費」6・5％、「システム費用」2・2％、「運営維持費」4・0％、「配送費」41・7％で、約4割が配送費です。これは食品系スーパーの在庫型センターの例で、通過型物流センターの場合は、全体の70％以上に達していることも珍しくありません。

❖配送コスト

一般的に配送コストといった場合は、トラック輸送に関する費用になります。運送会社は特別積合せ貨物運送事業（路線）と一般貨物自動車運送事業（区域）に分かれます。前者は路線便とも呼ばれ、代表的な企業にヤマト運輸、佐川急便、西濃運輸などが挙げられます。運賃は個建てや重量建て、あるいは1個○○円と決められます。

通常、トラック会社といった場合は後者を指します。こちらの料金設定は月間車両○○円や1運行8時間○円など、トラックの利用をベースに運賃が決められます。

トラックの運賃は2トン、4トン、10トンなどの積載重量、ドライ、冷蔵、冷凍などの温度帯によって異なりますが、原価構造は同じです。実際の運賃は競争状況が大きく影響し、必ずしも原価計算に基づいて決定されるわけではありませんが、ベースとなっていることには違いがありません。

左表は4トントラック1台、1日8時間使用、走行200㎞をモデルとした運賃原価計算表です。月間のトラックに費やす総経費は81万6992円になっています。1日当たりの運賃は2万7233円です。

車両費と保険料は固定費で、走行状況によって変動はありません。よって配送費を下げる基本はできるだけ使用車両時間を延ばすことがポイントになります。重量制限内なら荷物の程度によって運賃は変わりません。

物流センター費用の内訳と配送コストの内容

◉物流センター費用の内訳

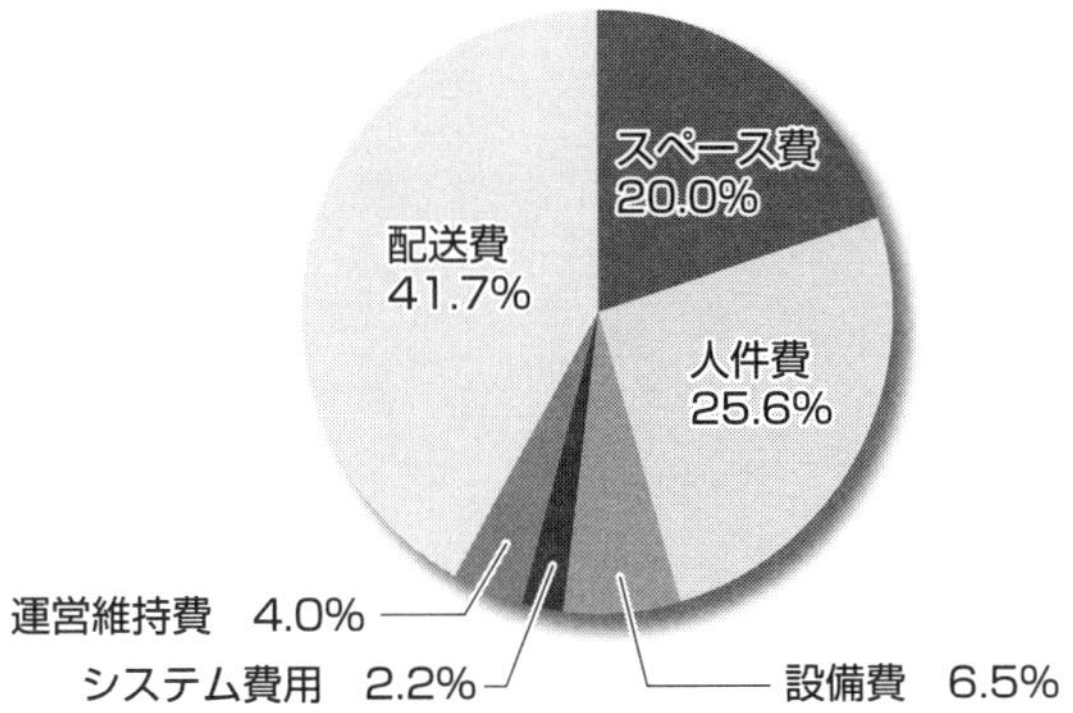

◉配送費の原価構造

（単位：円）

	車種	計算基礎	備考
計算基礎	走行距離（km）	6000	1日　200km
	稼働日数	30	
	労働時間	8	
	運行台数	1	
	項目	月間コスト(円)	備考
車両費	車両減価償却費	105,000	購入価格（償却年数）・4t　600万円（5年）金利5%
	自動車税	1,250	都税　¥15000/12
	取得税	3,000	購入額×3%÷償却月数
	重量税	1,800	平成22年度を適用（特例なし）
	計	111,050	
車両維持費	燃料費	118,750	購入額95円/L・燃費5.0km
	油脂費	1,500	3ヶ月点検毎に交換、1回4500円
	タイヤ費	100,000	5万km交換、交換費用　10万円　km当たりコスト2円
	修繕費用	20,833	定期点検（年4回）と車検整備費用含む　年間25万円
	消耗品費	6,720	kmあたりコスト4t　1.12円×6000km
	計	247,803	
保険料	自賠責保険	4,087	22年度保険料/12
	任意保険（対人）	6,083	無制限/割引率50%（通常割引45%＋多数割引5%）を適用
	任意保険（対物）	14,833	10,000千円/割引率50%（通常割引45%＋多数割引5%）を適用
	任意保険（車両）	未加入	
	その他保険（搭乗者保険等）	未加入	内容　　　　賠償額　　　　万円
	計	25,003	
乗務員人件費	給与	313,700	平成22年版トラック運送事業の賃金実態（全日本トラック協会資料より）
	賞与	29,800	平成22年版トラック運送事業の賃金実態（全日本トラック協会資料より）
	労災保険料	3,779	11/1000
	健康保険料	16,110	46.9/1000（40才未満）
	厚生年金保険料	27,580	80.29/1000
	雇用保険	3,263	9.5/1000
	計	394,232	
管理費・利益（月額）	計	38,904	車両総経費の5%
月間合計		816,992	
1日当たり運賃（円）		27,233	

74 物流ＡＢＣによるコスト分析

❖新たな物流コスト把握の手法

「支払い形態別」では、費用内容は把握することはできても、実際の物流活動にどれほどのコストが発生しているかはわかりません。コスト削減を目的に物流改善する場合も、作業別にコストを把握する必要があります。

こうしたコスト把握方法に物流ＡＢＣがあります。

ＡＢＣとは活動基準原価計算（ABC＝Activity Based Costing）で、１９８０年代にハーバード大学のロバート・キャプラン教授が提唱した管理会計手法です。この手法では個々の活動ごとの基準を用いてコストを算出し、原価計算を行ないます。

さらに、ＡＢＣから得られるコスト分析を基に、業務効率を改善していく経営手法をＡＢＭ（Activity Based Management：活動基準原価管理）といいます。この考えを物流に応用したのが物流ＡＢＣです。

❖物流ＡＢＣとは

物流センターで付与される付加価値と、それに要するコストのバランスを図る上で有用な手法の一つとされているのが、活動基準原価計算（ＡＢＣ）です。

伝統的な原価計算では、損益計算書（ＰＬ）を作成する必要性からコストを把握します。たとえば、人件費＝○○円、スペースコスト＝○○円などとなります。

一方、ＡＢＣでは1パレット当たりの入荷コスト△△円、1行当たりのケースピッキング費用△△円など、活動別にコストが算出されます。どの作業にどのくらいのコストを費やしているかを把握することで「ムダ」の発見に役立ち、物流コスト改善がスムーズに進みます。

また、顧客別に物流コストを計算することも可能です。

A社は入荷パレット当たり平均ケース数が10ケース、Ｂ社は20ケースと仮定します。10ケース、20ケースでもフォークリフトでの作業は同様で、パレット当たりの入荷料はどちらも同じです。パレット当たりの入荷料を１００円とした場合、A社のケース当たりの入荷料は10円（１００円÷10ケース）、B社は5円（１００円÷20ケース）になります。同じ入荷ケース数でもA社はB社に対して2倍の入荷コストを費やしているのがわかります。

物流ABCの内容

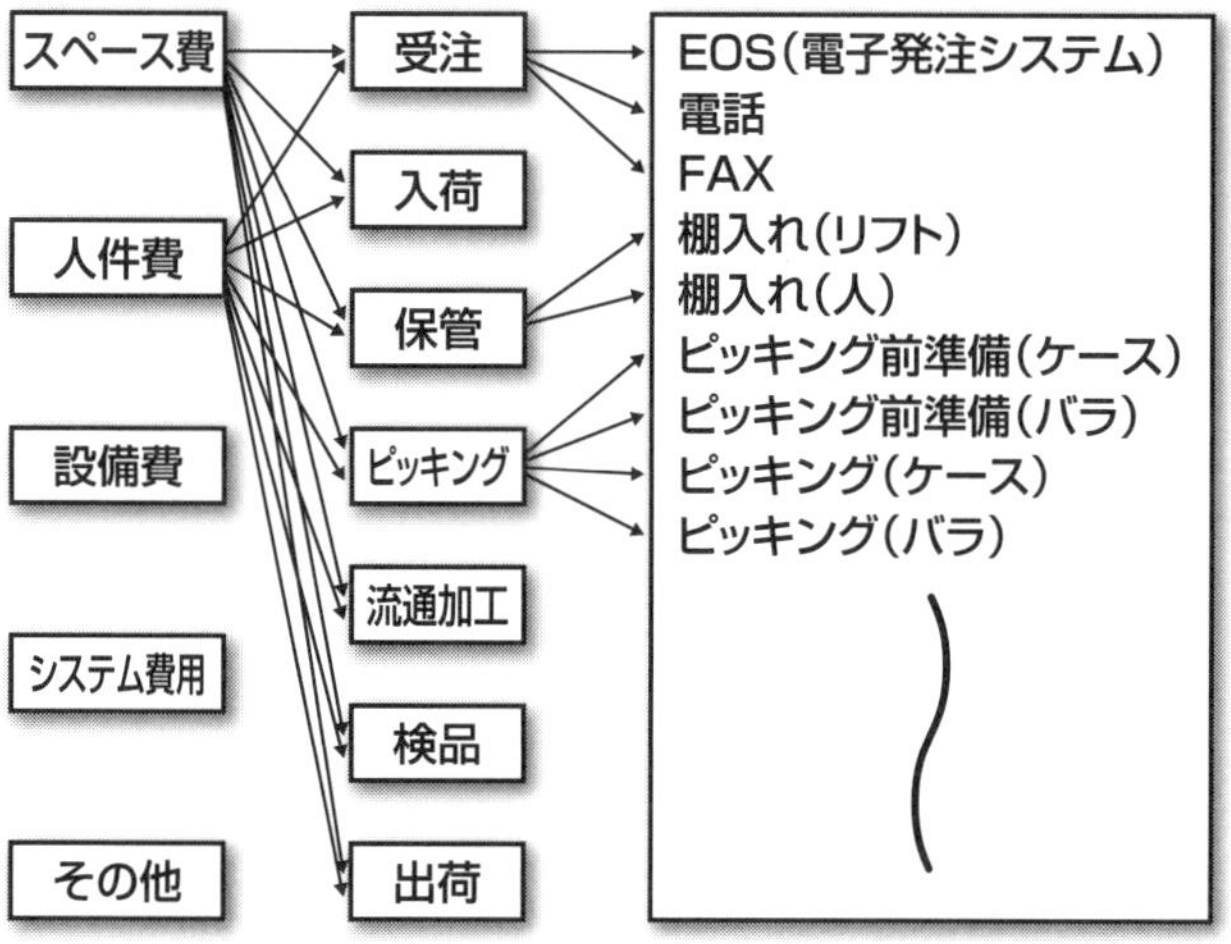
スペース費
人件費
設備費
システム費用
その他
受注
入荷
保管
ピッキング
流通加工
検品
出荷
EOS(電子発注システム)
電話
FAX
棚入れ(リフト)
棚入れ(人)
ピッキング前準備(ケース)
ピッキング前準備(バラ)
ピッキング(ケース)
ピッキング(バラ)

行数　　　単価算出
EOS ÷ 出荷数 ＝ 1行当たり受注コスト
(ケース、バラ)　1ケース当たり出荷コスト

行数　　　単価算出
電話 ÷ 出荷数 ＝ 1行当たり受注コスト
(ケース、バラ)　1ケース当たり出荷コスト

行数　　　単価算出
棚入れ(リフト) ÷ 出荷数 ＝ 1行当たり受注コスト
(ケース、バラ)　1ケース当たり出荷コスト

75 物流センター料金の決め方とセンターのコスト

❖物流センターの料金収受

物流業者は顧客から物流業務を受託し、料金を請求しますが、決め方は様々です。専用センターの場合は、物流センターの経費と顧客の物流センター経費は同一です。よって、収受方法もスペース費用、人件費など項目ごと、また固定費と変動費など物流センターの収支と連動した形で請求できます。しかし汎用センターの場合は、各項目の線引きがむずかしく、もっと簡単に物流料金を決定しています。

主な収受方法として「個建て」「作業建て」「料率」があります。作業建ては保管、ピッキング、出荷など作業に応じて料金を収受するしくみです。個建ては出荷個数に対して○円など物量に応じて料金を決めます。料率はフィーとも呼ばれ、荷主の取扱金額の何%かを物流料金とするやり方です。しかし三つの方法のどれを取っても物流コストは明らかになっているとはいえません。

❖オープンコストと物流ABCの時代

作業建ても個建ても、一定の前提条件をもとに料金が決まっています。商品の大きさや1オーダー当たりのピッキング数や出荷物量などです。物量が増加すれば、物流業者の採算は好転します。しかし物量が減少すれば、物流業者側の採算は悪化します。1オーダーごとのピッキング数は少なくなります。出荷物量も減ります。しかし固定人件費や固定設備の費用は変わりません。

そこで最近は料金の収受方法として、オープンコスト方式が採用されるケースが増えてきました。オープンコスト方式は物流コストを開示し、お互いがコストに対して共通認識を持ち、コストに一定の利益を上乗せした金額を物流料金とします。

そして予定の利益を超えた場合は、物流業者と顧客の双方で利益分配（ゲインシェアリング）するしくみになっています。コストは機能別と合わせ、物流ABCを用いて分解し、作業ごとの投入人員や生産性を明らかにします。物流コストを構成している要素が可視化されていることで、お互いに改善目標を立てやすくなり、無理な要求も少なくなるなどのメリットもあります。

物流センターの料金収受方法

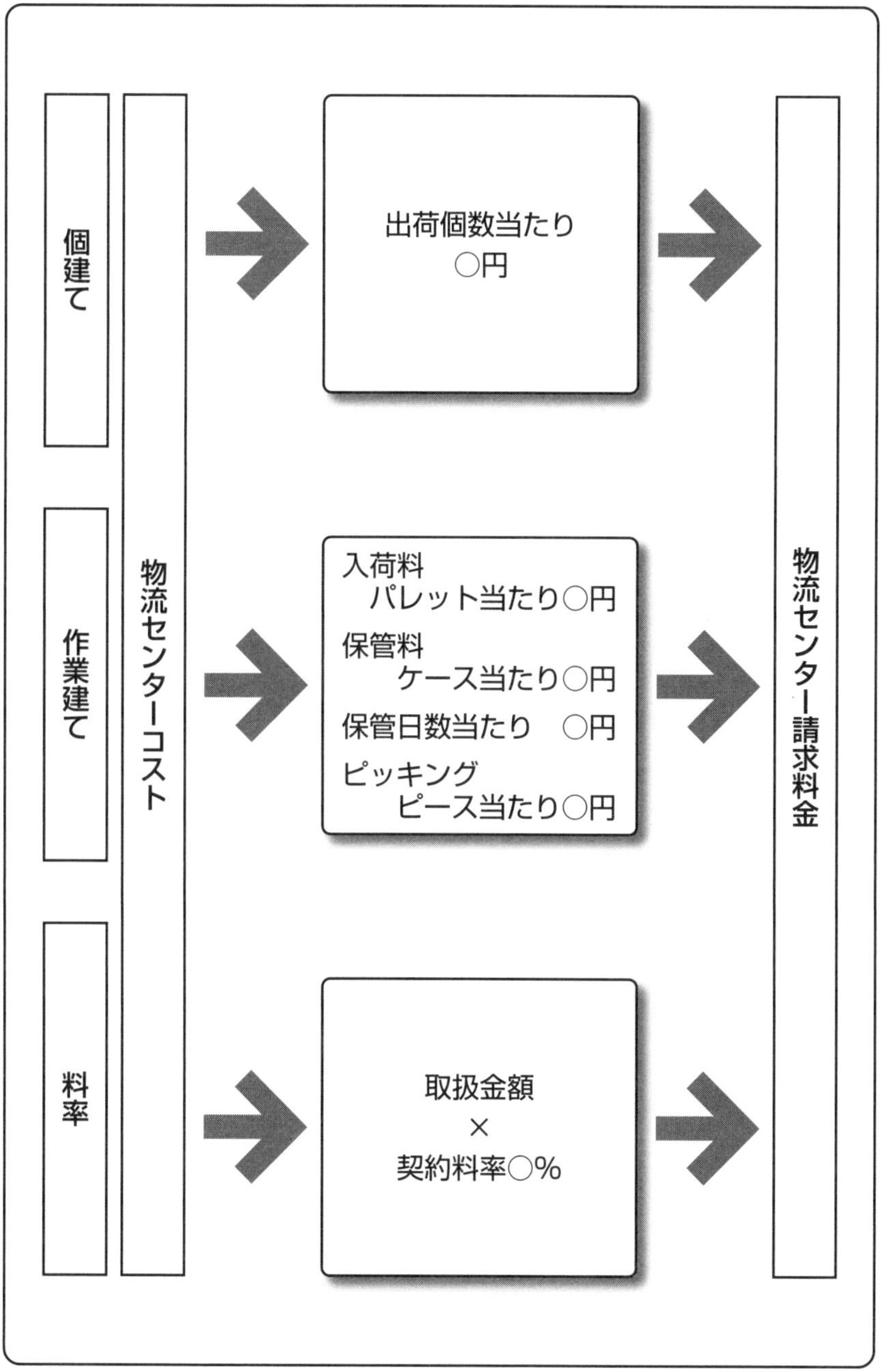
個建て
作業建て
料率
物流センターコスト
出荷個数当たり
○円
入荷料
パレット当たり○円
保管料
ケース当たり○円
保管日数当たり　○円
ピッキング
ピース当たり○円
取扱金額
×
契約料率○%
物流センター請求料金

76 物流センター投資のコスト計算例

❖物流センターの投資方式

物流センターの建設には、土地や建物の取得をはじめ膨大な資金を必要とします。ですから、取得方法によって物流センターコストは大きく変わってきます。

物流センターの取得方法としては、自社で資金を調達する「自社投資」、リース会社やＳＰＣ（単一目的会社）が投資し、賃借料を払って借り受ける「リース方式」、運営を委託する企業に投資を代替してもらい、それを「センター利用料」として支払う方式があります。

❖投資方法の違いの選択

自社投資の場合、土地は減価償却の対象となりません。費用は税金と金利だけになります。建物は減価償却費が費用として計上されます。建物費用は、法定償却年数を基礎とする場合、年間当たりの費用は少なくなります。よって自社投資の場合が物流コストはもっとも低くなります。しかし初期費用として膨大な資金を調達する必要があるので、自社投資を行なえる企業は限られます。また物流センターは資産となり、財務諸表に掲載されるオンバランスになるので当然、資本効率は低下します。

リース方式やＳＰＣは初期段階で膨大な資金は必要としませんが、自社投資と比較し、ランニングコストは高くなります。投資物件に利回りや配当を上乗せして賃借料を算出するからです。オフバランスであることが最大のメリットでしたが、２００８年4月の会計基準の変更でオンバランスになってしまいました。

運営会社に委託する場合、条件は様々です。運営会社の投資目的は物流業務で得られる利益です。よって運営会社自身が投資した場合、金利程度の上乗せ価格で、顧客に賃貸することも可能になります。その一方、逆のケースもあります。たとえば、物流業務契約は不動産リース契約より短いのが一般的です。業務契約期間を10年とし、その期間で投資回収を前提として賃料を算出すると、コストは高くなります。ただどのような方法をとっても投資主体は運営会社であり、顧客にとっては財務諸表に記載されないオフバランスになります。

物流センター取得別コスト比較（単位：千円）

	自社物流		アウトソーシング
	直接投資	リース方式	
初期費用	必要	不要	不要
土地·建物の扱い	減価償却、内部留保	経理処理	センター利用料
BS 扱い	オンバランス	オンバランス	オフバランス
地代賃料／月	2793.3	4126.7	2933.0
建物賃料／月	4734.4	7590.6	8690.5
合計賃料／月	7527.7	11717.3	11623.5
月坪賃料／月	1.9	2.9	2.9

前提条件

⑴土地　4000 坪（地価 200 千円／坪）＋不動産取得税（3％　評価 70%）＋登録免許税（1％）
⑵建物　4000 坪（建設費 200 千円／坪）＋不動産取得税（4％　評価 70%）＋登録免許税（0.4%）
⑶金利3％
⑷償却年数　30 年
⑸火災保険料　建設費1％
⑹建設期間6カ月　建設費の支払いは着工、中間、竣工時 1/3

（注1）　直接投資は土地代金の金利と公租公課を加えコストを算出。建物は減価償却費に金利と公租公課と火災保険料を加え算出
（注2）　リース方式は上記条件に5％の利回りを加え、建物解体費用として5千円／坪を加えた
（注3）　アウトソーシングは 3PL 業者が自社で取得し、12 年で建物を償却し、＋利益として5％を上乗せしたフルペイアウトを前提に算出

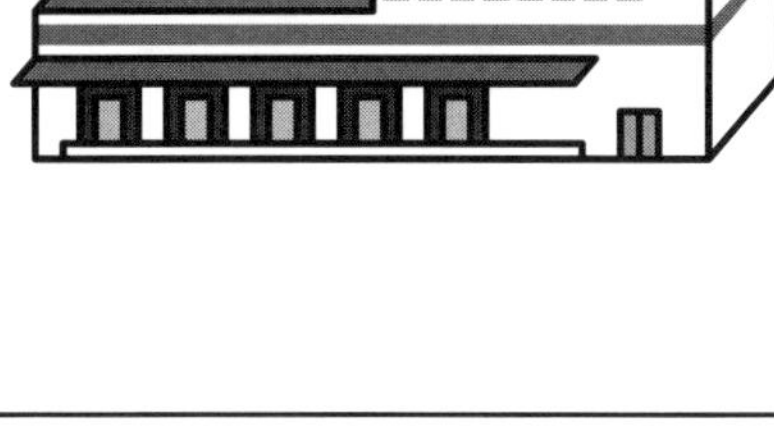

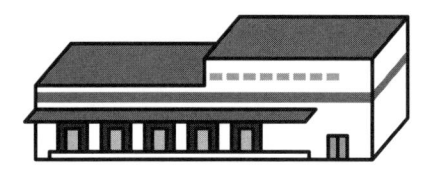

77 物流コスト削減の切り口

❖数多くある物流コスト把握の手法

物流コストの削減策には様々なアプローチがあります。左図は日本ロジスティクスシステム協会が調査した資料「物流コスト調査報告書」に掲載されているものです。「在庫削減・ＳＣＭ」からはじまって、「その他」まで実に43項目の物流コスト削減策が列挙されています。中には取引先の見直しや商品設計など、物流に直接関係しない項目も含まれています。

物流は後方支援ともいわれます。よって、前方に当たる生産や販売のあり方によってはコストが大きく異なってきます。取引の場合、1回当たりの注文数量が多ければ物流コストは下がります。一括大量入荷、大量出荷が可能になるからです。

商品設計の場合でも、バラ発注を少なくするようケース入数にする、パレットに効率的に積み付けられるような包装形状にする、などが挙げられます。これらは物流センター側でコントロール可能な方策ではありませんが、物流センターのコストには大きな影響を及ぼします。

❖在庫削減がポイント

左のアンケートでもっとも多い回答が「在庫削減」です。当然の答えといえるでしょう。在庫過多の場合、必要倉庫面積が増えてしまいます。また工場から物流センターまでの配送も増えます。よって在庫が増えれば全体的にコストが増大します。

物流センターに限った場合でも在庫は大いに関係してきます。一説には物流センターのコストの約60％は在庫に起因しているともいわれます。

物流センターの在庫が多くなれば、当然、保管スペースは増え、費用はアップします。入荷作業も煩雑になります。棚卸の作業量も増え、倉庫内でも商品移動といった付加価値のない作業が多くなります。ピッキングスピードも落ち、ミスも多くなるなど、あらゆるところに在庫量が関係してきます。

物流センターのコストを削減するには入荷、補充、ピッキング、出荷など個々の作業と同時に、在庫削減にフォーカスを当てることがポイントといえます。

様々な物流コスト削減策

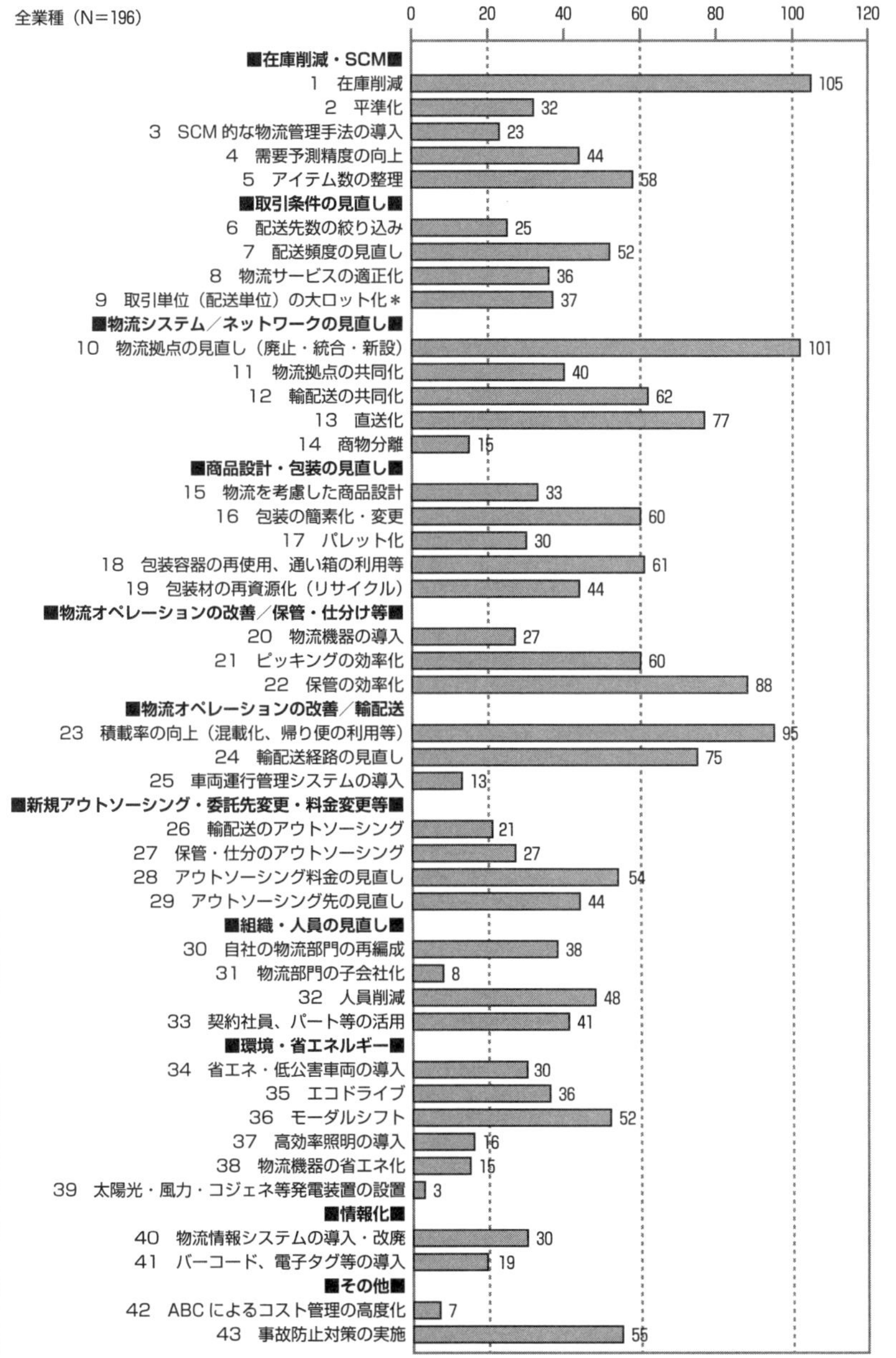
全業種（N=196）
0 20 40 60 80 100 120
■在庫削減・SCM■
1 在庫削減 105
2 平準化 32
3 SCM 的な物流管理手法の導入 23
4 需要予測精度の向上 44
5 アイテム数の整理 58
■取引条件の見直し■
6 配送先数の絞り込み 25
7 配送頻度の見直し 52
8 物流サービスの適正化 36
9 取引単位（配送単位）の大ロット化＊ 37
■物流システム／ネットワークの見直し■
10 物流拠点の見直し（廃止・統合・新設） 101
11 物流拠点の共同化 40
12 輸配送の共同化 62
13 直送化 77
14 商物分離 15
■商品設計・包装の見直し■
15 物流を考慮した商品設計 33
16 包装の簡素化・変更 60
17 パレット化 30
18 包装容器の再使用、通い箱の利用等 61
19 包装材の再資源化（リサイクル） 44
■物流オペレーションの改善／保管・仕分け等■
20 物流機器の導入 27
21 ピッキングの効率化 60
22 保管の効率化 88
■物流オペレーションの改善／輸配送
23 積載率の向上（混載化、帰り便の利用等） 95
24 輸配送経路の見直し 75
25 車両運行管理システムの導入 13
■新規アウトソーシング・委託先変更・料金変更等■
26 輸配送のアウトソーシング 21
27 保管・仕分のアウトソーシング 27
28 アウトソーシング料金の見直し 54
29 アウトソーシング先の見直し 44
■組織・人員の見直し■
30 自社の物流部門の再編成 38
31 物流部門の子会社化 8
32 人員削減 48
33 契約社員、パート等の活用 41
■環境・省エネルギー■
34 省エネ・低公害車両の導入 30
35 エコドライブ 36
36 モーダルシフト 52
37 高効率照明の導入 16
38 物流機器の省エネ化 15
39 太陽光・風力・コジェネ等発電装置の設置 3
■情報化■
40 物流情報システムの導入・改廃 30
41 バーコード、電子タグ等の導入 19
■その他■
42 ABC によるコスト管理の高度化 7
43 事故防止対策の実施 55

（出所：社団法人日本ロジスティクスシステム協会　2009 年度　物流コスト調査報告書〈概要版〉）

78 物流センターの作業人時とコスト削減策

❖ピッキング作業の改善が物流コスト削減に

物流センターでは入荷、補充、ピッキング、出荷、商品整理など様々な業務を行なっています。業務の大半が人手を伴う作業で、多くの時間を費やしています。ですから各人の生産性を向上させ、少しでも作業時間を短くすることが物流センターのコスト削減につながります。

左図は物流センターの作業人時の構成比を表わしたグラフです。物流センターは規模にもよりますが、数百人単位のアルバイトやパート作業者が従事しています。仮に１日１００名として、全員が平均５時間働くとすると、総作業人時は５００時間になります。図に当てはめてみると、40％の２００時間は「ピッキング」作業になります。次は「商品整理」で75時間の構成比になります。

物流センターには流通加工を伴わない、在庫を保管しないＴＣ（通過型センター）もあります。ですから一概にはいえませんが、一般的なＤＣ（在庫型センター）では図と似たような傾向になっています。ピッキングが占める作業時間は、多くのセンターでは50％近くになっているのです。ピッキング作業の改善こそ、物流センターのコスト削減に直結するといえます。

❖作業の中身と削減内容

では、ピッキング作業の中身を見ていきましょう。ピッキング作業は顧客のオーダーに応じてラックから商品を集品する作業です。作業を行なうには伝票やハンディターミナルなどを準備し、該当する間口まで歩き回らなければなりません。下図のピッキング作業時間の構成比を見ると、実に50％が「歩行時間」になっています。次に「ピッキング」20％、「探す時間」10％と続きます。

付加価値のある作業はピッキング自体ですが、わずか20％の割合です。付加価値のない歩行時間が50％を占め、「探す時間」と合わせると60％になります。

これらの作業比率は、何もピッキングに限ったことではありません。どの作業でも「歩く」「探す」といった動作がついてまわります。したがって、物流センターコスト削減のポイントは、いかに歩く距離を短くし、探す時間を少なくするかになります。

物流センターの作業構成とピッキング作業の内容

◉物流センター業務の作業人時構成比

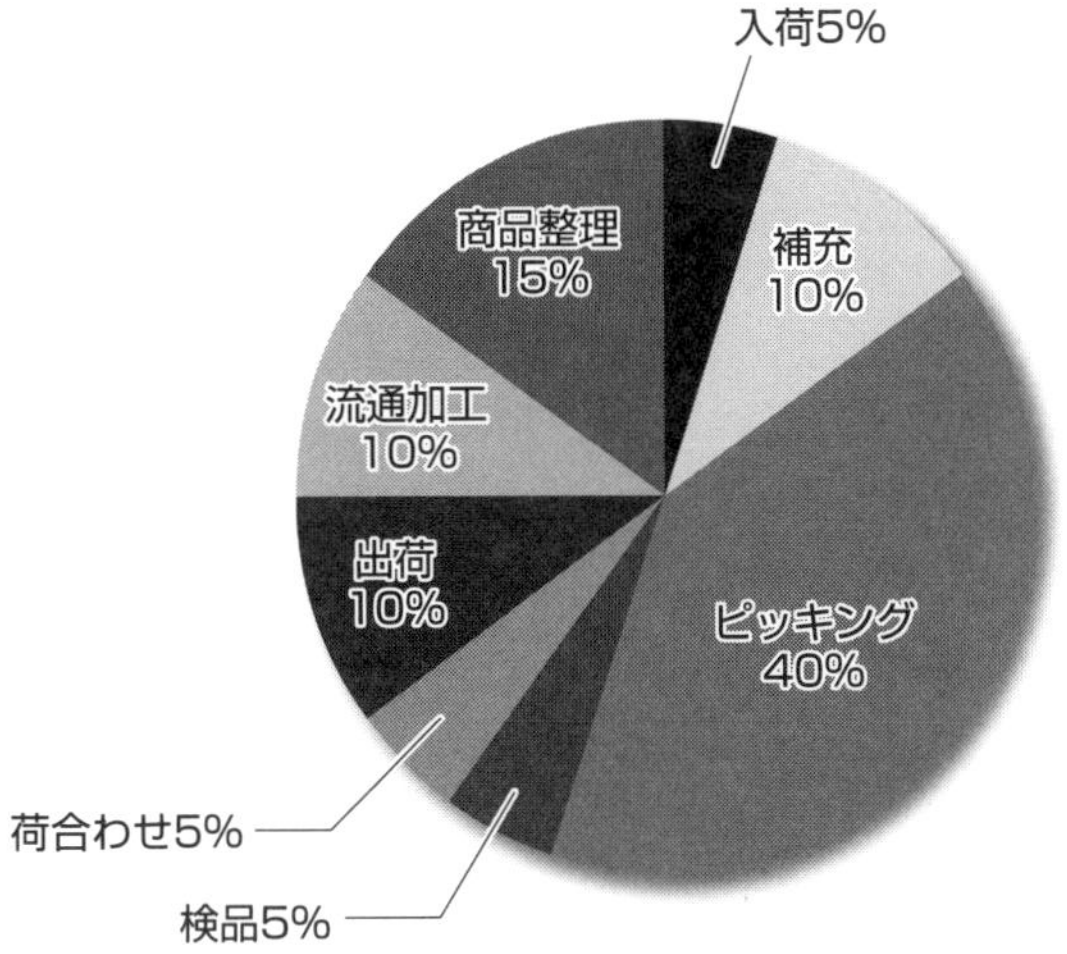
入荷5%
補充
10%
ピッキング
40%
検品5%
荷合わせ5%
出荷
10%
流通加工
10%
商品整理
15%

◉ピッキング作業の人時構成比

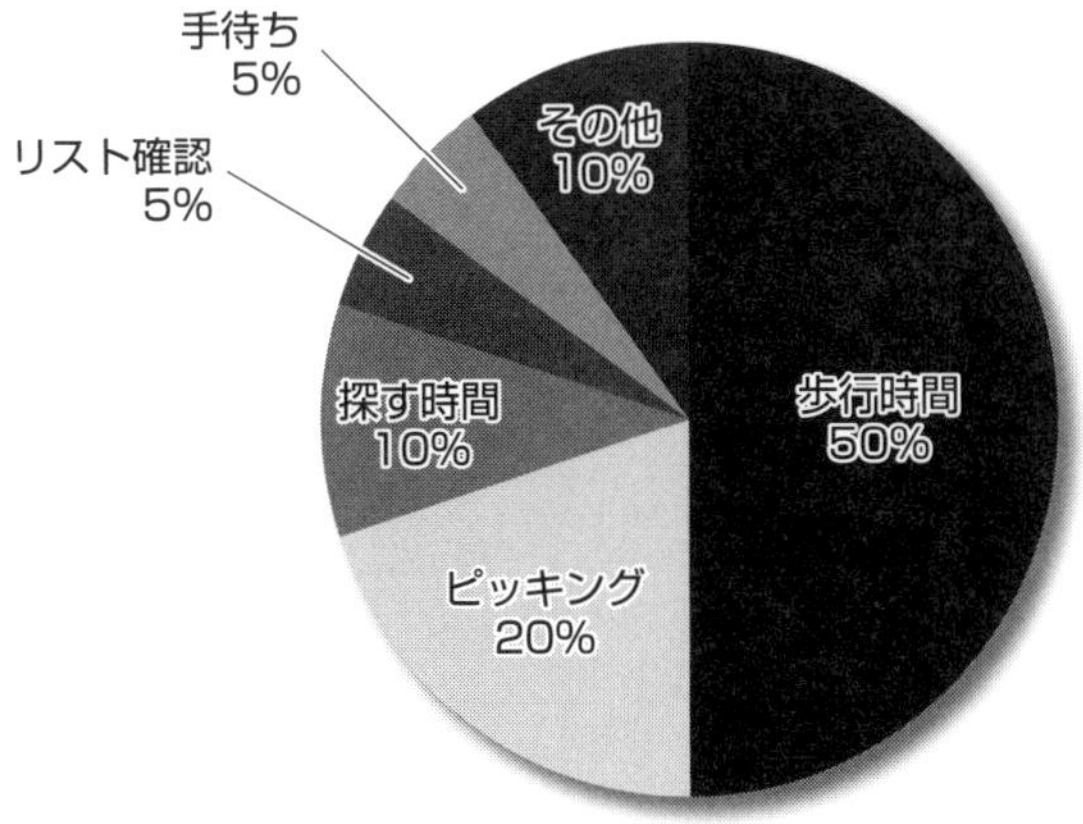
手待ち
5%
その他
10%
リスト確認
5%
探す時間
10%
歩行時間
50%
ピッキング
20%

79 物流サービス水準とピッキングコストの関係

❖物流サービス水準がコストに大きく影響

物流サービス水準のあり方によって、物流センターのコストは大きく変わってきます。納品頻度、出荷単位、物流精度などです。１００ケース出荷するにしても、１回で１００ケース出荷するのと、5回に分けて20ケースずつ出荷するのではコストが異なるのは明白です。

左表は発注パターン別のコストを表わしたものです。食品スーパーで５０００品目を扱うチェーン企業を想定しています。Ａは発注単位1で、1回の発注品目数が５００、1日５００ピースを発注します。Ｂは発注単位３で、1回の発注品目数はＡと同じ５００、ただし1日の発注ピース数は１５００になります。Ｃの発注単位はＢと同じ3、1回の発注品目数はＡ、Ｂの2倍にあたる１０００、1日の合計ピース数は３０００になります。

❖発注パターンによるピッキングコストの違い

Ａの場合、５００種類の商品を1個ごと、計５００ピースのピッキング作業をすることになります。1時間当たりのピッキング作業の生産性は約１３０行、1時間に１３０回のピッキングを行なう計算です。

Ａの場合、ピッキング作業の合計時間は3時間51分、秒数に直すと１３８６０秒になります。１３８６０÷５００で、1ピース当たり27・7秒を費やす計算です。この作業を時間給１０００円の作業者が行なった場合、１回のピッキングコストは7・7円と算出されます。

1個摘み取るのも3個も時間は大きく変わりません。よって、Ｂの生産性はＡと比較して若干劣る程度で、１時間１２５行と設定しました。

Ｃの生産性は１８０行とかなり高く設定しています。ピッキング作業において１０００品目も５００品目も歩行距離は基本的に大きく変わらないからです。その分、ピッキングの生産性は高くなります。Ａと同様に、Ｂ、Ｃを計算した結果、1ピース当たりのピッキングコストはＢが2・7円、Ｃが1・9円との試算になりました。

以上はあくまで例で、現実にこうした極端な違いはないでしょうが、物流サービスのあり方によって物流コストが大きく変わるのは間違いのない事実です。

発注パターンによるピッキングコストの違い

出荷作業は品目数と数量によって生産性が決まってくる。同数値は店舗の発注回数とロットに大きく関係する

◉ピッキングの効率化の方法

発注ロットを上げる	発注品目数を上げる
発注回数を減らす	店舗ごとの発注のばらつきを抑える

		A	B	C
店舗（発注）	発注単位（ピース）	1	3	3
	扱い品目数（アイテム）	5000	5000	5000
	1回当たりの発注品目数	500	500	1000
物流センター（ピッキング作業）	注文件数（行数）	500	500	1000
	品目数	500	500	1000
	総ピース数	500	1500	3000
	生産性（行数／時）	130	125	180
	生産性（ピース／時）	130	375	540
	1ピース当たりのコスト（円）	7.7	2.7	1.9

ピッキングコストはA＞B＞Cの順番。

Aパターンは多頻度少量発注の極端な例。毎日少しずつ、しかも発注単位は1ピース。Cパターンは発注頻度を少なくし、一度に発注する品目数を2倍に、かつ発注単位は3に上げる例。毎日から週3回など発注頻度を下げることで、Cパターンに近づく。Bパターンは発注頻度はそのままとし、発注単位のみ3とするパターン。

80 新たな物流利益「センターフィー」

❖センターフィーとは何か

「センターフィー」とは、メーカーや卸売業などの取引業者が小売業の物流センターを利用する際、支払う手数料のことです。

　小売業にとって各ベンダーが店舗に直接納品すると、検品や荷受け作業が煩雑になってしまいます。そこで小売業が物流センターを構え、多くの取引先商品をセンターに在庫または集約し、各店舗に一括配送します。したがってメーカーや卸売業が該当小売業と取引するには、その物流センターを利用することが前提になります。センターの利用に際しては納入金額の○%といったセンターフィーが小売業によって決められ、センターフィーを払わない限り、取引できないしくみになっています。

　センターフィーの発生原因は「店着原価」の取引制度にあります。メーカーや卸売業の商品は「店着段階」を起点に取引契約が行なわれます。所有権の移転は店舗に商品が届けられた時点。また商品原価には店頭までの物流コストが含まれています。したがって店頭に商品を配送する物流センターの経費は納入業者負担になるのです。

❖物流センターのプロフィット化

物流センターのコスト（フィー）とセンターフィーは異なります。小売業は物流センターの運営を卸や物流業者などに委託しているので、取扱金額の○%といった物流センターコストを支払います。

　一方、メーカーや卸売業からはセンターフィーを徴収しますが、運営業者に支払うコストよりセンターフィーのほうが高いのが一般的です。小売業は自らが運営に携わらないにもかかわらず、利益を得ています。その実態が不透明な結果、様々な論議を呼んでいます。

　原価の2～3%を利益としている企業もあります。利益に占める割合が20～30%以上といったケースも珍しくありません。小売業にとってセンターフィーで得られる収入は店舗同様、貴重な利益源になってきています。

　多くの企業が物流センターを「プロフィットセンター」として捉え、物流センターコストに加え、物流センターの利益にも着目するようになってきました。

センターフィーの構図

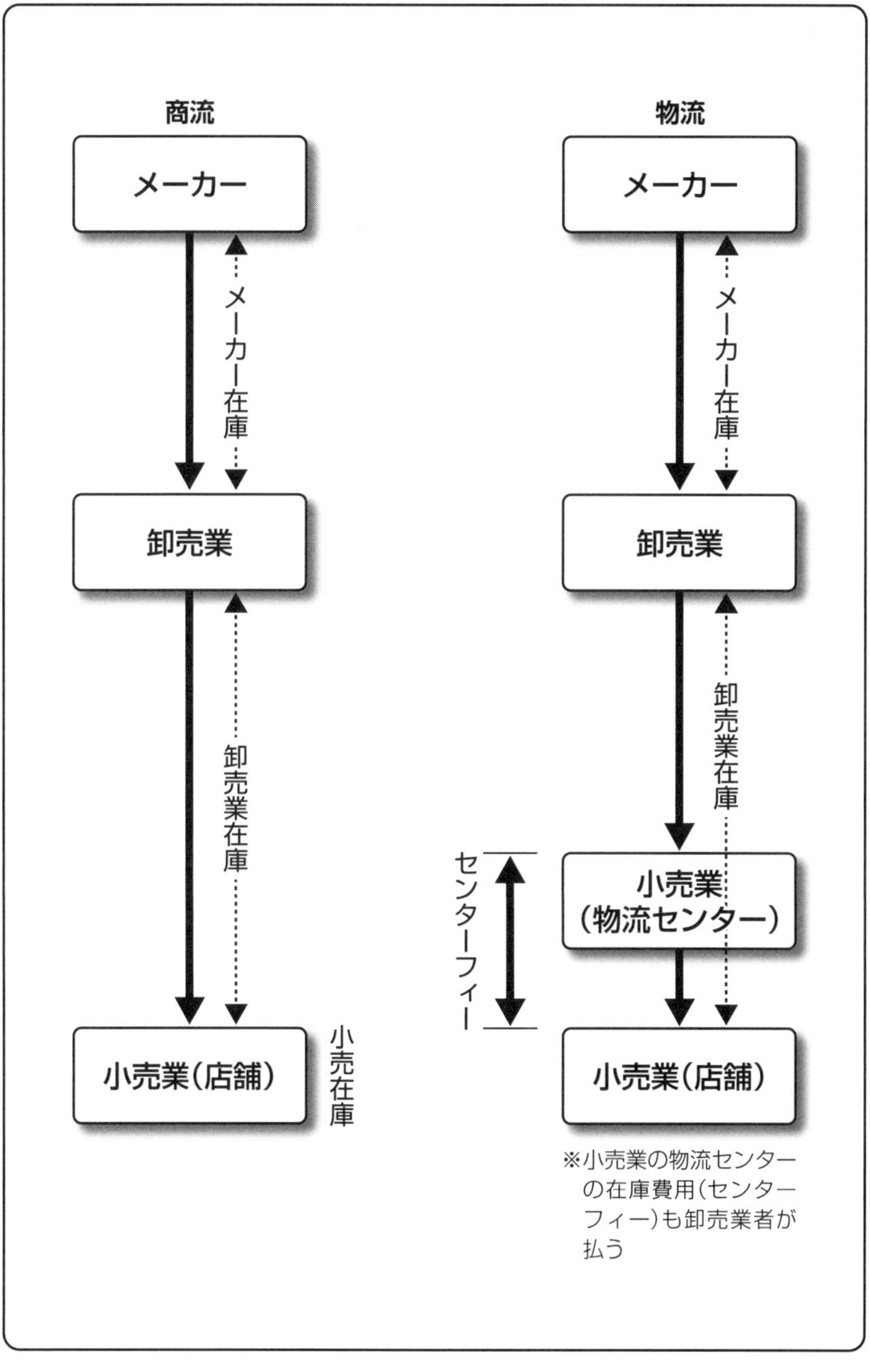
商流
物流
メーカー
メーカー在庫
卸売業
卸売業在庫
小売業(店舗)
小売在庫
メーカー
メーカー在庫
卸売業
卸売業在庫
小売業
(物流センター)
センターフィー
小売業(店舗)
※小売業の物流センターの在庫費用(センターフィー)も卸売業者が払う

9章

物流センターのシステム化と情報技術

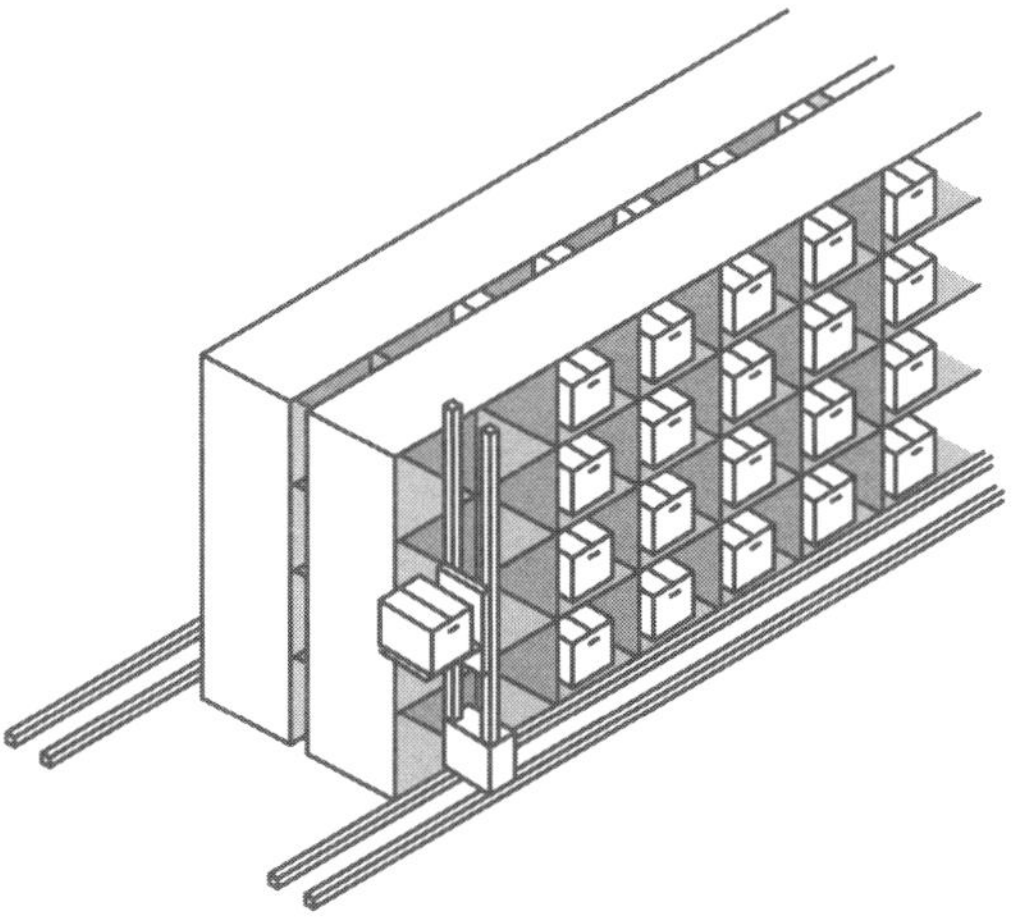

81 物流センターシステムの体系

❖物流センターのシステム

システムとは人、モノ、カネ、情報、設備といった要素を有機的に結合することです。したがって物流センターのシステムといった場合、もっとも運用効率が高まるように、物流センターを取り巻く各要素を結合させるしくみといえます。

物流センターシステムというと、物流情報システムを指す場合もあります。たしかに、情報を効率的に管理することは大事な要素です。しかし、情報管理だけでは効率的な物流センターシステムは構築できません。

物流センターの業務ならび各種マテハン機器も対象とする必要があります。また取引先や基幹システムとのデータ連携も、物流センターシステムに含まれます。まさに、広範囲なしくみといえます。

❖物流センターシステムの内容

物流センターシステムは①ＷＭＳ②ＴＭＳ③マテハンシステムが主です。①から③の個々のシステムが連動しあうことで、効率的なセンターシステムを形成できます。

中心となるのがＷＭＳ（Warehouse Management System＝倉庫管理システム）です。物流センターには多くの作業員が働いています。多くの設備も導入されています。在庫管理などの管理業務も多々あります。それらを有機的に結合するシステムがＷＭＳになります。

ＴＭＳ（Transportation Management System＝輸配送管理システム）は運行、配送状況を効率化するシステムです。最適な配車計画、配送ルート策定などを行ないます。当然、効率的な配車業務には物量の予測が必要となります。その情報はＷＭＳがコントロールします。したがって、ＴＭＳはＷＭＳと連携することで効力を発揮するシステムといえます。

マテハンシステムは自動倉庫、自動仕分機器、ピッキングなどの機器を制御、コントロールするしくみです。ＷＭＳとＴＭＳを中核とした場合、同システムはサブシステムの存在になります。マテハンシステムは単体でも機器は動きますが、物流情報を掌握するＷＭＳと連携すれば、より効果的に活用することができます。

物流センターシステムの体系

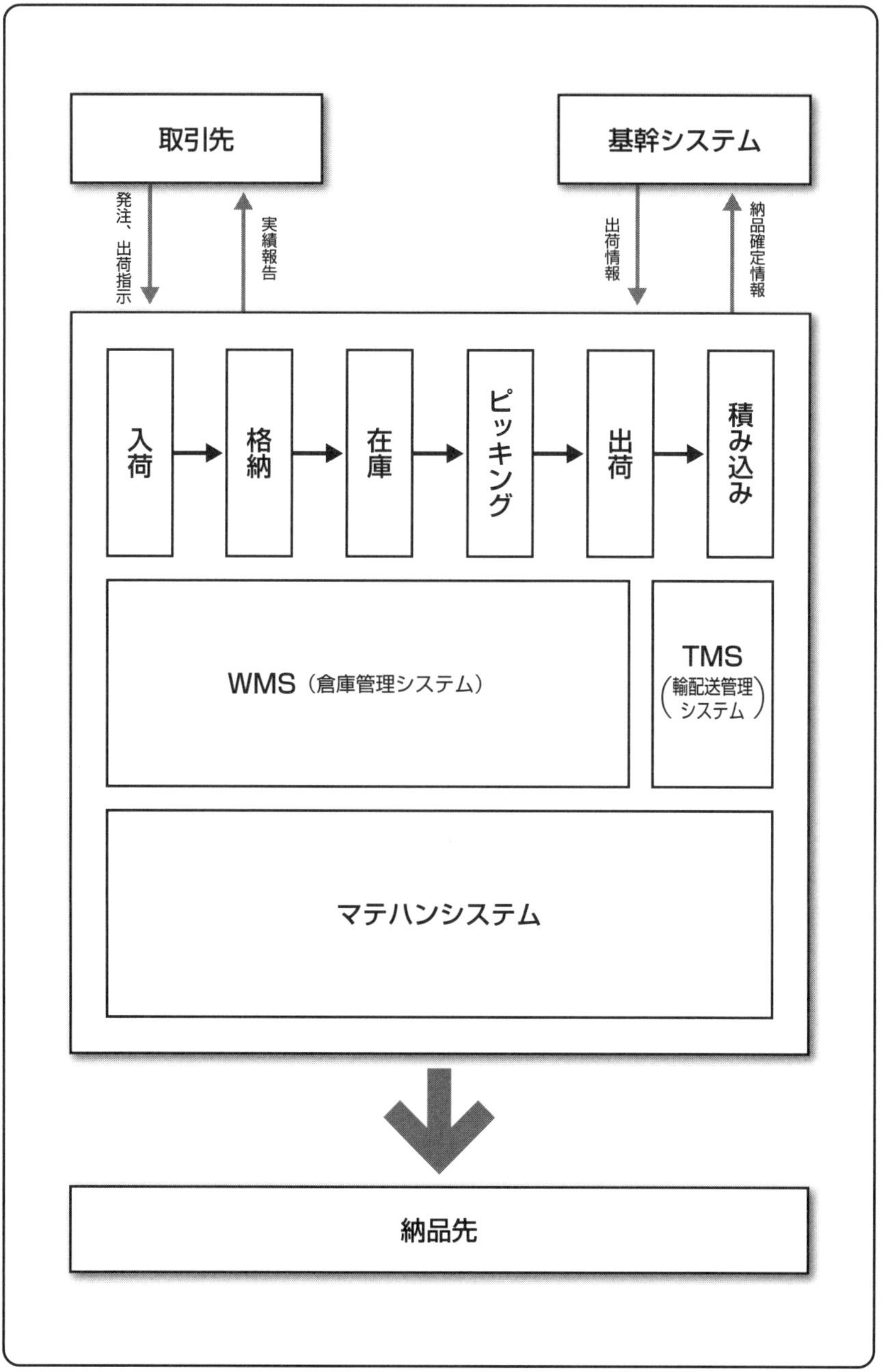
取引先
基幹システム
発注、出荷指示
実績報告
出荷情報
納品確定情報
入荷
格納
在庫
ピッキング
出荷
積み込み
WMS（倉庫管理システム）
TMS
（輸配送管理システム）
マテハンシステム
納品先

82 ＷＭＳ（倉庫管理システム）の機能と役割

❖ＷＭＳとは何か

ＷＭＳは、物流センターの業務を効率的に管理する総合物流システムで、物流センター運営には欠かせないものになっています。入荷、格納、在庫、検品、出荷といった各作業工程の情報を一元化したデータベースを保有し、作業者に最適な指示を行ないます。

ＷＭＳは一元化された物流センターの情報と各種管理システム及びデータやマテハンとの連携により、効率的な物流センターの運用を実現します。具体的には入荷管理、在庫管理、作業管理、出荷管理といった管理システム、受注データやＡＳＮデータとのやり取りを実現するデータ連携及び各種作業、情報処理・商品管理に欠かせないマスタ管理や、作業の状況を「みえる化」する進捗管理などが挙げられます。

❖ＷＭＳによる業務

取引先が納品に訪れる際には事前にＡＳＮ情報（事前出荷情報）が送られてきますが、ＷＭＳでは同情報をあらかじめ受信し、入荷作業に備えます。実際に入荷された情報はハンディターミナル等でＷＭＳのＡＳＮ情報とマッチングさせ、その結果をＷＭＳに返します。入荷された商品はどのロケーションへ格納したらよいかＷＭＳが作業者に指示します。ＷＭＳには商品ごとにロケーションが登録されています。在庫管理も、ＷＭＳは「入荷日」「製造日」「出荷期限」などの情報を商品ごとに持ち合わせており、最適な出荷指示をすることができます。

❖進化するＷＭＳ

ＷＭＳといえば、物流センター内の作業管理システムの意味合いが強かったのですが、最近では管理・分析系の内容も取り入れています。

管理機能としては、物量の変動に応じた最適なレイバースケジュール（作業計画）や、人の配置などを行なう要員管理システム、分析機能としては在庫ＡＢＣや各種生産性指標をはじめ、需要予測やＫＰＩ（重要業績評価指標）などもＷＭＳの機能として取り込まれています。

そういった意味で最近のＷＭＳは、ＳＣＭパッケージに近い内容になっています。

WMS（倉庫管理システム）の体系

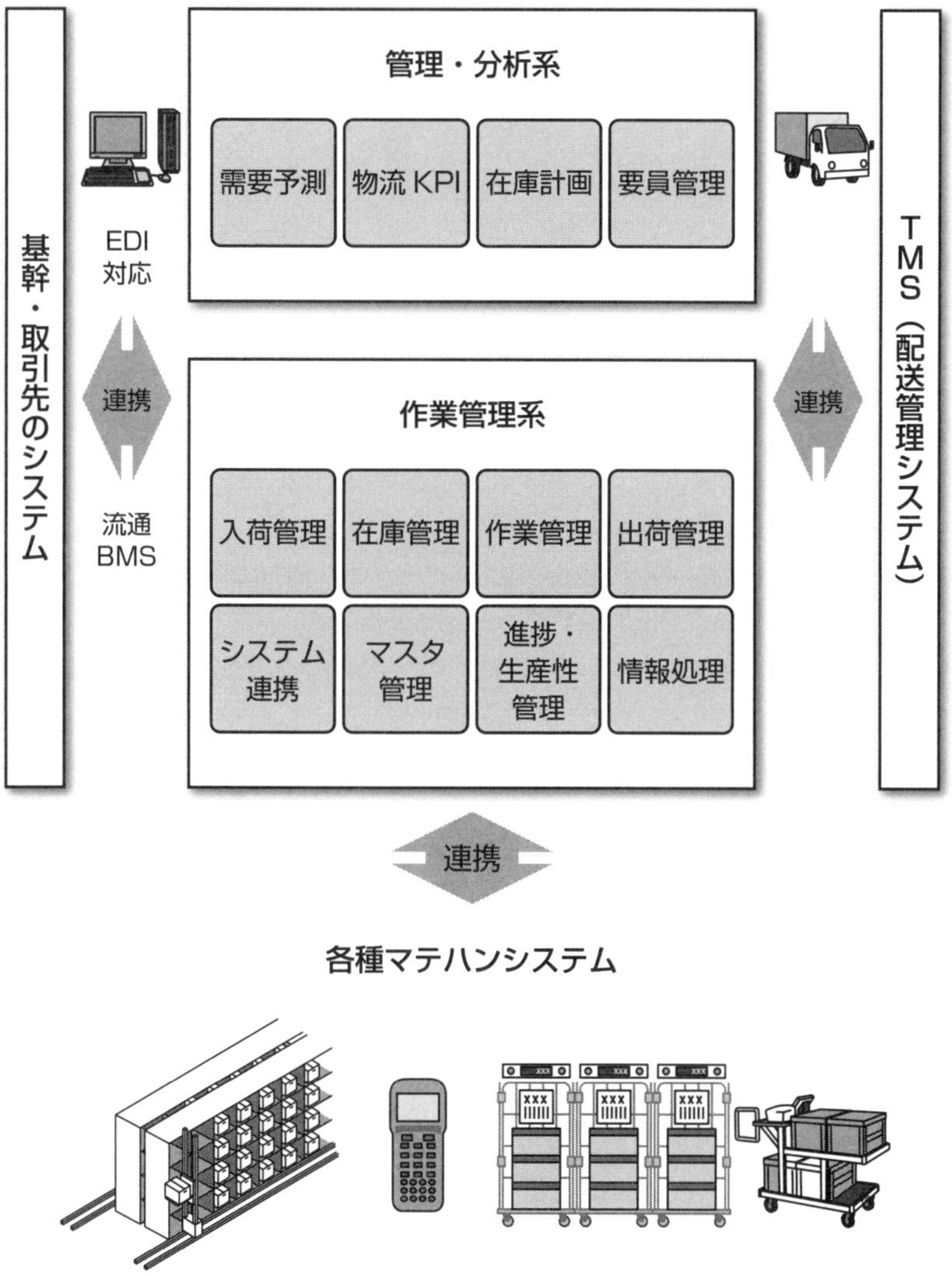
基幹・取引先のシステム
EDI
対応
連携
流通
BMS
管理・分析系
需要予測
物流 KPI
在庫計画
要員管理
作業管理系
入荷管理
在庫管理
作業管理
出荷管理
システム
連携
マスタ
管理
進捗・
生産性
管理
情報処理
連携
TMS（配送管理システム）
連携
各種マテハンシステム
XXX

EDI（Electronic Data Exchange）…電子データ交換
流通BMS（Business Message Standard）…流通業界のEDIのガイドライン（204ページ参照）

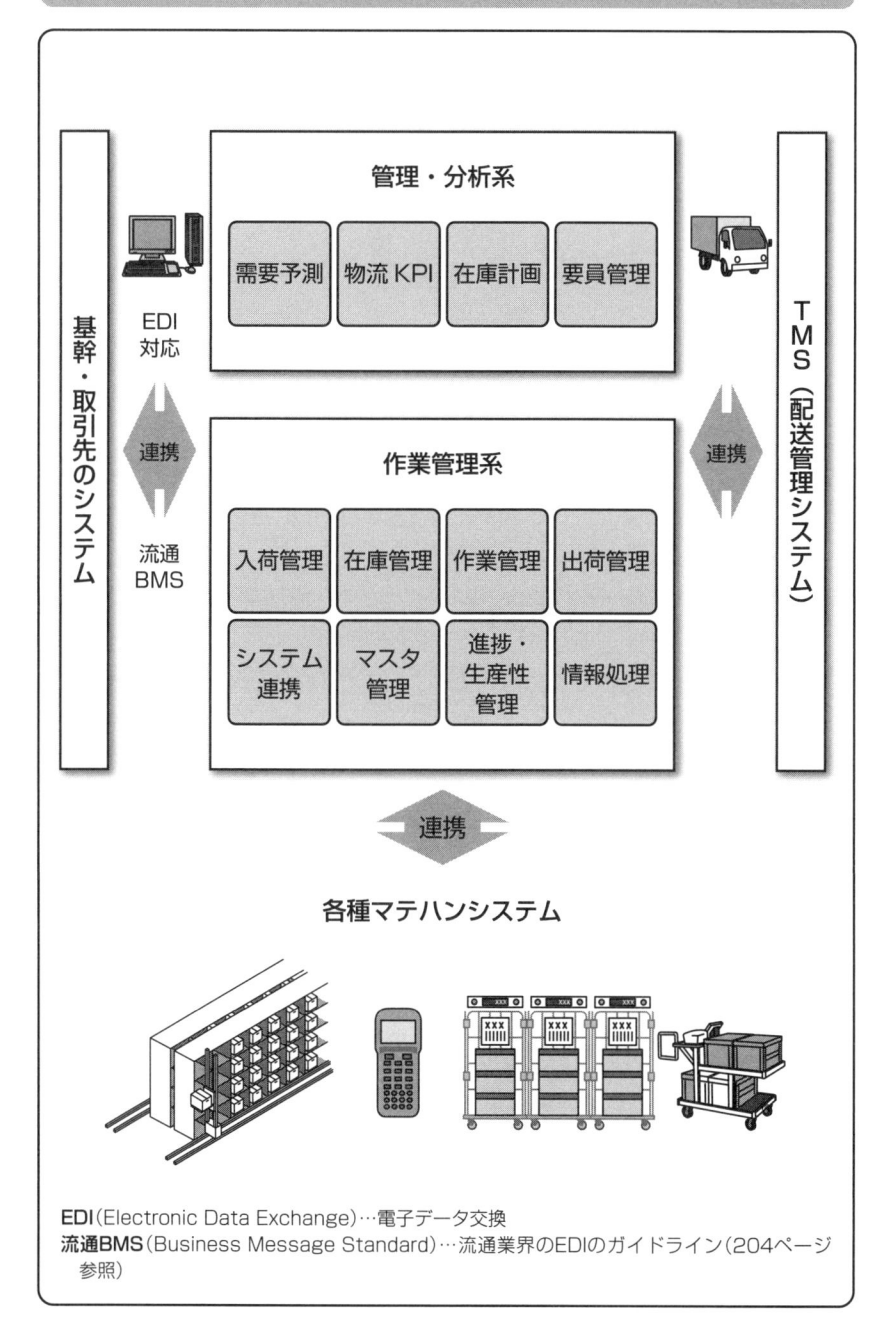

83 ＷＭＳの導入と選定

❖物流センターのシステム

物流センターシステムといった場合、情報システム部門をイメージする人も多いと思います。たしかにＷＭＳ導入には、多数のコンピュータやサーバーなどのハードウェアとソフトウェアが欠かせません。しかし物流センターシステムのめざすところは、効率的な運用管理であり、物流コストを引き下げることにあります。よって、ＷＭＳの導入は関連部門を含めた横断的なプロジェクトで検討していくことが望ましいといえます。

スタートは商品管理基準や納品精度、リードタイムなど、顧客に対しての物流サービス水準の設定からはじまります。次に大枠で入荷から出荷までのオペレーションフローを作成し、必要に応じてマテハンなどの設備を決定していきます。大枠の運用内容が決定したところで、ＷＭＳの要求仕様を決定していきます。

❖ＷＭＳの要求仕様

ＷＭＳをゼロから開発することもできます。しかし多額の費用を要します。物流センターの業務は企業や扱う商品によって管理内容の違いはありますが、入荷、在庫、出荷などの業務は共通しているので、パッケージを購入する方法もあります。また、大手３ＰＬ業者などは自社でＷＭＳを保有しています。

ＷＭＳを選定する場合、どのような内容が必要か事前に検討しておく必要があります。

システム構成では、①開発言語、②サーバー構成、③ネットワーク構成、④保守体制など。ソフトウェア面は①入荷、在庫、出荷といった管理内容、②マテハンなど他システムとの連携、③管理画面や帳票種類、④進捗状況とデータ分析、⑤流通ＢＭＳなど基幹システムとの連携。その他、物流ＫＰＩや**ＲＦＩＤ**への対応の有無などを事前に決定しておきます。

要求仕様が決定した後は、再度、運用や管理内容を詳細に定義していきます。物量なども算出し、ハードウェア構成と数量を決めます。後は実際の運用や具体的な管理内容をベースにシステムを設計し、実際の運用方法をイメージしながら構築していきます。

WMSの要求仕様（例）

全　体　①マテハン設備との連携が可（自動倉庫、ソーター）
②HHTとの連携が可
③複数のセンター管理が可
④全センターの在庫、作業実績の集中管理が可
⑤フリーロケーション・固定ロケーションの双方に対応可
⑥複数荷主別に管理が可
※HHT（Hand Held Terminal）…検品用端末

商　品　①商品について、自社コード・JAN・ITF（GTIN）コードの管理が可
②荷姿について、ケース・ボール・バラの管理が可

入　荷　①入荷予定のない商品についても、入荷が可
②分納に対応可

出　荷　①出荷予定のない商品についても、出荷が可
②賞味期限の古い商品から出荷引き当てが可
③オーダーピッキング、トータルピッキングの選択が可

在庫管理　①在庫の賞味期限管理、ロット管理が可
②同一ロケーションで複数品名・複数賞味期限管理が可
③特売品の管理が可
④預かりの在庫管理が可
⑤在庫の状態管理（良品・不良品・返品・廃棄品等）が可

業　務　①DC業務が可
②TC業務が可

データ連携

システム構成

保守内容

RFID（Radio Frequency IDentification）…電波で人やモノを認識する技術（206ページ参照）

84 ＴＭＳ（輸配送管理システム）の機能と役割

❖ＷＭＳとＴＭＳ

ＴＭＳとは輸配送管理システムのことで、効率的な輸送及び配送業務を実現します。

物流コストの約半分は配送コストになります。全体のコスト削減には効率的な配車や運行が欠かせません。また昨今は、CO_2の排出量低減が義務づけられており、ムダな配車は避けなければなりません。

そこで、ＴＭＳの重要性も高まってきています。

物流センターのしくみとしてＴＭＳが取り上げられる理由は、ＴＭＳのもととなるデータが出荷物量にあるからです。出荷作業が終了し、その物量をもとに車両を手配していたのでは、とうてい間に合いません。あらかじめ固定ルートを設定し、物量に関係なく事前に車両を手配する方法もありますが、物量は曜日によってバラツキがあり、必ずロスの多い配車計画となります。

ＷＭＳの受注データをベースに配送物量を試算し、車両を手配することで効率的な配車計画が実現できるのです。ＴＭＳはＷＭＳと常に連携して動いています。

❖ＴＭＳの内容

ＴＭＳのシステムは「配車管理」「運行管理」「動態管理」の3つに分けられます。

①配車管理は、もっとも効率的な配車計画を実現するしくみです。納品先と納品時間などの制約条件を事前に入力し、物量を入力すれば、最小車両、最小距離数の配送ルートをシステムが提示します。

②運行管理は、運行実績や配送日報などを作成し、ムダな運行の改善に役立てます。デジタルタコグラフなどを取り付け、法定速度の遵守やアクセルの開閉度など運転状況を把握し、エコや安全運転も実現できます。

③動態管理は現在の車両位置情報を地図上に表わすしくみです。最近はＧＰＳを用いて、正確かつリアルタイムに把握できるシステムも増えてきました。納品先からの到着予定時刻の確認にも正確に回答でき、トラブルや渋滞状況もリアルタイムに把握できることから、ドライバーに的確な指示を与えることも可能です。また運賃計算や請求などもＴＭＳの機能となっています。

TMS(輸配送管理システム)の概要

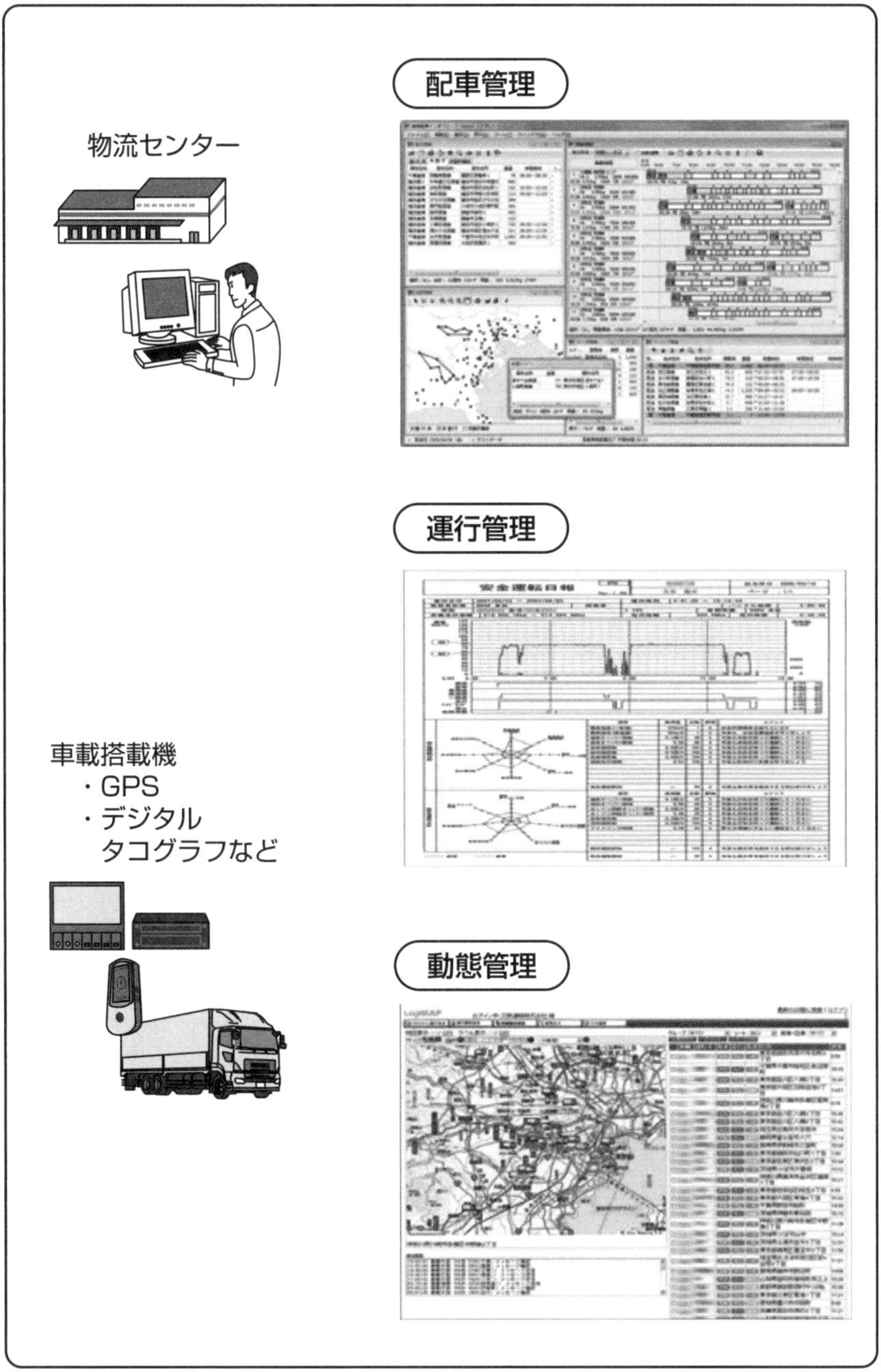

85 在庫型物流センター（ＤＣ）のシステム

❖物流センターとＤＣシステム

ＤＣ（Distribution Center）は在庫型の物流センターの略称で、ＤＣシステムは在庫型センターを効率的に運用するしくみです。

ＤＣシステムはＷＭＳ（倉庫管理システム）には必ず組み込まれているシステムで、入荷→格納→在庫→ピッキング→出荷といった各工程において、物流情報をハンディターミナルやマテハンを通じて読み取り、作業者に効率的な指示を提供します。

ＤＣシステムは通関前の商品を保管する保税倉庫と一般倉庫、常温・冷蔵・冷凍といった温度帯、在庫の所有権などで細かく異なってきます。ただ、基本のオペレーションは大方共通しています。

❖ＤＣシステムを用いたセンターオペレーション

入荷はＡＳＮ情報（事前出荷情報）を用いて検品を行なうのが一般的です。ＡＮＳ情報をハンディターミナル等にダウンロードし、商品外箱のバーコード情報をスキャンします。商品と情報を照合し、正しければ入荷確定し、物流ラベルを貼り付けます。

入荷した商品は自動倉庫やパレットラックに格納されます。格納に際しては、あらかじめ保管するゾーンやエリアが決められている「固定ロケーション」、作業者の判断で場所を選定し、後からコンピュータに登録する「フリーロケーション」の二パターンがあります。

保管した商品は在庫となり、入荷先、入荷日、数量などの在庫情報を管理します。食品など賞味期限が重要となる商品は入荷時に日付情報を入力し、一定の賞味期限を割り込んだ商品に対しては、自動的にアラームを出すなどのシステムで日付管理も行ないます。

ピッキング作業はトータル、シングルピッキングなど様々なパターンに対応しています。作業前、リザーブエリアからピッキング棚に必要数量の補充が行なわれます。ピッキングが終了した商品はカゴ車への積み間違いがないか、カゴ車と商品のバーコードをスキャンして確認します。最後にトラックに積み込みますが、その際もカゴ車とトラック情報が入ったバーコードと確認します。

DCシステムのフロー

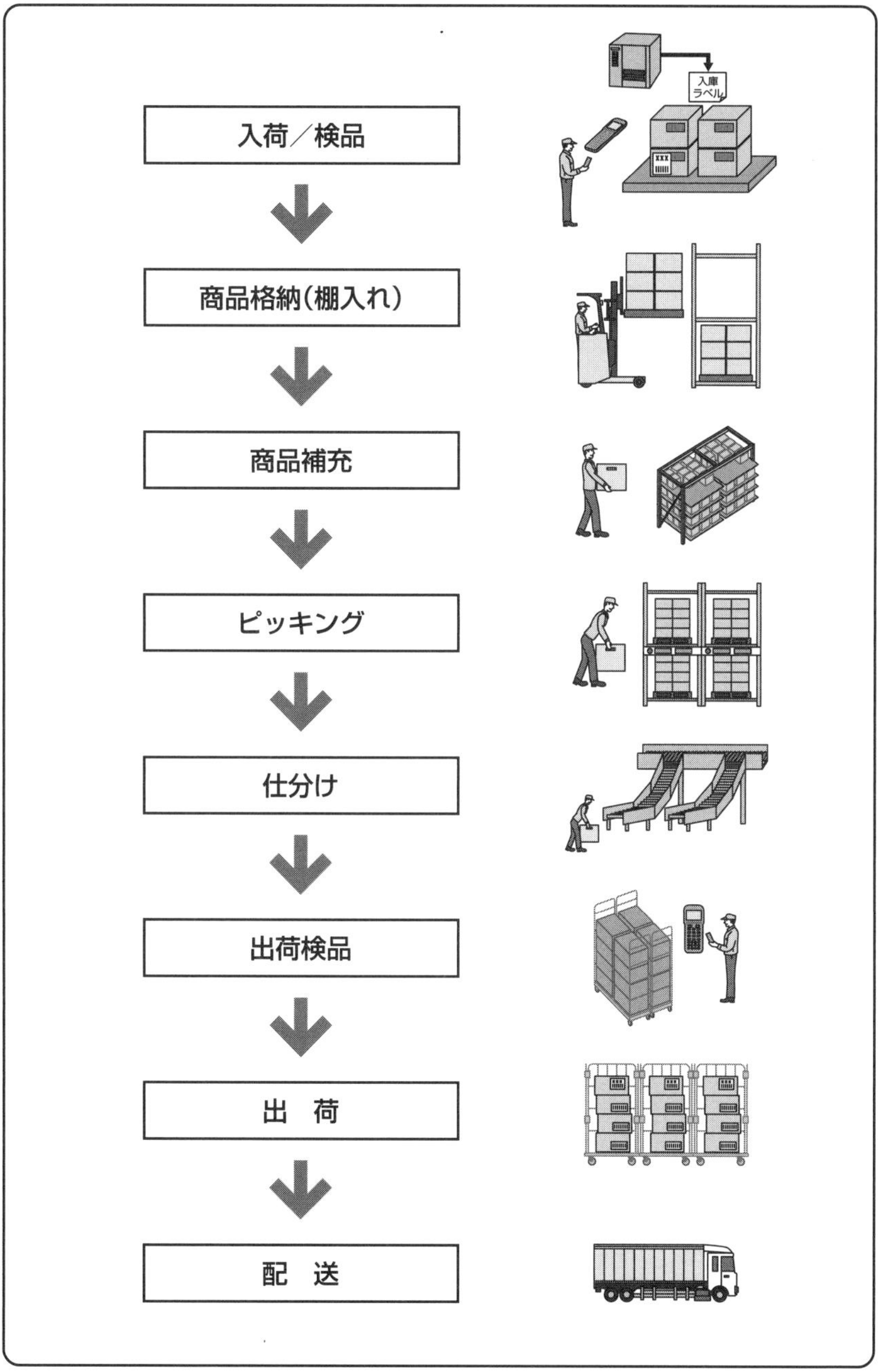
入庫
ラベル
入荷／検品
商品格納（棚入れ）
商品補充
ピッキング
仕分け
出荷検品
出　荷
配　送

86 通過型物流センター（ＴＣ）のシステム

❖物流センターとＴＣシステム

ＴＣセンター（Transfer Center）は在庫を持たない通過型の物流センターで、ＴＣシステムは通過型の物流センターを効率的に運営するしくみです。ＴＣシステムには在庫機能はなく、ピッキングや仕分け、荷合わせなどに重点が置かれています。

多くの取引先を持つ小売業などは、各ベンダー（メーカーや販売店）から直接店舗へ配送されると、荷受けするだけでも膨大な作業になってしまいます。そこでベンダーの商品をいったんＴＣセンターへ持ち込ませ、一括して指定時間に店へ配送させます。

ＴＣシステムは、事前に納品先別に仕分けしてあるパターンと、センターで納品先別に仕分けするパターンに分けられます。一般的に前者を「ＴＣⅠ型」、後者を「ＴＣⅡ型」と呼んでいます。両方ともＷＭＳでは標準の機能として持ち合わせています。

❖ＴＣ形態とオペレーション

ＴＣⅠ型では事前に内容検品をすませ、店別や顧客別に仕分けずみの形態で、センターに持ち込まれます。センターではＡＳＮ情報を用いて個数検品します。後は出荷エリアに搬送し、トラックに積み込むだけです。

ＴＣⅡ型はベンダー側では注文商品をトータルピッキングし、総量納品の形で物流センターに持み込ます。物流センターでは入荷業務として、ＡＳＮ情報どおりに持ち込まれたかどうか内容検品を実施します。次に検品を終えた商品を対象にピッキング作業を行ない、納品先別に仕分けしていきます。ピッキングを終えた商品はカゴ車等に積み込まれ、出荷検品を行ないます。後はＴＣⅠ型と同様です。

ＴＣⅠ型、ＴＣⅡ型に優劣はありません。状況に応じて使い分けられているのが実態です。しかし、納品ベンダーの物流レベルが高い場合はＴＣⅠ型でも十分なのですが、物流レベルが低い場合は、間違った状態で納品されることが想定され、センターで検品や仕分けを行なう必要性が出てきます。そこでＴＣⅡ型のほうがベストという結論になります。

TCシステムのフロー

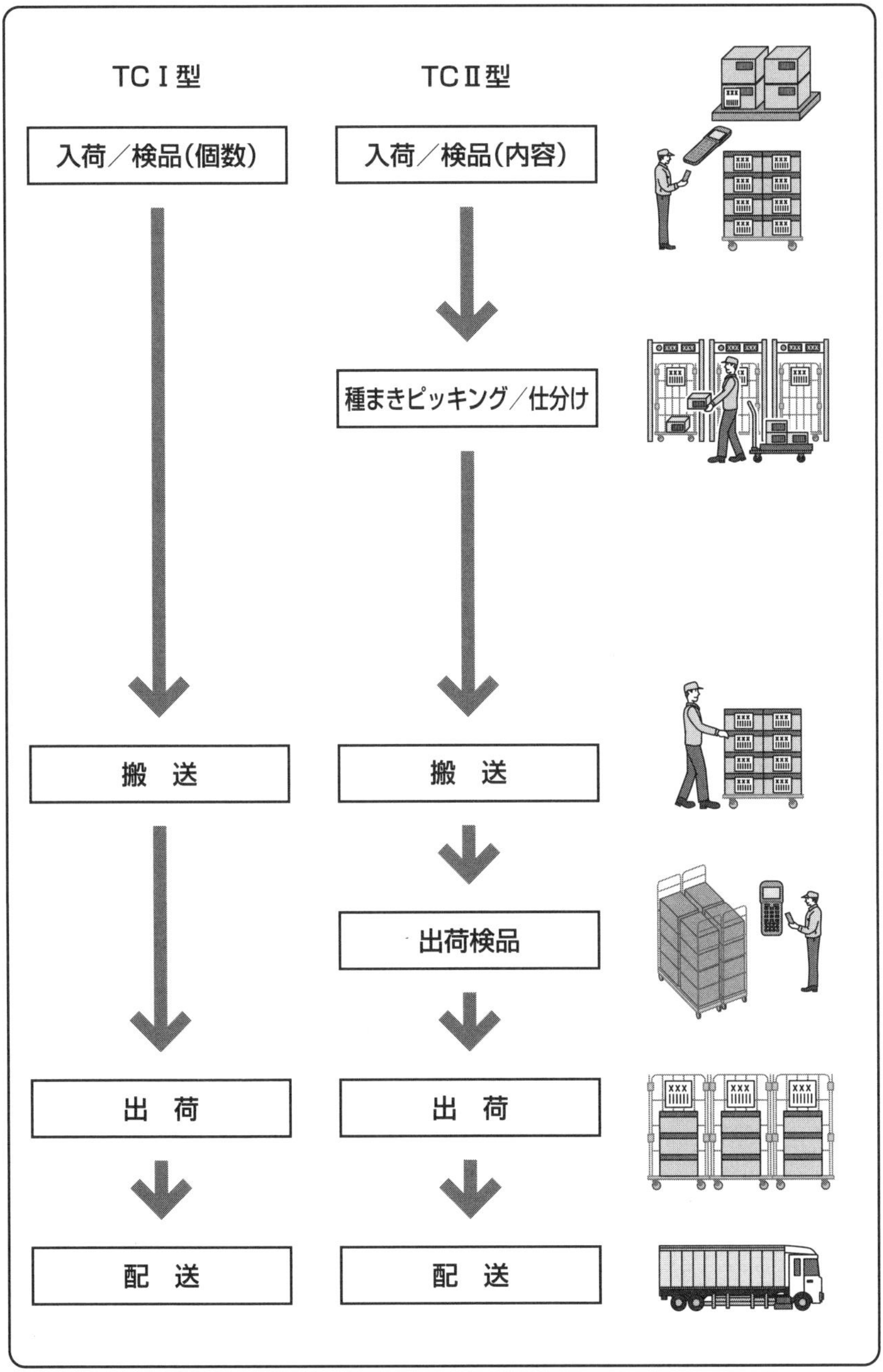
TCⅠ型
入荷／検品(個数)
搬　送
出　荷
配　送
TCⅡ型
入荷／検品(内容)
種まきピッキング／仕分け
搬　送
出荷検品
出　荷
配　送

87 物流センター業務で使われるバーコード

❖物流に使われるバーコードの種類

物流システムのベースともいえるのがバーコード技術です。バーコードにはメーカーや商品などの情報が入力されています。

その情報をハンディターミナルなどの機器で読み取り、ＷＭＳをはじめとするコンピュータシステムと連携して高度な物流管理を実現しています。

自動倉庫のロケーションやケースソーターの仕分情報もバーコード情報がベースとなっています。

バーコードは世界に１００種類以上あるといわれています。わが国の物流でもっとも使われているバーコードはＪＡＮ（Japanese Accepted Name）、ＩＴＦ（Interleaved Two of Five）、ＥＡＮ（European Article Number）、ＣＯＤＥ-１２８などです。

❖ＪＡＮコードとＩＴＦコード

ＪＡＮコードは個装に設定される商品認識コードで、製造段階から個々の商品の外箱に印字されています。標準タイプ（13桁）と短縮タイプ（８桁）があります。

ＩＴＦコードは企業間の取引単位である集合包装（ケース、ボール、パレットなど）に対し設定された商品識別コードです。当初は16桁からスタートしましたが、最近では国際的な商品コードであるＧＴＩＮ（国際取引商品番号）に準拠する目的で14桁になっています。

❖ＣＯＤＥ-１２８

ＣＯＤＥ-１２８はＪＡＮやＩＴＦと比較して多くの情報を表示できます（１２８文字）。商品関連情報（製造日、賞味期限、有効期限、使用期限、製造番号、ロット番号等）、企業間取引情報（注文番号、梱包番号、請求先企業コード、出荷先企業コード等）などです。その情報の多さから、企業間のＥＤＩ（Electronic Data Interchange＝電子データ交換）での利用が普及しています。

物流センターではＡＳＮ情報を格納した入荷ラベルに利用され、梱包明細を持つＳＣＭラベルとして使われています。ＣＯＤＥ-１２８をスキャンすることで、請求から支払いまでＥＤＩで取引することが可能になります。

いろいろな物流バーコード

◉JANコード（13桁タイプ）

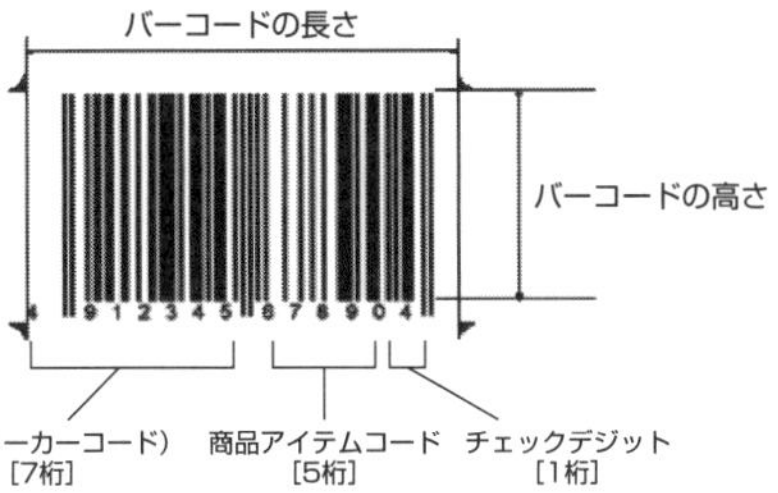
バーコードの長さ
バーコードの高さ
企業（メーカーコード）
[7桁]
商品アイテムコード
[5桁]
チェックデジット
[1桁]

◉ITFコード（14桁タイプ）

標準バージョン（14桁）

14901234567891
国コード
[2桁]
商品アイテムコード
[5桁]
物流識別コード
[1桁]
メーカーコード
[5桁]
チェックデジット
[1桁]

◉ITFコード（16桁タイプ）

拡張バージョン（16桁）

0104901234567893
0固定
国コード
[2桁]
商品アイテムコード
[5桁]
物流識別コード
[2桁]
メーカーコード
[5桁]
チェックデジット
[1桁]

◉CODE-128

【特徴】

キャラクタ構成は、ASCII 128 文字すべて、４種類のファンクションキャラクタ（FNC1 から FNC4）、４種類のコード選択キャラクタ（A、B、C、Shift）、３種類のスタートコード（A、B、C）、１種類のストップコードから構成される

- 『コードA』数字・英字（大文字のみ）と制御文字（DEL など）で構成
- 『コードB』ASCII 文字で構成
- 『コードC』数字のみで構成

チェックデジットは、モジュラス 103 を使用しているが、自己チェック機能がある

CODE-128 は UCC/EAN-128 の規格のもとになっており、現在では小売業における製品の識別のために使用されたり、SCMラベルの識別バーコードとしても使用されている

88 物流システムを支える各種物流ラベル

❖物流センターで使用される物流ラベル

物流センターでは多くの物流ラベルが使われています。入荷、出荷、梱包などでです。ラベルにはバーコード等が印字されており、ハンディターミナルなどで商品情報を読み取ることができます。物流ラベルはまさに物流システムを支える重要なツールなのです。

代表的な物流ラベルには、①入荷ラベル、②仕分け・補充ラベル、③ＰＤラベル、④ＳＣＭラベルが挙げられます。他にもカート台車に貼り付けるラベルなど、物流センターによって様々なものがあります。

入荷ラベルは商品入荷時に発行し、商品の外箱に貼り付けます。入荷先や商品名のほか、保管ロケーションや賞味期限などが印字されています。仕分け・補充ラベルは、物流センター内において商品を移動する際に発行されるラベルで、トータルピッキング、保管エリアからピッキング棚への補充時などにラベルを事前発行し、商品に貼り付けた状態で移動します。

ＰＤ（Physical Distribution）ラベルとは、（財）流通システム開発センターが標準化した、届け先店のバーコードが表示されているラベルです。

ＳＣＭ（Shipping Carton Marking）ラベルはバーコードに内容明細情報を持たせた物流ラベルです。ＡＳＮ情報との連携により、検品作業の簡素化・効率化に効果を発揮します。

❖ＡＳＮとＳＣＭによる物流フロー

従来、物流センター側では商品の入荷に際しては目視《もくし》や、内容物に関しては開梱して検品するしかありませんでした。その入荷検品を飛躍的に効率化させたしくみがＡＳＮとＳＣＭラベルによる入荷検品フローです。

ＡＳＮ（Advanced Shipping Notice）は事前出荷通知と訳され、商品が物流センターに届く前に納品先に送られる内容明細情報です。出荷側は同情報をＳＣＭラベルに格納し、商品の外箱にＳＣＭラベルを貼り付けて出荷します。物流センター側では外箱やオリコンのＳＣＭラベルのバーコードをスキャニングするだけで、ＡＳＮ情報と照合が行なわれ、内容検品が完了します。

物流SCMラベルの内容

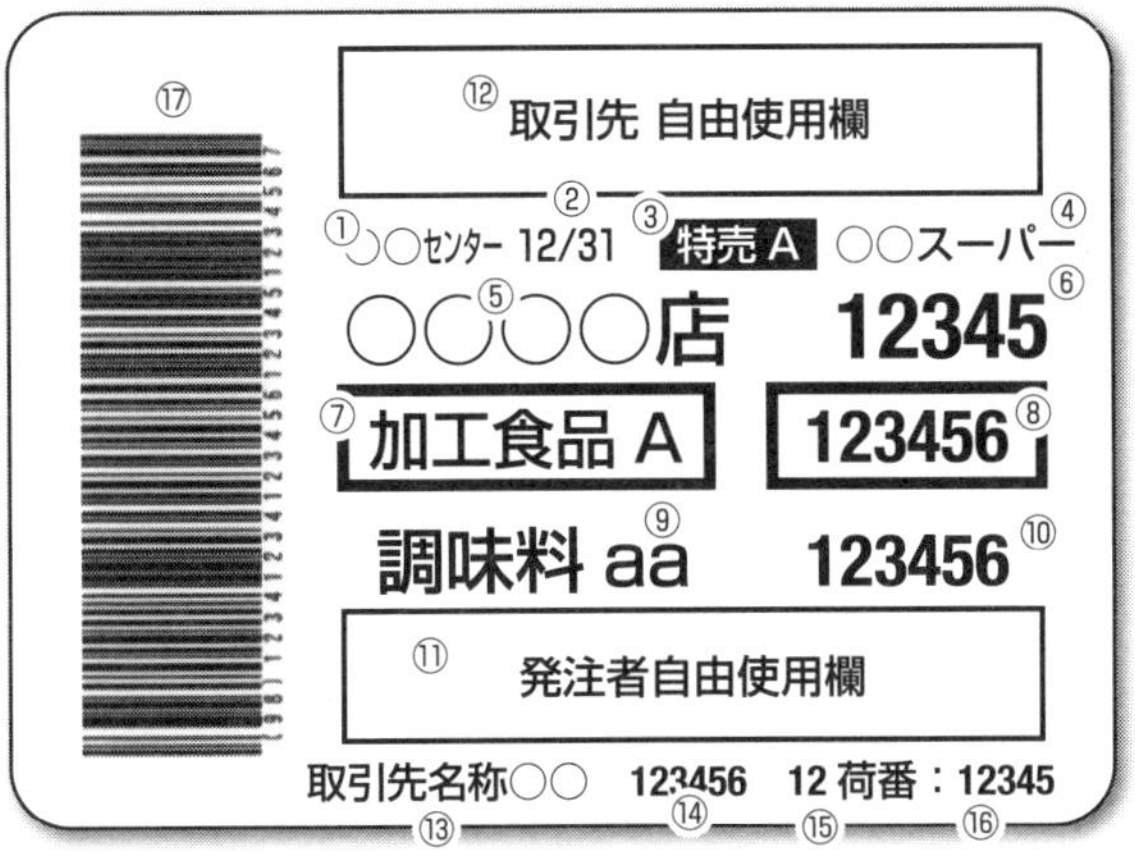

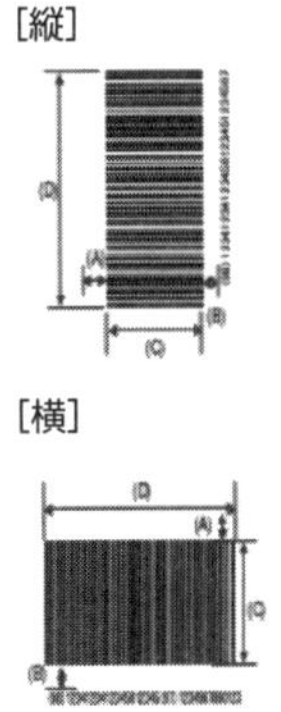

※バーコードの向きが縦の場合、桁数はすべて28桁になる

レイアウトパターン	用紙サイズ	バーコード *D：バーコード横幅（倍率0.25倍の場合）				備考
		印字向き	桁数	A、B	上下マージン	
				C	バーコード縦幅	
				D	バーコード横幅*	
パターン1	A1	横	36桁	A、B	0.5mm	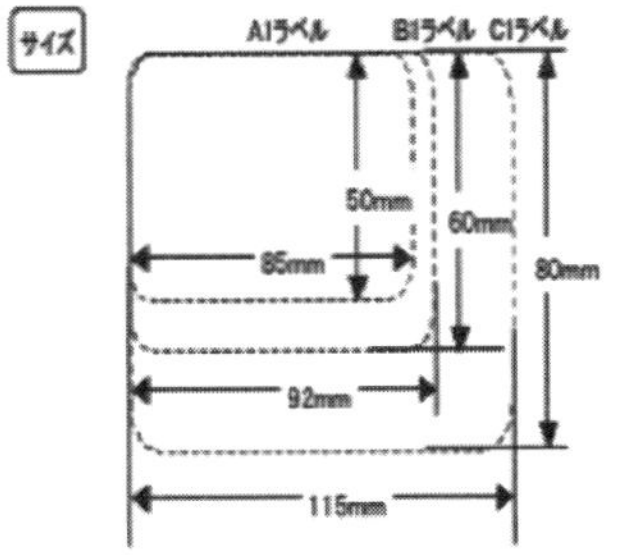
				C	12mm	
				D	61mm	
パターン2	B1	縦	28桁	A、B	0.5mm	
				C	25mm	
				D	50mm	
パターン3		横	36桁	A、B	0.5mm	
				C	12mm	
				D	61mm	
パターン4	C1	縦	28桁	A、B	0.5mm	
				C	25mm	
				D	50mm	
パターン5		横	36桁	A、B	0.5mm	
				C	25mm	
				D	61mm	

No		標準仕様サイズ／桁数					
		A1 横	B1 縦	B1 横	C1 縦	C1 横	桁数
①	センター名称	10pt	9pt	12pt	12pt	14pt	MAX5
②	最終納品先納品日	10pt	9pt	12pt	12pt	14pt	5
③	商品区分名称	10pt	9pt	12pt	12pt	14pt	MAX3
④	発注者名称	12pt	9pt	12pt	14pt	14pt	MAX6
⑤	店舗名称	18pt	18pt	20pt	26pt	26pt	MAX5
⑥	店舗コード	18pt	18pt	20pt	26pt	26pt	MAX5
⑦	カテゴリー名称 1	14pt	16pt	18pt	20pt	20pt	MAX5
⑧	カテゴリーコード 1	14pt	16pt	18pt	20pt	20pt	MAX6
⑨	カテゴリー名称 2	14pt	16pt	18pt	20pt	20pt	MAX5
⑩	カテゴリーコード 2	14pt	16pt	18pt	20pt	20pt	MAX6
⑪	発注者自由使用欄	－	－	－	－	－	－
⑫	取引先自由使用欄	－	－	－	－	－	－
⑬	取引先名称	7pt	7pt	8pt	10pt	10pt	MAX10
⑭	取引先コード	7pt	7pt	8pt	10pt	10pt	MAX6
⑮	取引先枝番	7pt	7pt	8pt	10pt	10pt	MAX2
⑯	梱包番号	7pt	7pt	8pt	10pt	10pt	5
⑰	仕分け・情報系バーコード	－	－	－	－	－	－

89 流通ＢＭＳによる物流センターのメリット

❖流通ＢＭＳとは

流通ＢＭＳ（Business Message Standard）とは企業間のデータ交換の新たなＥＤＩのフォーマットです。従来のＪＣＡ手順（１９８０年に日本チェーンストア協会が制定）では通信速度も遅く、データ受信等でかなり時間を要していました。ＥＤＩのフォーマットも各社統一されておらず、流通全体にわたって非効率でした。

そこで２００３年、経済産業省が流通の近代化と効率化を目的に「流通サプライチェーン全体最適化促進事業」を立ち上げました。２００６年からは「流通システム標準化事業」として引き継がれ、小売り、卸、メーカーなど数多くの企業や団体が参加し、まとめられたのが「流通ビジネスメッセージ標準」、略して流通ＢＭＳです。

受注、発注、検品、出荷、請求、支払いなどの業務や「メッセージ種別」「メッセージ構造」「データ項目」と「データ項目の意味」「データ属性」を標準化しています。

通信インフラとしての基盤はインターネットで、電話回線のＪＣＡと比較して飛躍的に速度が向上しました。

なお通信プロトコルは、国際標準のｅｂＸＭＬ ＭＳ、ＡＳ２、日本標準のＪＸ手順の三方式です。

❖物流センターシステムと流通ＢＭＳ

流通ＢＭＳによる新たな物流センターシステムは、発注から出荷まで様々な情報を扱い、商品マスタ（商品の基本情報）も大きく関係しています。

では、流通ＢＭＳを採用した場合の、物流センターのメリットにはどんなことがあるでしょうか。①インターネットを基盤とすることで多くの取引先が参加しやすくなる。②物流センターのＥＤＩ比率が高まり、ＡＳＮ情報を用いた入荷、検品作業によって作業が効率的になる。③通信が高速化することで発注から受信、入荷に至るプロセスに余裕が生まれ、ムダな作業がなくなる。④取引先とメッセージを共有することで、センターの管理が容易になる。⑤データ伝送がＥＤＩで行なわれるため、情報の間違いが少なくなる。⑥取引業務をＥＤＩで処理することで、伝票の発行が大幅に少なくなり、事務作業が効率化できる、などが挙げられます。

流通BMSの概要

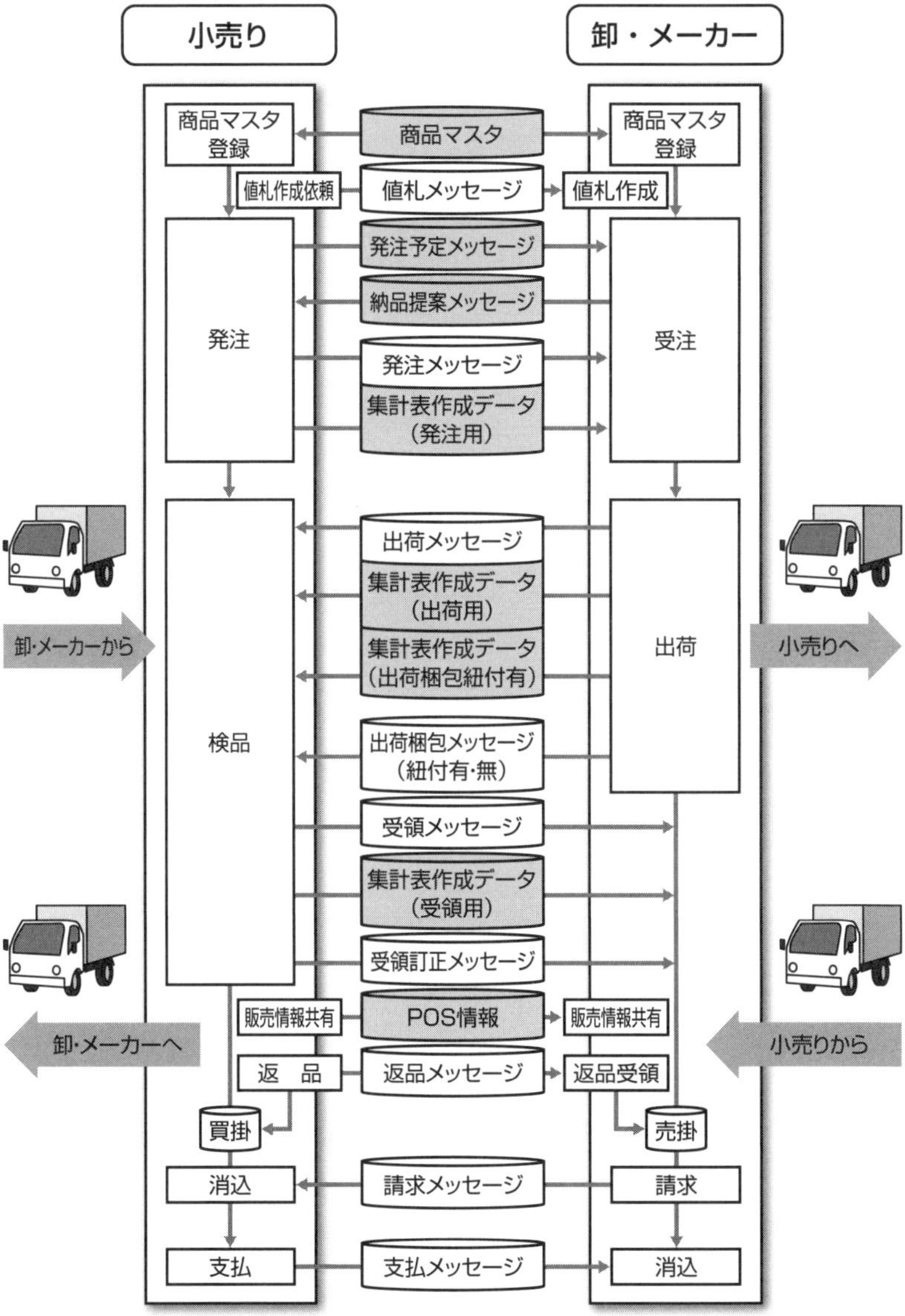
小売り
卸・メーカー
商品マスタ登録
商品マスタ
商品マスタ登録
値札作成依頼
値札メッセージ
値札作成
発注
発注予定メッセージ
納品提案メッセージ
発注メッセージ
集計表作成データ（発注用）
受注
検品
出荷メッセージ
集計表作成データ（出荷用）
集計表作成データ（出荷梱包紐付有）
出荷
出荷梱包メッセージ（紐付有・無）
卸・メーカーから
小売りへ
受領メッセージ
集計表作成データ（受領用）
受領訂正メッセージ
販売情報共有
POS情報
販売情報共有
卸・メーカーへ
小売りから
返　品
返品メッセージ
返品受領
買掛
売掛
消込
請求メッセージ
請求
支払
支払メッセージ
消込

（出所：経済産業省『流通ビジネスメッセージ標準　運用ガイドライン（基本編）第2.0版』より）

90 ＲＦＩＤの物流センターでの活用

❖ＲＦＩＤとは

ＲＦＩＤ（Radio Frequency IDentification）とは、電波を用いて人やモノを認識する認証技術のことです。タグやラベルの形をしたＩＣチップに情報を持たせ、リーダーやライターを用いて無線で情報をやり取りします。データの書き換えができることが大きな特徴で、しかも同時に多くのＩＣチップ情報を認識できます。

代表的なＲＦＩＤには「Suica」や「おサイフケータイ」があり、ほかにも入退出管理、個体認識など私たちの生活の至るところで使われています。

❖物流におけるＲＦＩＤ

物流における利用として考えられるのが入荷、棚卸、検品などの業務です。商品の外箱や個装にＲＦＩＤのチップが取り付けられていれば、リーダーをかざすだけで業務を終えることができます。

バーコードは一つひとつ読み込む必要があります。しかも接触型で書き込みは不可ですから、一度に大量の商品情報を読み込むことはできません。機能としては断然、ＲＦＩＤに軍配が上がります。しかし問題はコストです。値段が下がったとはいえ、印刷のバーコードに対しＲＦＩＤはＩＣチップです。単価は50～１００円程度といわれています。高級アパレルなどではいいでしょうが、１００円、２００円の食品や雑貨では採算が合わないのは明白です。したがって物流センターでの利用も限られるといっていいでしょう。

❖物流センターにおける利用ケース

現在、物流センターで商品のハンドリングとしてＲＦＩＤを利用しているケースはほとんどありません。一部の高額商品や特殊商品が対象です。ただし、カゴ車やオリコンなどの資産管理として使われるケースはあります。また、カゴ車にＲＦＩＤのタグを取り付け、オリコンのＳＣＭラベルと関連づけ、トラックへの積み込み間違いなどを防止するケースは増えてきました。

トラックヤードの天井にリーダーを取り付け、瞬時に積み込む台車や台車に搭載されている商品を検品し、同時に出荷オリコン数なども管理できます。

RFIDの物流センターでの活用例

◉カゴ車への積み込み

無線ハンディターミナルで、カゴ車に取り付けたRFIDタグと商品のバーコードを読み込み、データの紐付けを行なう

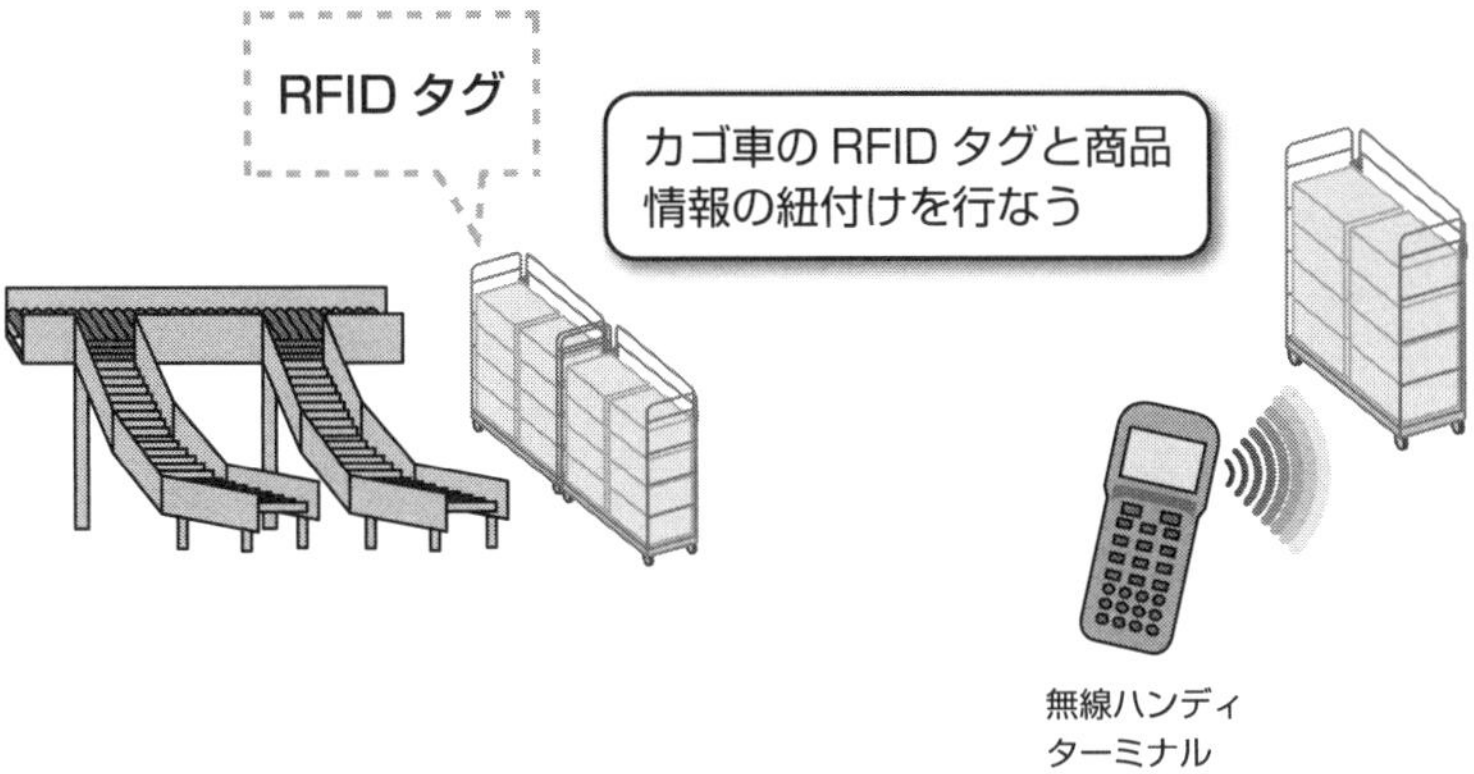
RFIDタグ
カゴ車のRFIDタグと商品情報の紐付けを行なう
無線ハンディターミナル

◉トラックへの積み込み

・出荷バース1つに対して、RFIDゲート1つを割り当てる
・トラックが指定された出荷バースに着床すると、出荷バースと車両データの紐付けを行なう
・さらに商品を積み込んだカゴ車を、RFIDゲートを通過させることで、車両データとの紐付けを行なう

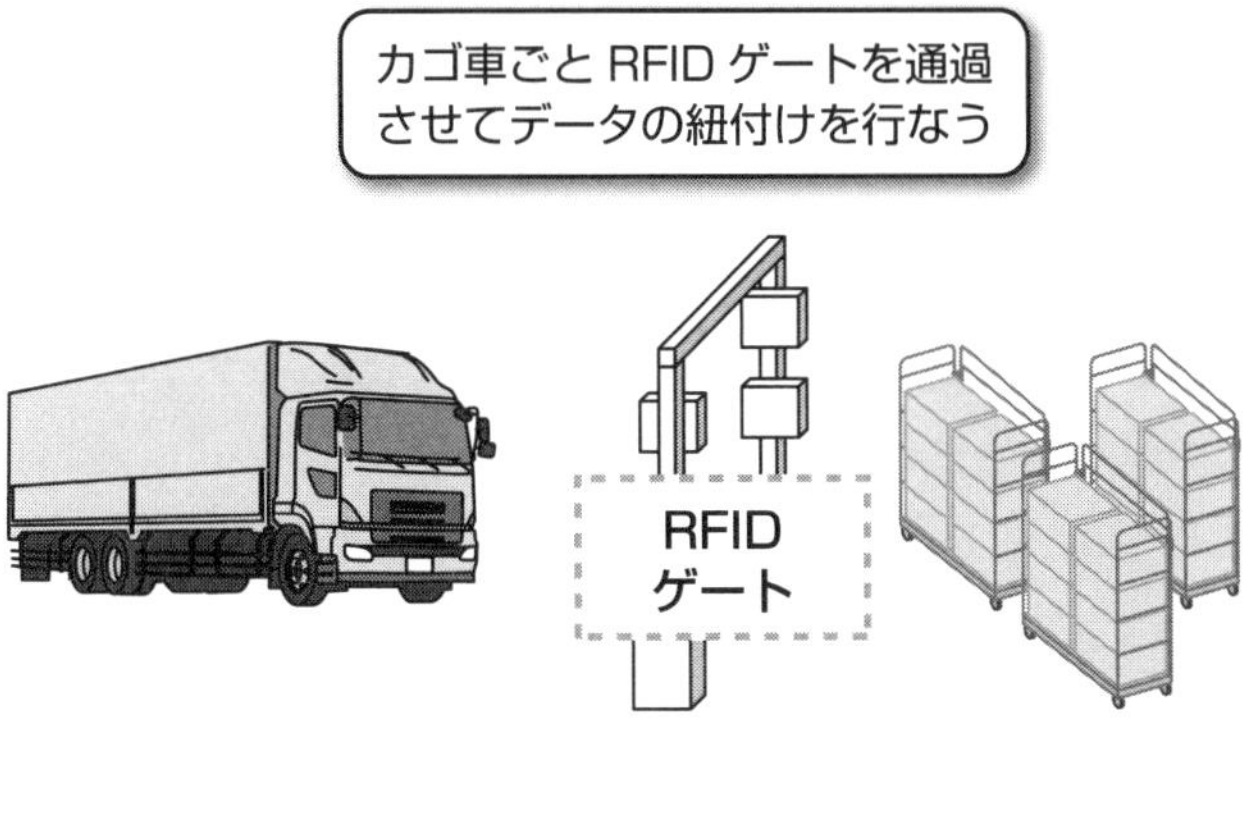
カゴ車ごとRFIDゲートを通過させてデータの紐付けを行なう
RFIDゲート

91　マテハン機器の種類と役割
92　物流マテハン機器の選定ポイント
93　集約を担うマテハン機器「パレット」
94　「運ぶ」を担うマテハン機器「フォークリフト」
95　自動搬送設備と物流センターシステム
96　自動仕分機器と物流センターシステム
97　保管機器の種類と選定方法
98　ピッキング機器の種類と選定方法
99　人間系と機械系のマテハン設備比較
100　物流センター計画とマテハン設備導入のステップ

10章

物流センターのマテハン機器

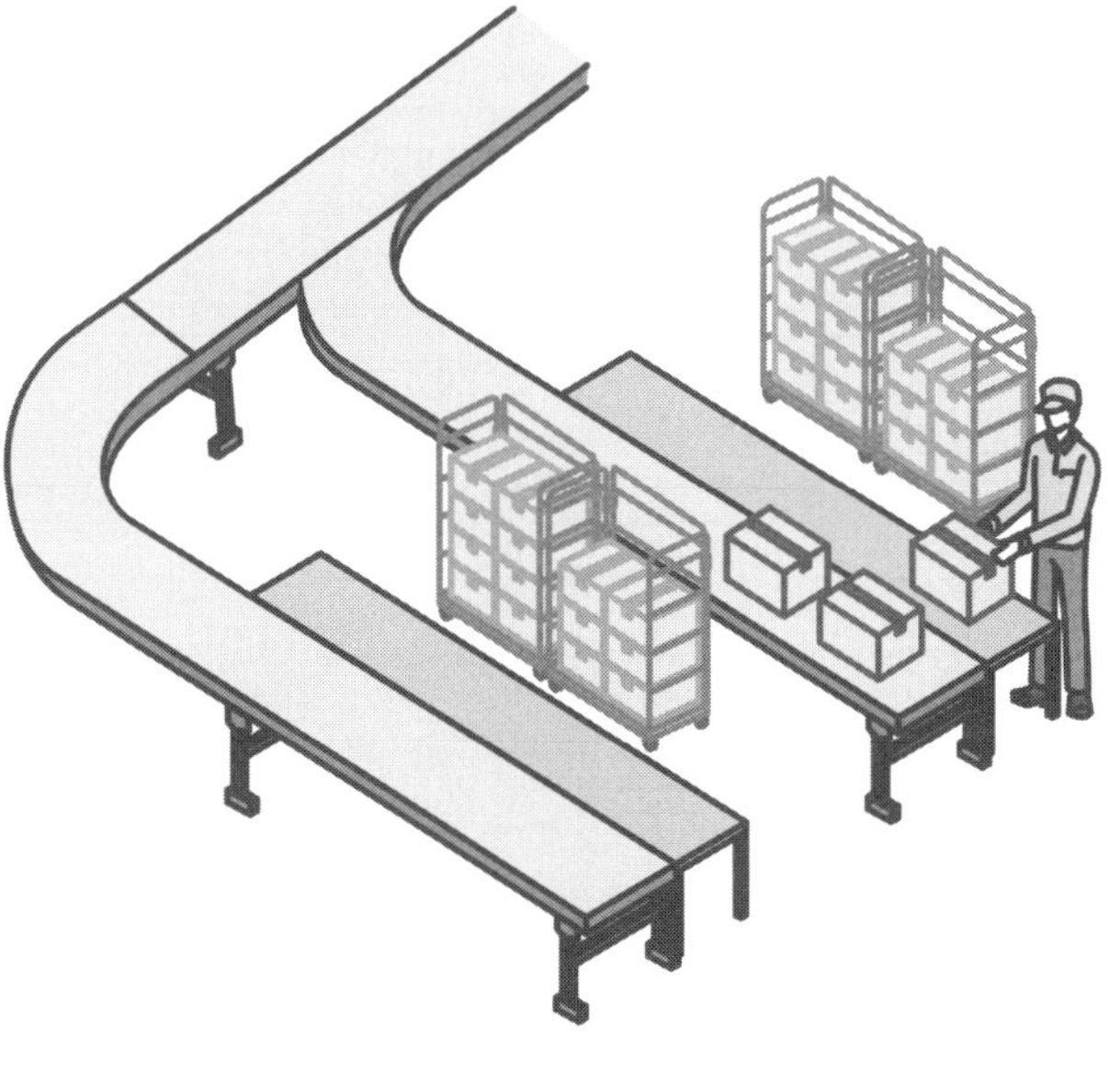

91 マテハン機器の種類と役割

❖マテハンとは何か

マテハンとはマテリアル・ハンドリング（Material Handling）の略で、商品や製品などを効率的に運搬管理することです。効率的な運搬管理とは、①モノの移動距離の最小化、②モノを扱う動作の適正化、③人の動きを最小にするモノの配置を実現することです。それらを実現する道具がマテハン機器といわれます。

物流センターでは多数の商品を保管したり、運んだりしています。したがって物流センターにとってマテハン機器は重要な道具になります。マテハン機器の役割は人がモノ自体を扱う行為を極力減らし、コスト削減に結びつけることです。高い品質を維持することも挙げられます。物流センターには様々なマテハン機器が導入されています。パレットや台車といった数千円程度の機器から、自動倉庫、自動搬送コンベアなど数億円もするものまで多くの種類が存在します。

❖マテハン機器の種類と分類

物流センターの主な作業は、「保管」「運搬」「集品」「集約」「仕分け」「検品」などです。その各作業に応じて、マテハン機器が用意されています。

保管に関しての物流機器は保管機器と呼ばれています。「自動倉庫」「パレットラック」「フローラック」が主な機器です。運搬に関しては運搬機器、搬送機器といった呼ばれ方をしています。誰もが知っている「フォークリフト」や「台車」をはじめ、「電動コンベア」「自走式台車」などの自動搬送機器も入ります。集品はピッキング機器になります。「ピッキングカート」「ピッキング表示器」などが主な機器といえるでしょう。集約はモノを集める器具で、「パレット」「コンテナ」、仕分けは「自動仕分機」などが代表的なマテハン機器といえます。検品に関して、重量はコンベアに計量器を備えて検品します。内容は主にハンディターミナルが使われています。ハンディターミナルは様々なところで利用されています。物流機器とはいえませんが、バーコードを読む特性上、検品以外にも、集品や集約などにも使われており、いわば万能機器といった側面を持ち合わせています。

主な物流マテハン機器とシステム

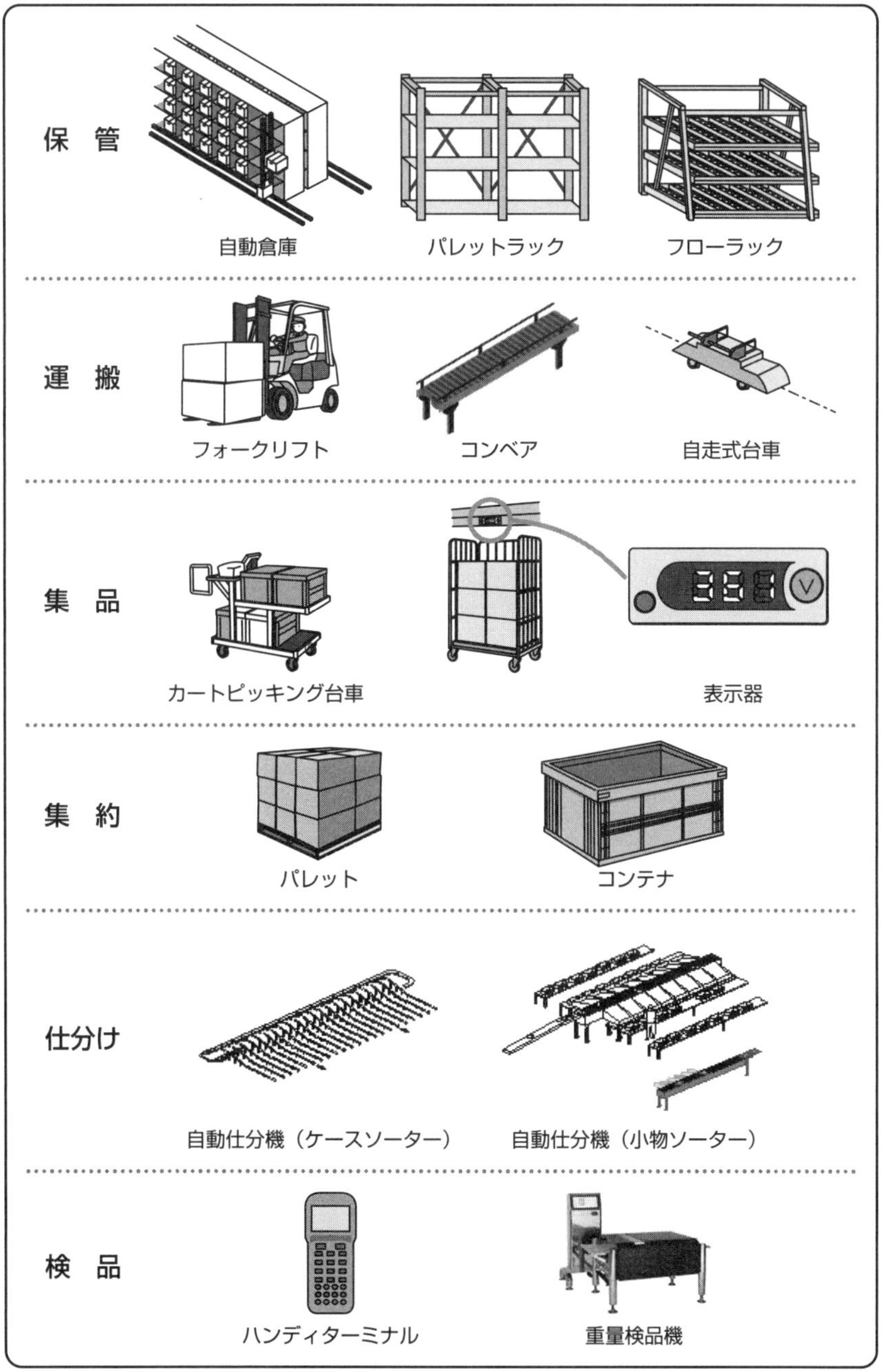
保　管
自動倉庫
パレットラック
フローラック
運　搬
フォークリフト
コンベア
自走式台車
集　品
カートピッキング台車
表示器
集　約
パレット
コンテナ
仕分け
自動仕分機（ケースソーター）
自動仕分機（小物ソーター）
検　品
ハンディターミナル
重量検品機

92 物流マテハン機器の選定ポイント

❖マテハン機器の導入に際して

マテハン機器を検討する上で重要なことは、物流センターで取り扱う商品の特性です。①商品の形状や大きさなど荷姿特性、②入荷形態や出荷単位などのハンドリング特性、③出荷品種、出荷量など物量特性、です。加えて物流の品質や、受注から出荷までの作業時間などを考慮しながら、総合的にマテハン機器を選定していきます。

❖荷姿から見たマテハン機器選定のポイント

すべての商品がダンボールに入っているとは限りません。中には長尺のものや、大物も存在します。それら異形品は立体自動倉庫や自動搬送設備などは一般的に不向きといえます。また、野菜や果物など商品がむきだしになっているモノも機械化には不向きでしょう。一方、加工食品や日用品、飲料などダンボールに詰められ、大きさも一定の商品は機械化に向いているといえます。

❖ハンドリング特性から見た選定のポイント

パレットで入荷し、パレットで出荷。ケースで入荷し、バラで商品が出荷される。物流センターにどのような荷姿で入荷し、どのような形態で出荷されるかはマテハン機器選定において重要な意味を持ちます。また注文ロットや入出荷ロットもマテハン機器選定に大いに関係してきます。

❖物量特性から見た選定のポイント

物量、アイテム数、在庫数、注文特性、物量波動など物量の特性も大きく関係してきます。中でも重要なのが品目数と物量のバランスで、ＰＱ分析といった手法で分析をします。ＰはProductでアイテム数。ＱはQuantityで物量を表わします。数少ないアイテム数を少量しか扱わない場合は、大したマテハン機器は必要としません。しかし少ない品種でも物量が大量で、かつ短時間に処理しなければならないとすれば事情は違ってきます。

品目数と物量が同じでも、中身によって選ぶマテハン機器は違ってきます。ＡＢＣ分析をした結果、上位10％の品目で90％を出荷している場合と、同じく上位10％で50％しか出荷していないのでは、選ぶ設備も異なってきます。

PQ分析の例

A=パレット出荷　B=ケース出荷　C=バラ出荷

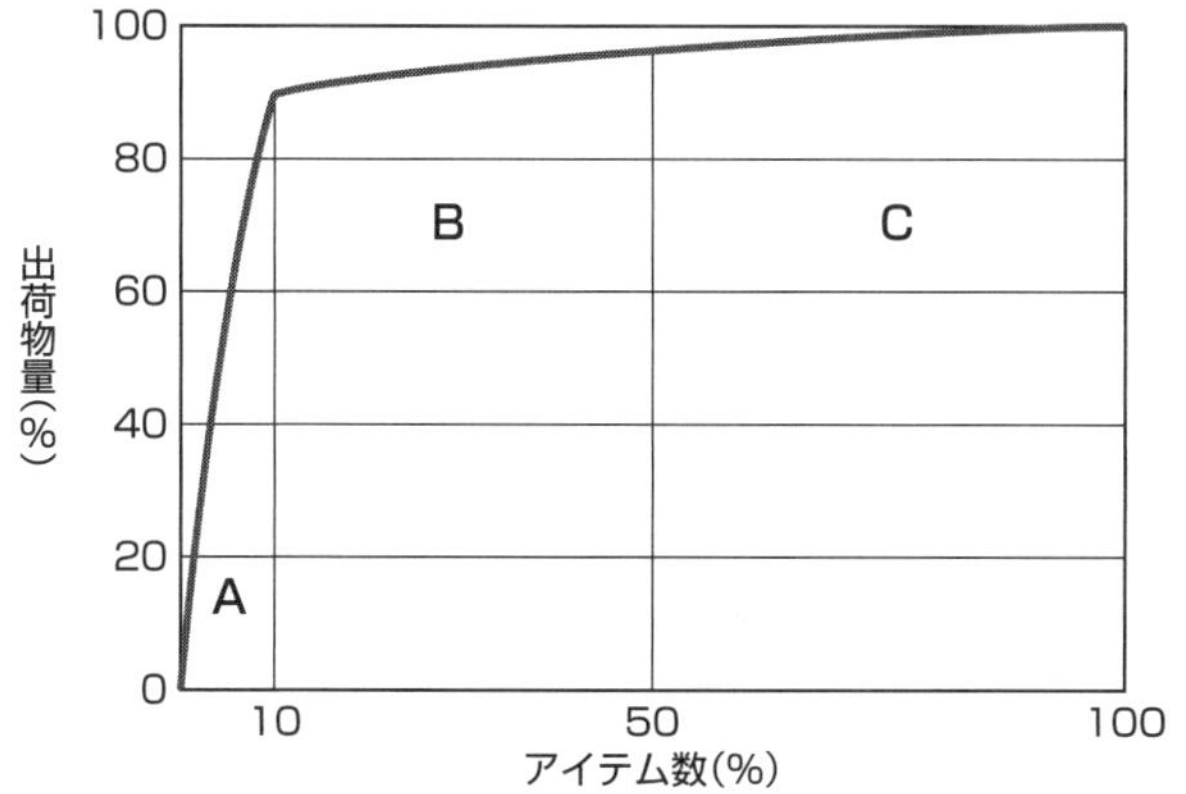

90%の物量が10%のアイテムで出荷されている。バラ出荷アイテムは全体で50%あるが、出荷物量では5%未満なので、バラは機械化をしなくても、ハンディターミナルなどの人手によるピッキングで十分と考えられる
Aランクは、平置きなどの人手でもかまわないが、パレット入荷、パレット出荷の、効率が高い、自動倉庫などの選択も考えられる

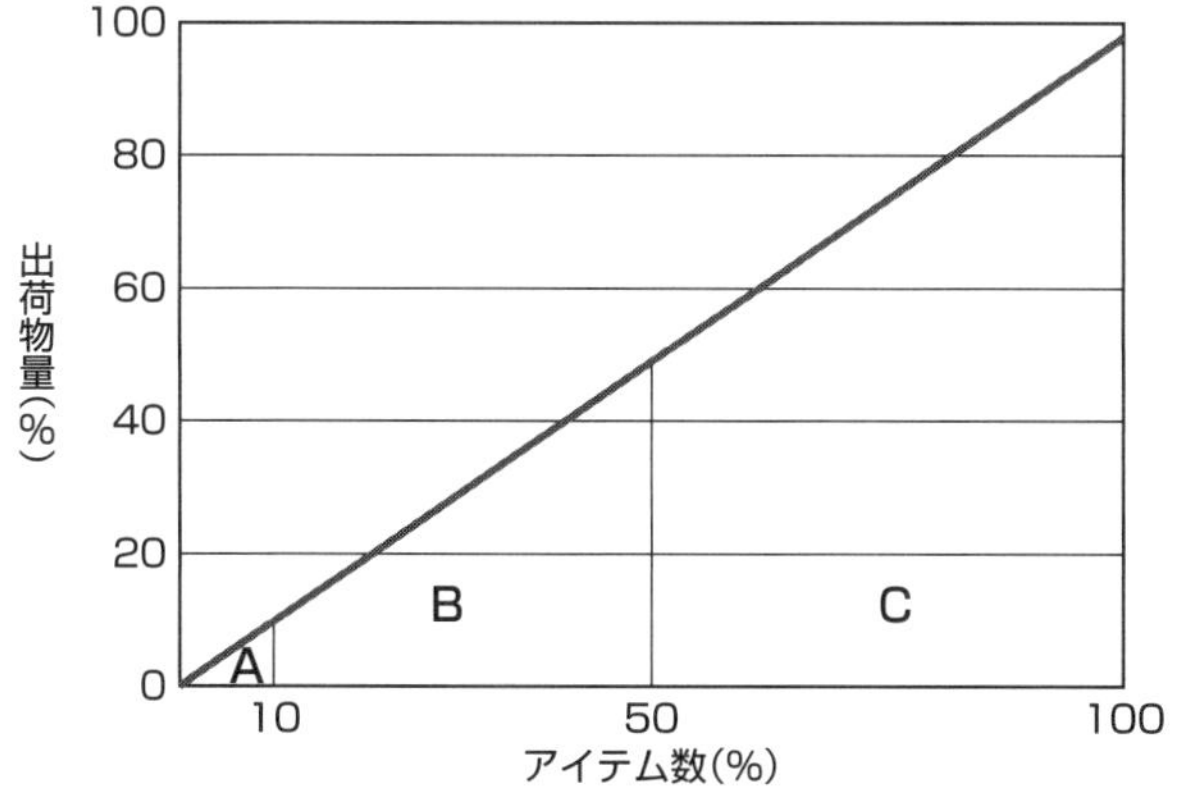

バラの出荷割合が物量、アイテム数ともに50%ともっとも高いことから、人手を要するバラピッキング方法の選択が鍵を握り、機械化を行なってもよいと考えられる
パレット出荷の割合は10%程度で、しかもアイテムもわずかで、平置き程度でも十分と考えられる。ケース出荷品は自動倉庫でといった考えも成立するが、品目数とオーダー特性によっては不向きとも考えられる。ピッキングアイテム当たりのケース出荷数が少ない場合、逆にコストが高くなる可能性もあるので、さらなる検討が必要

93 集約を担うマテハン機器「パレット」

❖パレットの役割

ケースとバラが混在してセンターに置かれていたり、バラ商品が容器に入っていない状態では、効率的な作業は望めません。効率的に保管、運搬するには商品を一定の荷姿にまとめることが重要です。その役割を担うマテハン機器が集約を担う「パレット」、正式名称は「平パレット」です。平パレットには木製、プラスチック製、鋼製、アルミ製、合板製など様々な材質のものがあります。その中でも多いのが木製とプラスチック製です。

❖一貫輸送用パレット(T11)

平パレットは輸送中も多く使われています。したがってすべての物流センターが同じ平パレットを使えば、途中のムダな積み替えはなくなり、人件費コストの削減が期待できます。

一貫パレチゼーションとは、出発地から到着地まで、同一のパレットを使用することをいいます。このパレットはＪＩＳでサイズが１１００×１１００ミリに規定されていることから、Ｔ11とも呼ばれ、国内でもっとも普及しているサイズです。加工食品や日用品業界では大半がＴ11を採用しています。しかしビール業界では１１００×９００ミリのサイズが採用され、必ずしも各業界で同一のパレットサイズのものを使用しているわけではありません。海外では、アメリカは１２１９×１０１６ミリ、ヨーロッパでは８００×１２００ミリのものが主流になっています。

❖パレットの種類

パレットは平パレット以外にも、ボックスパレット、ロールボックスパレット、シートパレットなどがあります。ボックスパレットは「パレテーナ」とも呼ばれ、バラ商品をまとめるのに用いられます。主に工場の部品などが同パレットで搬送されています。ロールボックスパレットは「カーゴテーナ」とも呼ばれ、ケースやオリコン、または長尺ものを同パレットでまとめて保管、搬送しています。シートパレットは厚さが数ミリのパレットで、高さに余裕のない物流センターで使われ、主にセメント資材などの搬送に用いられています。

パレットの種類

平パレット

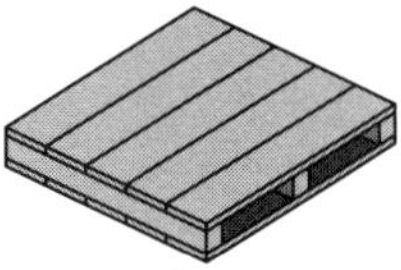

（主流のサイズ）

日本	1100×1100ミリ
アメリカ	1219×1016ミリ
ヨーロッパ	800×1200ミリ

ボックスパレット
（パレテーナ）

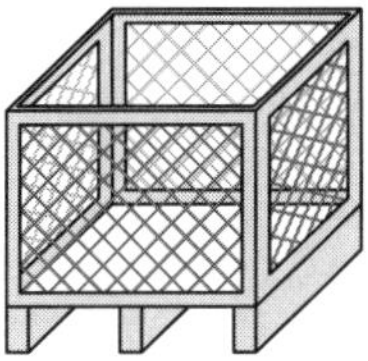

ロールボックスパレット
（カーゴテーナ）

シートパレット

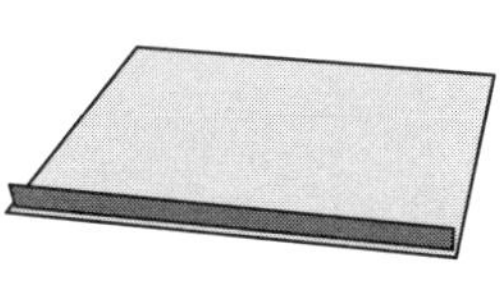

94 「運ぶ」を担うマテハン機器「フォークリフト」

❖運搬機器の代表フォークリフト

フォークリフトは物流センター内でモノを運んだり、移動させたりするときの運搬機器で、だいたいの物流センターにはあります。フォークリフトは大きく「カウンター型」と「リーチ型」に分けられます。

カウンター型は座席やハンドルを備え、4輪（前輪が駆動、後輪は軌道）で動かす代表的なフォークリフトです。一般的にフォークリフトといった場合は、カウンター型です。走行速度は速く、路面が悪いところでも走行に支障はなく、汎用性に優れています。しかし小回りはリーチ型より劣ります。通路幅は3メートル以上を必要とします。

リーチ型はカウンター型とは異なる構造になっています。マストが前後に移動できる形で、オーバーハング（車輪より先に出た部分）がほとんどありません。一般的に立って乗車します。メリットはカウンター型と比較して回転半径が小さく、小回りが利くことです。90度旋回も可能で、狭い物流センターでは威力を発揮します。

しかし全タイプがバッテリー式で、エンジン式を備えるカウンター型と比較して連続稼働時間が短いことがデメリットとして挙げられます。価格もカウンター式よりも高くなっています。

それ以外ではサイドフォーク、ピッキングフォーク、ハンドフォークなどが物流センターで見られます。サイドフォークは主に長尺物に使います。ピッキングフォークは人が台に乗ってピッキングするのに用います。ハンドフォークは動力を持たないタイプで、荷重の少ない場合に用いています。

❖フォークリフトと物流センター作業

フォークリフトはモノを運ぶ以外に、商品を格納したり降ろしたりすることができます。ですから荷役機器とも呼ばれ、商品を搬送して格納するのにも用いられます。ピッキングでも、パレット単位のピッキングはフォークリフトで行ないます。ケースピッキングにしても一次仕分けの大半はフォークリフトで、物流センターでは様々なシーンで活躍しています。

フォークリフトの種類と各部の名称

カウンター型

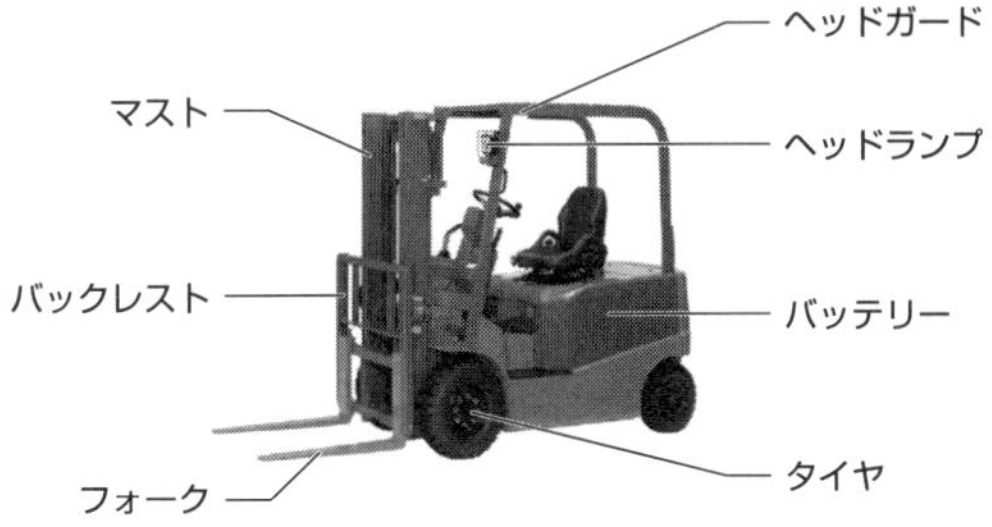
ヘッドガード
マスト
ヘッドランプ
バックレスト
バッテリー
タイヤ
フォーク

リーチ型

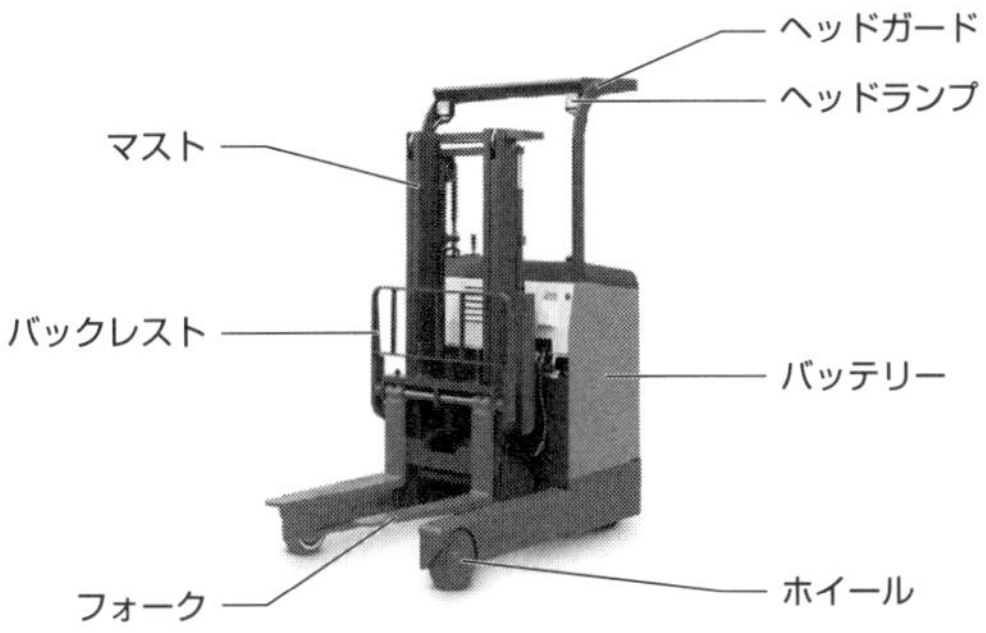
ヘッドガード
ヘッドランプ
マスト
バックレスト
バッテリー
フォーク
ホイール

その他のタイプ

サイド
フォークリフト

ピッキング
フォークリフト

ハンド
フォークリフト

95 自動搬送設備と物流センターシステム

❖電動コンベアと無人搬送台車

自動搬送設備とは、人手を介さないで商品を搬送する設備です。台車やカゴ車などを用いて人手搬送を中心とする物流センターも多いのですが、機械化されたセンターでは自動搬送設備は欠かせない存在です。

設備は電動コンベアや無人搬送台車が主役です。電動コンベアはモーターでコンベアに駆動力を与え、商品を自動的に搬送します。ベルト式、チェーン式、ローラー式などが主なタイプです。ベルト式はフレーム両端のプーリーの回転によりベルトを駆動。チェーン式は両側のチェーンの支持体にスラットやバケットを取り付けて駆動。ローラー式はホイールを並べ、回転させることで商品を自動的に搬送させます。

無人搬送台車は無人で荷物を搬送する台車です。レーザーや磁気で自動的に走らせる台車を無軌道台車、外部からの給電によってガイドレール上を走る台車を有軌道台車と呼びます。無軌道台車は、レールが不要な分、複雑なルートの走行が可能です。有軌道台車は固定レール上を走行する分、速く走らせることができますが、走行に制約が生じます。

❖自動搬送設備のソリューション

電動コンベアや無人搬送台車は単独で機能しているわけではありません。入荷から出荷まで物流センター全体のオペレーションシステムの一翼を担う役割で用いられているのです。

電動コンベアは入荷の投入ライン、バラピッキング商品の排出ライン、自動仕分機器などと連携して利用されています。無人搬送台車は自動倉庫と連携するパターンが多く、商品の自動入庫、払い出し後の自動搬送などに用いられています。

では、商品の実際の流れを見てみましょう。

パレット単位で入荷された商品を無人搬送台車で自動倉庫に格納します。自動倉庫からクレーンで自動的に切り出された商品は無人搬送台車で、出荷ラインに自動搬送されます。商品を電動コンベアに投入、後はケースソーターで自動的に仕分けられます。

物流センターの自動搬送設備

◉自動搬送設備

電動コンベア

ベルトコンベア

チェーンコンベア

ローラーコンベア

無人搬送台車

無軌道無人搬送台車

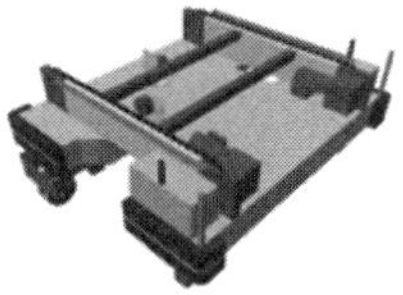

有軌道無人搬送台車

◉自動搬送設備を用いたソリューション

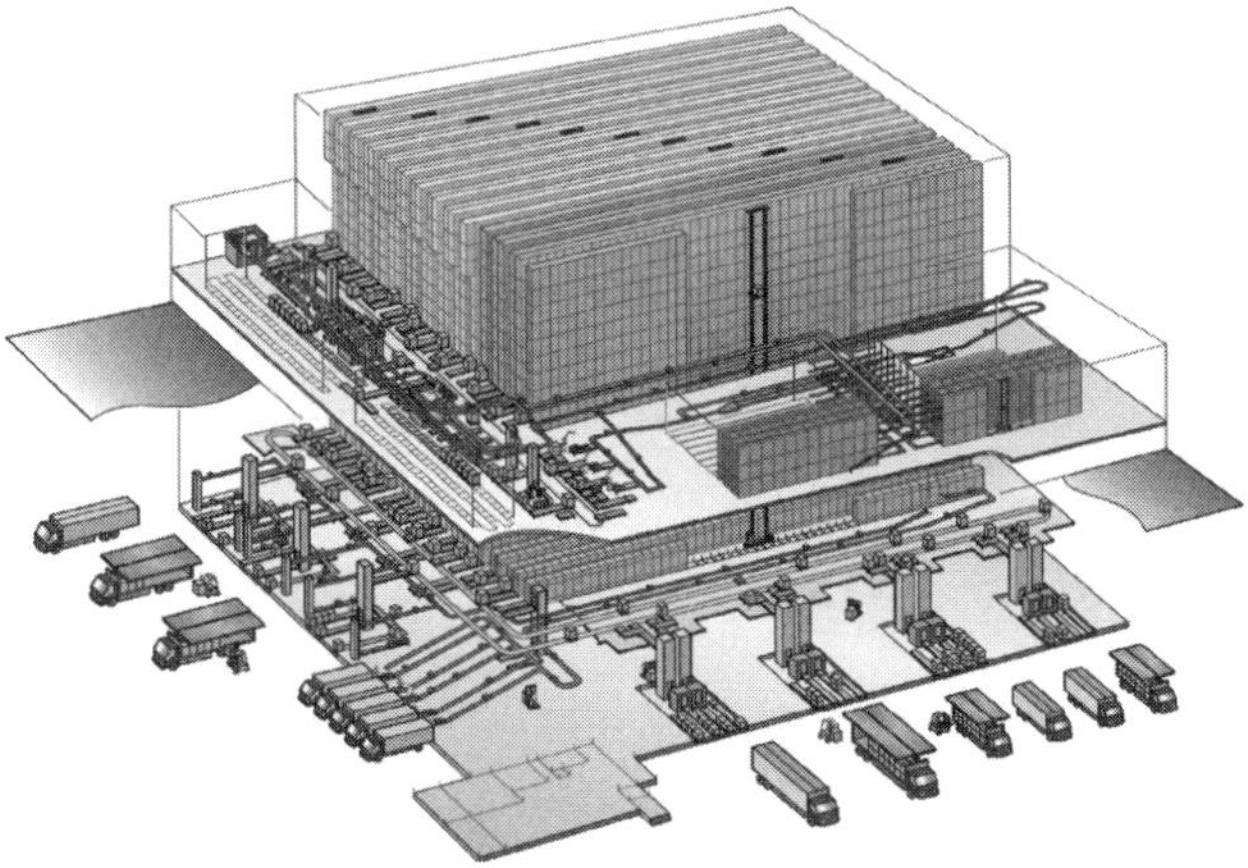

（イラスト提供：村田機械株式会社）

96 自動仕分機器と物流センターシステム

❖自動仕分システムとは

自動仕分機器は一般的にケースソーター、ピースソーター（小物）と呼ばれるソーティングマシンのことです。店舗、カテゴリー、消費者など高度な仕分機能を必要とする流通業界の物流センターでは多く見られます。

ソーティングマシンは、商品のＩＴＦやラベルのバーコード情報を読み取り、特定の行き先別に自動仕分けします。そのシステムは、商品を投入するインダクション、自動搬送コンベア、途中情報を読み取るバーコードリーダーなどの入力装置、ソーター本体、シュート、そして全体システムを制御する制御装置で構成されています。

❖自動仕分システムの種類

自動仕分システムは押出式、浮出式、傾斜式など構造によって分かれ、かつ仕分装置によってスライドシュー式、ダイバータ式などに分かれています。選定基準は搬送物の形状、大きさ、重量ならびに機械能力によります。

物流センターでよく見かける自動仕分システムは、①スライドシュー式ソーター、②ダイバータ式ソーター、③トレイ式ソーターです。①は押出式で、シューが品物を押し出すことにより仕分けます。商品へのあたりが柔らかく、長尺物から小物まで搬送対象物の範囲も広くなっています。時間当たりの処理能力も1万ケース以上で、流通業界においては圧倒的にスライドシュー式ソーターの比率が高くなっています。

②は側面から押し出すダイバータ（案内板）により仕分けます。①同様、押出式です。スライドシュー式と比較して安価で、しかも構造がシンプルなため故障しにくいといった特徴を持っていますが、仕分能力はスライドシュー式の半分程度で、商品の荷姿もダンボールなど一定用途に限られます。

③は傾倒式でトレイを傾けることによって仕分けます。処理能力はスライドシュー式より高く、設置スペースも小さくてすみます。ただトレイに載せるため、重量物には適さず、主に小分け用として使われます。機器価格も同じ処理物量で見た場合、スライドシュー式よりやや高くなっています。

物流センターの自動仕分システム

◉自動仕分システムの種類

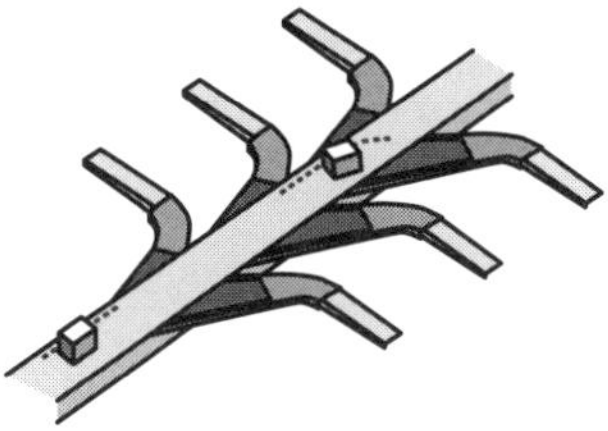

①スライドシュー式ソーター

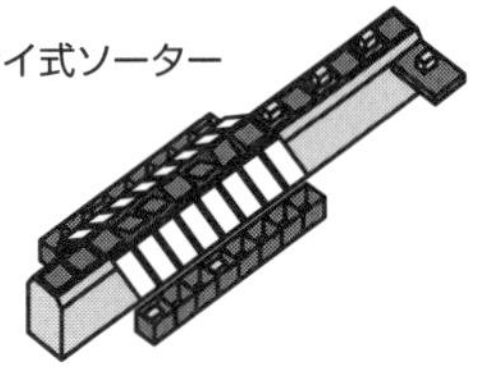

③トレイ式ソーター

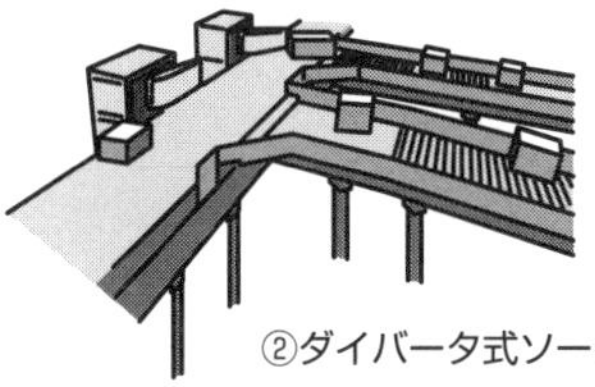

②ダイバータ式ソーター

◉自動仕分システムを用いたソリューション

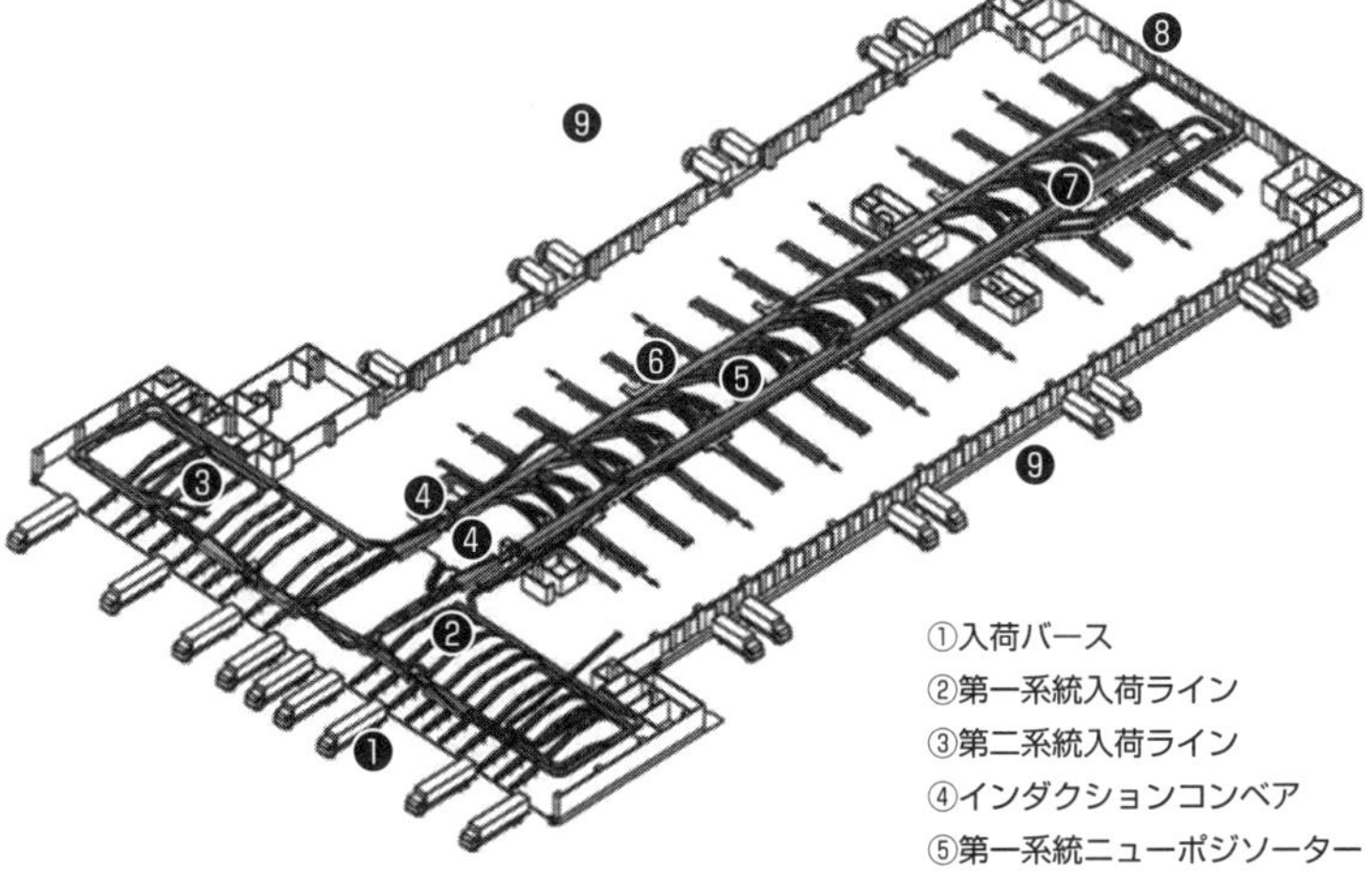

①入荷バース
②第一系統入荷ライン
③第二系統入荷ライン
④インダクションコンベア
⑤第一系統ニューポジソーター
⑥第二系統ニューポジソーター
⑦オーバーフローリサークルライン
⑧不定形品入荷バース
⑨出荷バース

（イラスト提供：トーヨカネツソリューションズ株式会社）

97 保管機器の種類と選定方法

❖保管機器の種類

保管機器は商品を保護し、効率的に保管するマテハンです。入出荷単位によって最適な保管機器が用意されています。

パレット及びケース自動倉庫は、スタッカークレーン（倉庫用のクレーン）で自動的に格納、検索する倉庫でＡＳ／ＲＳ（Automated Storage/Retrieval System）と呼ばれています。前者はパレット、後者はケース単位で保管されています。パレットラックとはパレット単位で保管する棚で、もっとも代表的な保管機器です。多くの物流センターで見られます。移動ラックとは各棚が独立しており、移動が可能なパレットラックのことです。必要に応じてピッキング通路を確保でき、収納効率が高いのが特徴です。フローラックと中量ラックは主に小分けされた商品を保管する棚です。

❖保管機器の選定方法

基本は管理アイテム数と出荷頻度で選定します。たとえば平置きやパレットラックは人手を多く投入すれば大量の出荷もこなせます。その能力は投入人数に依存します。しかし保管面積を広くとる必要があるため、管理アイテムが多い場合、必ずしも向いているとはいえません。その点、自動倉庫はピッキング通路を必要としないので、狭いスペースに多くのアイテムを保管できます。しかし出荷能力はクレーンの基数に依存します。1クレーンの往復には約1分の時間を要し、時間当たり３００アイテム程度しか出荷できません。したがって出荷頻度が高い商品には向いているとはいえません。移動ラックも一度に多くのピッキング通路を取れないため、同様のことがいえます。

小分け出荷のフローラックと中量ラックの比較では、前者は多頻度出荷、後者は出荷頻度が低い商品に向いています。フローラックは傾斜がついており、リザーブ在庫も格納できます。しかしその分、奥行きは１８００ミリで、スペース効率は高くありません。中量ラックは奥行き６００ミリです。ですからリザーブ在庫を必要としない、出荷頻度の低い商品に向いているといえます。

保管機器の種類と選定基準

入出荷単位	商品特性	保管
パレット→パレット	少品種大量出荷	平置き パレットラック 移動ラック パレット自動倉庫
パレット→ケース	少品種少量出荷	パレットラック パレット自動倉庫 移動ラック
ケース→ケース	少品種少量出荷	フローラック ケース自動倉庫
ケース→バラ	多品種少量出荷	フローラック 中量ラック

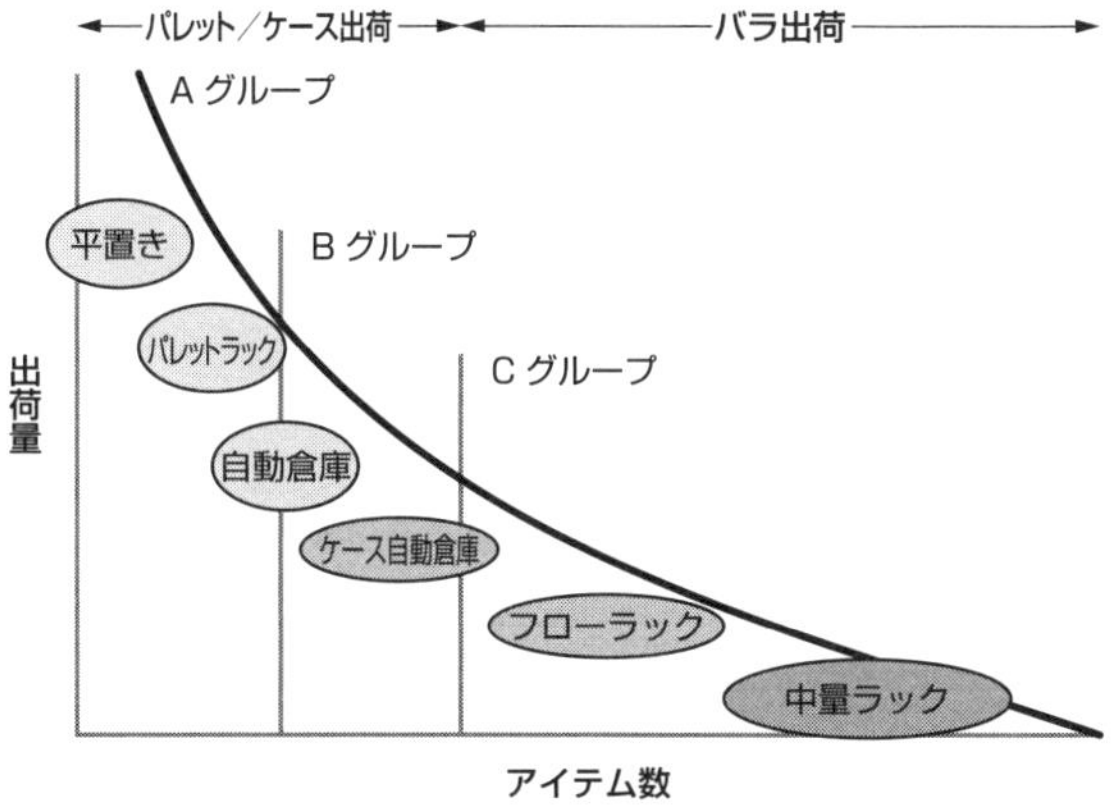

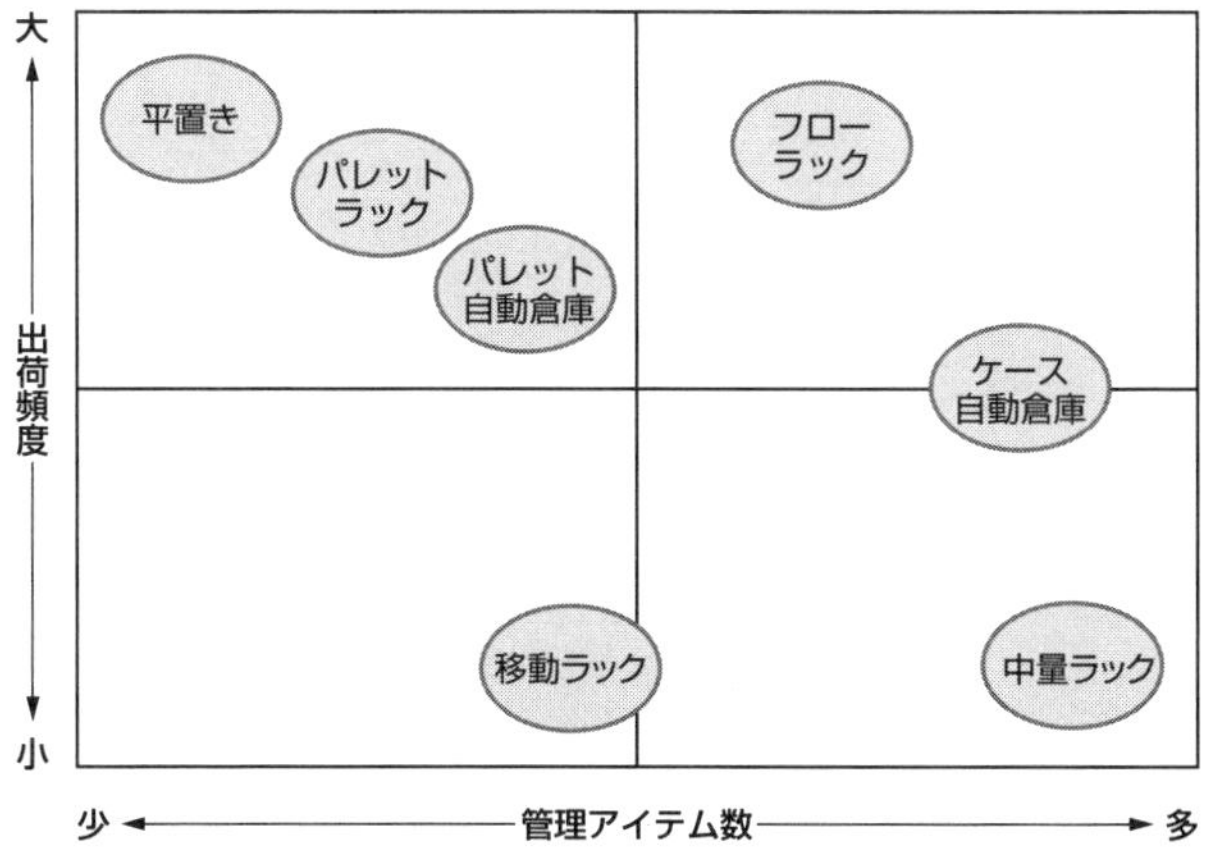

98 ピッキング機器の種類と選定方法

❖ピッキングシステムとは

ピッキング作業は品質と効率性が求められる業務です。その結果、数多くのピッキングシステムが考案されています。

摘み取り方式では「無線ハンディピッキング」「デジタルピッキング」「カートピッキング」。種まき方式は「ピースソーター」「デジタルアソート」「カート種まき」などが代表的なシステムといえます。

無線ハンディピッキングは商品のＪＡＮコードをスキャニングし、商品をピッキングしていきます。デジタルピッキングはラック上部の表示器にピッキング数量を表示します。カートピッキングはカート台車に設置されているモニターにピッキング数量を表示、ピッキングと同時にＪＡＮコードをスキャンします。

摘み取り、種まきと方式の違いはありますが、基本的には同じです。ピースソーターに商品のＪＡＮコードを読ませ、搬送レーンの乗せるとシューやトレイで自動的に仕分けるしくみです。

❖ピッキングシステムの選定

ピッキングシステムは、ピッキングするアイテム数と出荷頻度で選定します。出荷頻度とは商品のタッチ数や一注文当たりの数量です。ハンディターミナルは片手作業のため、一度に多くの商品の集品には向きません。デジタルピッキングは出荷頻度が少ない場合、デジタルランプの表示器の点灯も少なくなり、ピック回数が上がらないと生産性は向上しません。ピッキング対象商品によっては、人が移動するカートピッキングのほうが適しているケースも多々あります。

ピッキング総数が多い場合は、仕分能力の高いピースソーターが用いられます。

上記に加え物流精度も選定の重要な基準となります。リストでのピッキングは間違いが発生しやすく、デジタル方式も取り間違いや配分違いが生じます。その点、ピッキング時にＪＡＮコードをスキャニングするカートピッキングやピースソーターは理論上問題が起こらない、精度の高いシステムといえます。

ピッキング機器の種類と選定基準

摘み取り方式

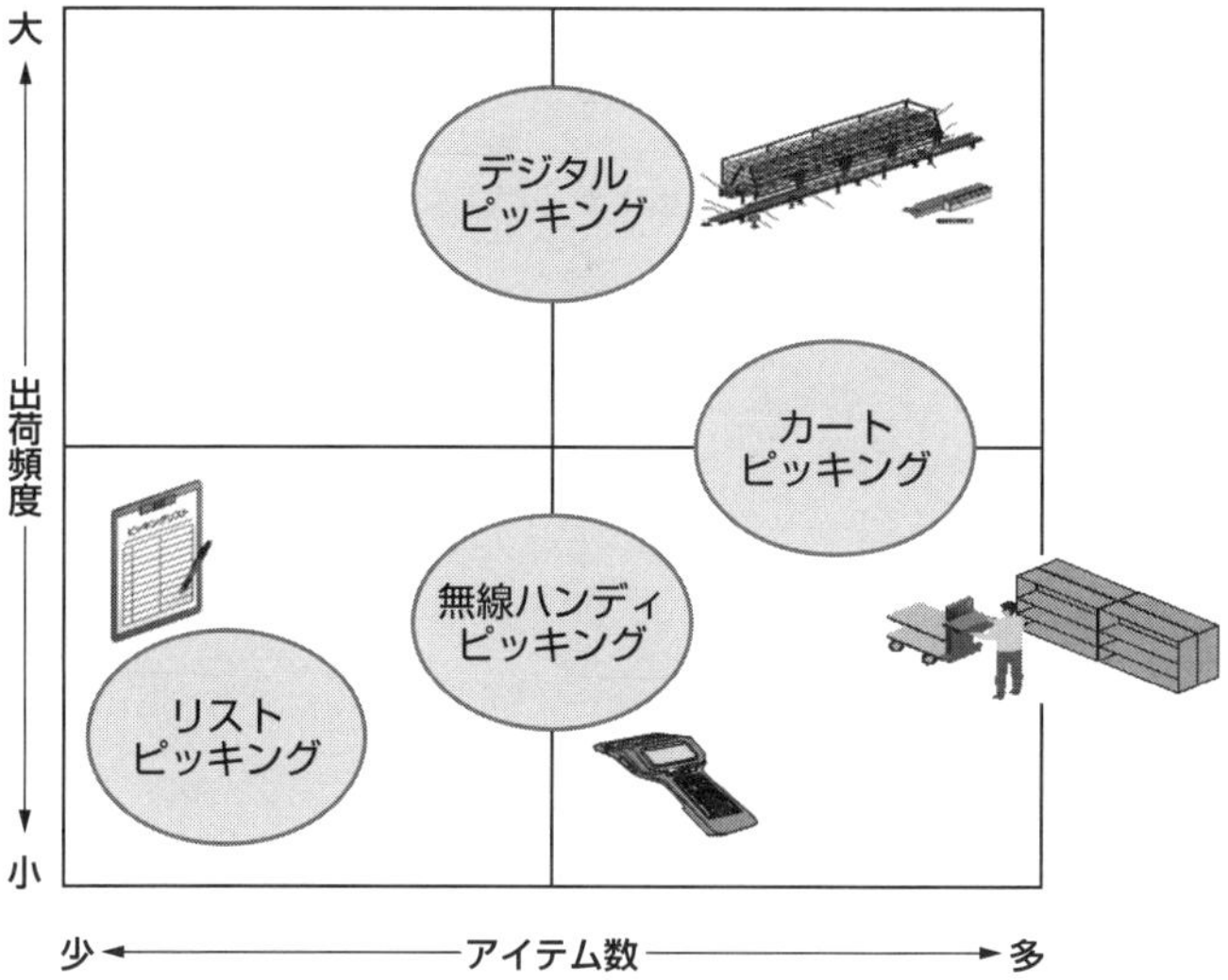

種まき方式

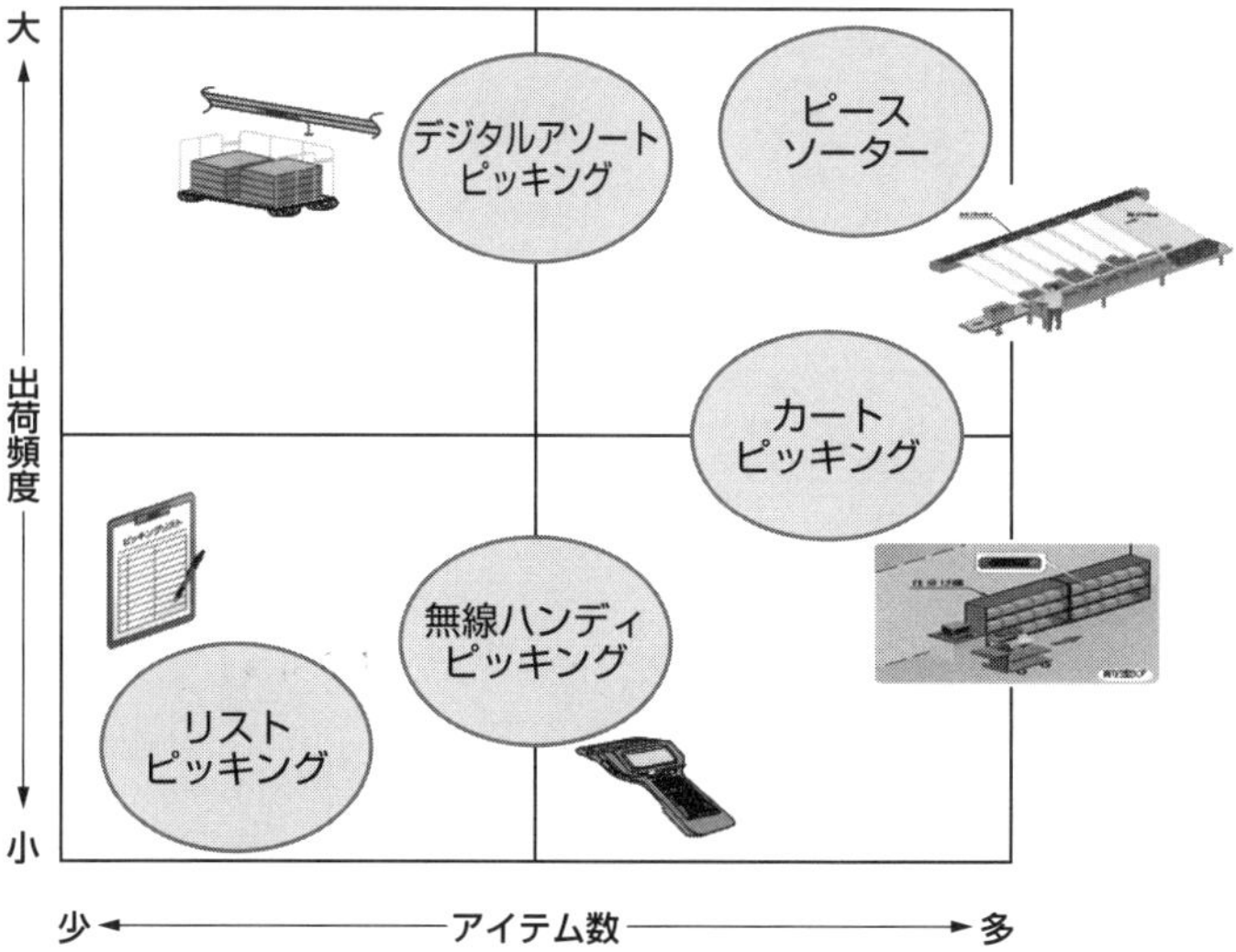

99 人間系と機械系のマテハン設備比較

❖人間系と機械系

物流センターでよく「人間系」「機械系」といった表現をすることがあります。

人間系とは人の動きが中心のセンターで、人によるハンドリングが主です。一方、機械系の物流センターは大規模な物流設備を導入して、入荷から出荷まで全自動または半自動になっています。どちらが優れているかといわれれば、誰でも機械化されたセンターを優位にイメージするに違いありません。しかし「人間系」「機械系」のどちらもメリットとデメリットがあります。

❖メリットとデメリット

物流センターの作業に限定するなら、機械化したほうがメリットを多く享受できます。人は必ず間違いを起こします。生産性もバラバラです。その点、機械はミスがなく生産性も一定に保たれます。作業品質も高いことは間違いありません。しかし、機械の能力に制約され、柔軟性のある対応は苦手です。物量が増加した場合、処理時間も比例して長くなります。

一方、人間系の物流センターは柔軟です。突然、物量が増えても人数を増やすことで対応が可能です。将来にわたって大きな物量変化がなければ機械系のほうが適しています。しかし環境は常に変わります。よってスペースの有効利用といった観点からすれば、人間系を中心とした物流センターのほうがベストかもしれません。

❖代表的な物流フロー

左図は人間系と機械系の物流センターの作業フローを表わしています。機械化されたセンターでは荷降ろしした商品はコンベアで自動搬送され、自動倉庫に格納されます。ピッキングはスタッカークレーンが対象商品を自動倉庫から取り出し、ピッキングステーションで必要数量をデパレタイザーが自動的に切り出します。コンベアでの自動搬送後は、ケースソーターが仕分けます。

人間系では荷降ろしした後、いったん仮置きし、フォークリフトで商品をラックまで搬送し、格納するのが一般的です。ピッキングの主役はフォークリフトで、人手で仕分けしていきます。

人間系と機械系の作業フロー

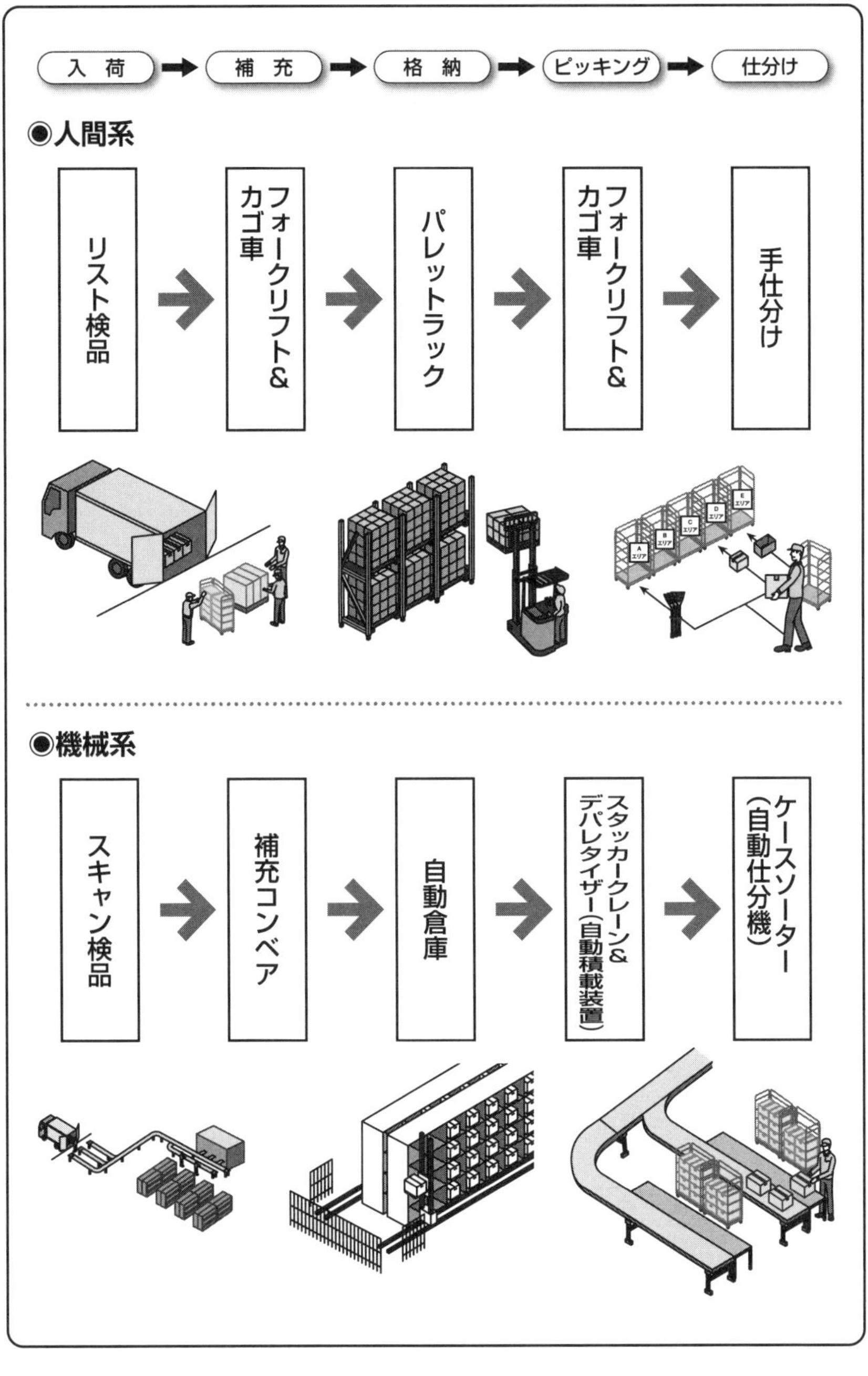
入荷
補充
格納
ピッキング
仕分け
◉人間系
リスト検品
フォークリフト&カゴ車
パレットラック
フォークリフト&カゴ車
手仕分け
◉機械系
スキャン検品
補充コンベア
自動倉庫
スタッカークレーン&デパレタイザー(自動積載装置)
ケースソーター(自動仕分機)

100 物流センター計画とマテハン設備導入のステップ

❖物流センター計画と大型マテハン設備の関係

物流センター構築とマテハン設備の導入計画は密接に関係しています。建築に着工した後では、大型の設備は導入できないことがあります。したがって物流センター構築に当たっては目的を明確にして、コンセプトを固めることからスタートします。将来的に扱う物量を算定し、何年後にフル稼働とするか、何店舗に対応するか、など条件を設定し、基本プランを固めていきます。

その際、ボリューム感は正しく掴む必要があります。物量によって当然、必要面積は異なります。選定する土地条件も同様です。在庫に必要な面積を確保できない場合、自動倉庫などを積極的に投入し、スペース効率を上げる必要性が生じるかもしれません。短時間で処理する必要がある場合は、高速仕分機の導入が条件になるかもしれません。物量条件はマテハン設備選定に大きく影響を及ぼします。

❖建築確認前のマテハン設備

自動倉庫のラックは主要構造部が屋根や外壁を支える構造になっており、建築基準法や消防法などの適用を受けます。高さ15メートルを超える場合は防火区画を設置、一定規模の設備に関してはスプリンクラーが必要など、様々な建築要件が関係します。ですから建築プランの策定に際しては、事前に自動倉庫導入の可否を決定しなくてはなりません。自動倉庫導入の有無によって建物自体が大きく変わってくるからです。

建築プランに際しては、そのほかに開口部や耐荷重などに注意を払う必要があります。自動仕分機などの重装備にはコンベアを通す穴や架台を必要とするので、上記のことが大きく関係してきます。

❖建築着工後のマテハン設備

大型設備以外に関しては、建築着工後に選定するのが一般的です。ラック類、ピッキング機器、搬送設備などは運用設計と同時に選定していきます。

運用設計後は、具体的な作業設計段階に入りますが、この時点でフォークリフトやパレット、カゴ車など、必要数を確保します。

物流センター計画とマテハン設備導入計画

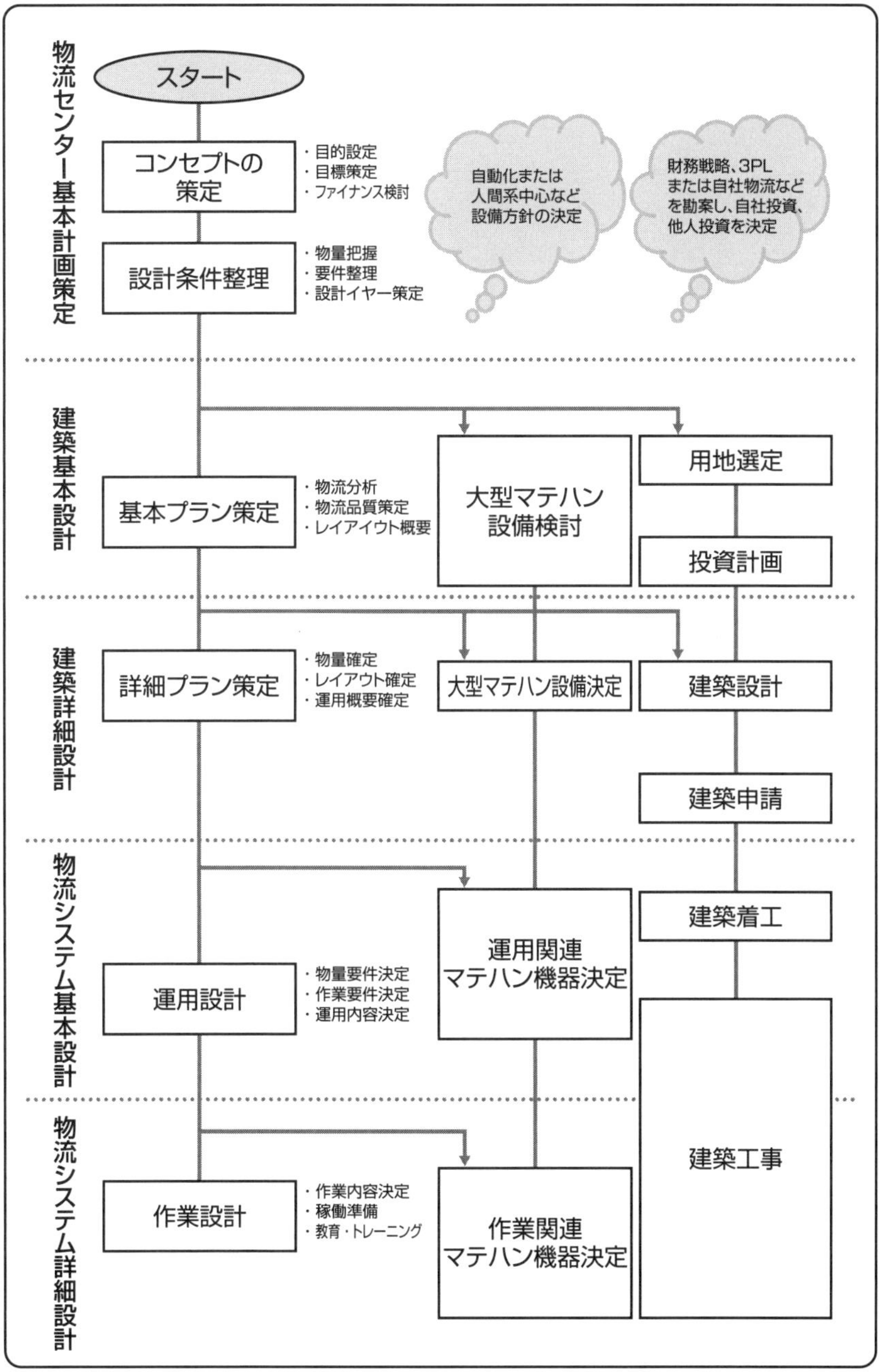

物流センター基本計画策定
スタート
コンセプトの策定
・目的設定
・目標策定
・ファイナンス検討
設計条件整理
・物量把握
・要件整理
・設計イヤー策定
自動化または人間系中心など設備方針の決定
財務戦略、3PLまたは自社物流などを勘案し、自社投資、他人投資を決定
建築基本設計
基本プラン策定
・物流分析
・物流品質策定
・レイアイウト概要
大型マテハン設備検討
用地選定
投資計画
建築詳細設計
詳細プラン策定
・物量確定
・レイアウト確定
・運用概要確定
大型マテハン設備決定
建築設計
建築申請
物流システム基本設計
運用設計
・物量要件決定
・作業要件決定
・運用内容決定
運用関連マテハン機器決定
建築着工
物流システム詳細設計
作業設計
・作業内容決定
・稼働準備
・教育・トレーニング
作業関連マテハン機器決定
建築工事

編著者略歴

臼井 秀彰（うすい ひであき）

株式会社　流通マーケティング研究所代表取締役。
中小企業診断士。物流学会正会員。日本マネジメント学会正会員。
東洋大学大学院経営学科研究科中小企業診断士登録コース「ロジスティクス担当」。
これまで食品スーパー、アパレルチェーン、外食チェーンなど数多くの物流センターを手がける。著書として『図解よくわかるこれからの物流』（共著：同文舘出版）、『一括物流＆サプライチェーン・ロジスティクスの具体策』（編著：経林書房）、『卸売業のロジスティクス戦略』（編著：同友館）、『この時代でも成長する中小卸売業の戦略と実例』（編著：経営情報出版社）、『ニューホールセラーの挑戦』（編著：ビジネス社）、他３冊がある。
本書では、３章（24～26）、４章（31～37）、５章、６章、８章、９章、10章を担当。
株式会社　流通マーケティング研究所
〒133-0051　東京都江戸川区北小岩3-7-3
TEL 03-5694-8488　携帯 090-1505-8117
e-mail :h-usui@gc4.so-net.ne.jp　URL:http://www003.upp.so-net.ne.jp/dmi/

執筆者略歴

田中 彰夫（たなか あきお）

産業能率大学教授。

1989年に日本債券信用銀行（現あおぞら銀行）入行。営業、企画、審査、調査部門に従事。産業調査部時代に物流・流通を担当。2007年に産業能率大学に入職。現在、同大学教授。

著書として『B２Bネットビジネス最前線』（工業調査会）、『現代の経営学』（産業能率大学）などがある。

本書では、１章、２章、３章（21～23、27～30）、４章（38～40）、７章を担当。

ビジュアル図解

物流センターのしくみ

平成23年９月22日　初版発行
平成28年４月11日　７刷発行

編著者　臼井秀彰
執筆者　田中彰夫
発行者　中島治久
発行所　同文舘出版株式会社

東京都千代田区神田神保町1-41　〒101-0051
電話　営業03(3294)1801 編集03(3294)1802
振替00100-8-42935 http://dobunkan.co.jp

 ISBN978-4-495-59501-2
印刷／製本：シナノ　Printed in Japan 2011
